RÉPERTOIRE DES CENTRES D'ARTISTES AUTOGÉRÉS DU QUÉBEC ET DU CANADA

DIRECTORY OF ARTIST-RUN CENTRES IN QUEBEC AND CANADA

6e édition * 6th edition

D1110328

Les **centres d'artistes autogérés** sont des organismes dont les principaux objectifs sont de soutenir les activités de recherche artistique, d'aider à la production des œuvres et à leur présentation publique. Administrés par des artistes, les centres autogérés offrent à la communauté artistique des espaces, des équipements, des résidences ainsi que des services et ressources spécialisés. Ils proposent au public des expositions, conférences, débats, performances, publications et un accès à leurs ressources documentaires.

2*3

accueil d'artistes en résidence /
artist in residence programs

activités d'édition /
publishing activities

équipements ou espaces de production disponibles /
equipment and production facilities

consultation d'archives et de documentation /
consultation of archives and documentation

Artist-run centres are organizations whose primary goals are to support artistic enquiry and assist in the production of works of art and their public presentation. Artist-run centres are administered by artists and provide the community with space, equipment, residences and specialized services and resources. They offer the public exhibitions, public talks, discussions, performances, publications and access to their documentary resources.

INDEX DES CENTRES * INDEX OF ARTIST-RUN CENTRES

• Membre associé du RCAAQ / Associate membre of the RCAAQ   •• Centre autochtone / Aboriginal centre

Abréviations des sections régionales / Regional abbreviations
NL Terre-Neuve-et-Labrador / Newfoundland and Labrador   **NS** Nouvelle-Écosse / Nova Scotia   **PE** Île-du-Prince-Édouard / Prince Edward Island   **NB** Nouveau-Brunswick / New Brunswick   **QC** Québec   **ON** Ontario   **MB** Manitoba   **SK** Saskatchewan   **AB** Alberta **BC** Colombie-Britannique / British Columbia   **YT** Territoire du Yukon / Yukon Territory   **NT** Territoires du Nord-Ouest / Northwest Territories **NU** Nunavut

TABLE DES MATIÈRES * TABLE OF CONTENTS

Du bon usage d'un répertoire! Qui eût cru, lorsque nous avons publié la première édition de ce *Répertoire des centres d'artistes autogérés*, que ses éditions subséquentes auraient un tel impact sur le développement de notre réseau? Qu'une reconnaissance locale et extérieure apporterait un éclairage si nuancé sur les centres d'artistes autogérés? Rappelons-nous la modestie des centres d'artistes en 1989, leur nombre et leur présence dans le champ de l'art… Rappelons-nous aussi que les choix des premiers éditeurs de ce *Répertoire*, les Dominique Guillaumand, Gilles Arteau, Pierre Thibodeau, se sont avérés porteurs d'avenir, à présent qu'a disparu *Parallelogramme* et avec lui son modèle de listing d'organismes.

Cette sixième édition porte bien son titre de *Répertoire des centres d'artistes autogérés du Québec et du Canada*; en effet, cent dix-huit centres québécois et canadiens ont souhaité s'y joindre, un accroissement par rapport à l'édition précédente qui, pour la première fois introduisait des centres de toutes les provinces canadiennes. L'exercice signifiait pour chacun de se décrire à travers 300 mots. Nous avons volontairement réduit la quantité d'informations techniques et choisi d'utiliser des pictogrammes pour démarquer les quatre secteurs d'activités que sont l'édition, l'accueil d'artistes en résidence, la consultation d'archives et de documentation et l'accès à des équipements ou à des espaces de production. Pour faciliter les recherches, un index référant à ces activités a été ajouté à la fin de l'ouvrage. La division du *Répertoire* est respectueuse de la géographie du pays et va d'est en ouest. À la manière d'une carte de visite, la mise en page accorde aux images une large place et intègre pour la première fois le logo de chaque centre.

Les listes de ressources ont été élaborées avec soin, grâce notamment à de patientes recherches et à la collaboration précieuse de quelques responsables d'associations de tout le pays. On ne peut rêver à l'heure actuelle de listes plus complètes regroupant les associations, les agences gouvernementales, les lieux de diffusion, de production, de documentation, les magazines et les événements liés à l'art contemporain. Ces listes de ressources suivent les pages consacrées aux coordonnées et à la description des centres d'artistes de chaque province. Un index permet de s'y retrouver facilement.

A well-used directory! Who would have thought, when we published the first edition of this *Directory of Artist-Run Centres*, that its subsequent editions would have such an impact on the growth of our network? That such local and outside recognition would shed such nuanced light on artist-run centres? We should remember the modest scale of artist-run centres in 1989, their small number and limited presence in the art world. We should also remember how the choices of the first editors of this *Directory*, people like Dominique Guillaumand, Gilles Arteau and Pierre Thibodeau, proved to portend the future now that *Parallelogramme* has disappeared, and with it its model of listings of organizations.

This sixth edition fully deserves its title, the *Directory of Artist-Run Centres in Quebec and Canada*: one hundred and eighteen artist run centres in Quebec and the rest of Canada expressed a desire to be included in it, more than in the previous edition, which was the first to cover every Canadian province. Each centre was asked to describe itself in 300 words. We voluntarily reduced the amount of technical information provided and chose to use pictograms to indicate the four areas of activity associated with artist-run centres: publishing, artist in residence programs, archival and documentation services, and access to production equipment or space. To facilitate consultation of the *Directory*, an index of these activities can be found at the back of the publication. The *Directory* is organized geographically, proceeding from east to west. Like a calling card, the page layout gives ample space to images and, for the first time, includes each centre's logo.

The lists of resources were carefully prepared, thanks in particular to patient research and to the valuable collaboration of colleagues in artist-run associations across the country. We cannot dream of more complete listings of associations, government agencies, events, magazines and exhibition, production and documentation venues with ties to contemporary art. These lists of resources follow the pages devoted to the artist-run centres in each province. An index provides easy reference.

Mentionnons par ailleurs que l'année 2006 marque le vingtième anniversaire de fondation du Regroupement des centres d'artistes autogérés du Québec (RCAAQ). Organisme de services destiné à ses membres et au mieux-être de l'ensemble de la communauté artistique, le RCAAQ s'est imposé quasi naturellement par la qualité et la constance de ses interventions en faveur des artistes professionnels qui aiment fréquenter les centres d'artistes. Sa réputation a grandi avec celle de ses membres. Sans les centres d'artistes autogérés, sans l'engagement de leurs membres, de leurs travailleurs et des artistes, ni le Regroupement des centres d'artistes autogérés du Québec ni son *Répertoire* n'auraient connu un tel développement. Si le *Répertoire* permet un accès unique à l'art contemporain en offrant 118 façons d'aborder la création et la diffusion, il demeure également un témoignage du chemin parcouru et un rappel des transformations majeures qu'a su opérer le modèle des centres d'artistes.

Nous espérons que le présent ouvrage saura répondre aux attentes des artistes, des travailleurs et des intervenants qui souhaitent établir des collaborations et participer à ce réseau de centres d'artistes. Nous espérons également qu'il sera utile à toutes les personnes intéressées à mieux le connaître et à le fréquenter.

Voici 118 lieux à découvrir.

Longue vie au *Répertoire* et bonne lecture !

CÉLINE LAPOINTE ET BASTIEN GILBERT

The year 2006 also marks the twentieth anniversary of the founding of the Regroupment des centres d'artistes autogérés du Québec (RCAAQ). As an organization devoted to the improvement of conditions for its members and for the artistic community as a whole, the RCAAQ has become a presence almost naturally because of the quality and consistency of its work to promote professional artists who like to frequent artist-run centres. Its reputation has followed that of its members. Without artist-run centres, without the commitment of their members, workers and artists, neither the Regroupment des centres d'artistes autogérés du Québec nor its *Directory* would have experienced such growth. While the *Directory* provides unique access to contemporary art by presenting 188 ways to approach artistic creation and dissemination, it also demonstrates the distance we have travelled and serves to remind us of the major transformations that the model of the artist-run centre has undergone.

We hope that this volume will meet the needs of artists, workers and others in the field who wish to establish partnerships and participate in this network of artist-run centres. We also hope that it will be useful to all those interested in better knowing and frequenting it.

Here are 118 places to discover.

Long life to the *Directory*! We hope you enjoy it!

CÉLINE LAPOINTE AND BASTIEN GILBERT

LES CENTRES D'ARTISTES : TISSU SOCIAL ET ARTISANAT

Mon grand-père [1875-1952] passait ses douze heures par jour à trimer sans dépendre de personne. Non pas parce qu'il était d'un naturel indépendant mais parce que l'ouvrage, lui-même, l'était. Alors que de nos jours le travail est devenu une occupation qui offre des options – on peut vouloir changer de métier, négocier des horaires, s'offrir une année sabbatique, profiter d'un programme de retraite anticipée –, il fut une époque où le travail que l'on faisait était le travail qui devait être fait. Ainsi, s'il ne dépendait de personne, il dépendait cependant du *travail à faire*. C'était, à proprement parler, l'époque de l'*artisanat*.

Si cet état de fait n'offre pas beaucoup de choix en termes d'horaires ou de conditions, il ouvre par contre une foule d'options en ce qui concerne la *manière*, ce qui caractérise bien peu de métiers ou de professions modernes. Mon père me raconte parfois que le sien quittait la maison vers six heures le matin l'été, pour rentrer déjeuner vers neuf heures, puis repartait au champ – ou à l'atelier de menuiserie, ou à l'atelier de mécanique, selon les époques – jusqu'à l'heure du dîner. Par contre, ce qu'il ne raconte pas c'est ce qu'il faisait précisément, puisque c'est justement dans la liberté vis-à-vis la nature même de la tâche accomplie que la *manière* se réalisait : c'était selon le temps qui passe et celui qu'il fait.

DES CENTRES D'ARTISTES

Le modèle initial des centres d'artistes procède en partie de cette approche du travail. Nés d'un idéal soixante-huitard pour lequel la personne se réalise dans le libre choix de l'usage de son temps, les collectifs d'artistes sont à l'origine atypiques, flexibles, mobiles. S'y réalisent les actions de ceux qui veulent les y réaliser. Dans ces lieux, il ne viendrait à personne l'idée de dire « voici comment les choses doivent être faites ».

8 * 9

ARTIST-RUN CENTRES: SOCIAL FABRIC AND THE CRAFT ECONOMY

My grandfather (1875-1952) spent twelve hours per day with his nose to the grindstone without relying on anyone. Not because he was naturally independent but because his work was. While today work has become an occupation which provides options—you can change professions, negotiate your work hours, take a sabbatical year or take advantage of an early retirement program—there was a time when the work you did was the work that had to be done. Thus, while my grandfather relied on no one, he relied on the *work to be done*. This, properly speaking, was the era of the *craft economy*.

While this state of affairs didn't offer a lot of choice in terms of working hours or conditions, it did open up a whole range of options concerning the *manner* in which things were done, something that is true of very few modern occupations or professions. My father occasionally relates how his father left the house at 6:00 a.m. in the summer and returned around 9:00 for breakfast, and then left again for the fields—or the woodworking or machine shop, depending on the period in his life—until lunchtime. What my father doesn't relate is what my grandfather did precisely, because in fact it was in the freedom with respect to the task carried out that the *manner* in which he worked came into play. He worked according to the passing time and the task he was performing.

ARTIST-RUN CENTRES

The initial model for artist-run centres was based in part on this approach to work. Artist collectives were the expression of a sixties idealism, which saw individuals achieving fulfilment in the free choice of how to use their time. In the beginning, they were atypical, flexible, mobile. What took place in them were the activities of those who wanted to carry them out. In such places no one ever thought to say "this is how things should be done".

Ces regroupements refusent les sentiers battus des modèles institutionnels des musées ou commerciaux des galeries privées. Ils prétendent que leur existence comme regroupements d'artistes doit être perçue, vécue comme un projet, avec une attitude de création constante, doit être sans cesse remise en question : doit être, elle-même, une œuvre. On y réinvente sans cesse la nature des activités et on y remet en question les caractéristiques des lieux dits de l'art.

Les artistes prennent en mains eux-elles-mêmes leur devenir. Pour qualifier cette attitude, certains parleront d'amateur-professionnel : il s'agit à proprement parler d'un artisanat social, d'une fabrication individuelle de la chose collective qui est à la mesure de chaque situation et de chaque artiste. Guy Debord et les autres tenants du situationnisme, influences majeures dans l'idéal de l'époque, refusent d'ailleurs la notion d'*artiste* comme classe sociale, comme signe de distinction et comme carte d'accès à la chasse gardée de la création. On parle de dérive psychogéographique comme méthode et chaque situation nouvelle est vue comme une révolution potentielle des affects et des percepts.

Theodor Adorno écrivait dans *Minima Moralia* : à une époque où les livres n'en sont plus, il ne peut y avoir de livre que celui qui n'en est pas un. C'est dans ce contexte conceptuel, en opposition avec les cadres de travail imposés et en droite ligne avec le *Refus global* qu'est né ici un modèle unique de centres de création qui sont aujourd'hui réunis dans un réseau et qui s'autoqualifient de centres d'artistes *autogérés*.

Cela justifie que l'entièreté du travail relève des artistes, puisque chaque tâche, chaque moment de la journée donne lieu à une création, à une ré-création. Il y a paradoxalement apparition d'un « collectif », puisque l'invention continuelle des manières de faire ne peut être qu'individuelle. En effet, chacun doit être investi dans le projet collectif et chacun doit prendre, individuellement, les risques nécessaires à la ré-invention constante du projet tout en faisant confiance aux autres pour en faire autant. De toute façon, dans les premiers regroupements les ressources sont limitées. Les artistes travaillent pour la plupart bénévolement et ne s'en surprennent guère puisqu'ils œuvrent après tout pour eux-elles-mêmes. C'est le temps du « par et pour ». Simplement, le travail qu'ils-elles font est le travail qui doit être fait.

These groups rejected the beaten path of the institutional model, museums, or the commercial model, private galleries. They held that their very existence as artist-run centres should be seen and experienced as a project, with an attitude of constant creation, and ceaselessly be called into question: that this existence should itself be a work of art. In these centres, the nature of artistic activity was constantly re-invented and the characteristics of so-called artistic spaces called into question.

Artists took their future into their own hands. Some of them described themselves as amateur-professionals. Properly speaking, it was a form of craft production of society itself, of individual production of collective goods in keeping with each artist's situation. Guy Debord and other participants in Situationism, who had a major influence on the era's ideals, rejected the concept of *artist* as a social class, as a sign of distinction and as an entry pass to the game preserves of artistic creation. Psycho-geographical *derive* was the order of the day and each new situation was seen as a possible revolution in affects and percepts.

Theodor Adorno wrote in *Minima Moralia* that, in an era in which books no longer exist, the only possible book is that which isn't a book. The unique model of centres of artistic creation was born in this conceptual context, in opposition to the framework of imposed work and directly descended from the *Refus global*. Today, these centres are joined together in a network and describe themselves as *artist-run* centres.

This justifies that the entirety of the work to be done falls to artists, because every task, every moment of the day gives rise to creation, to re-creation. Paradoxically, a collective appears because the constant invention of the manner of doing things can only be individual in nature. Each person must join in the collective project and each must, individually, take the necessary risks for the constant re-invention of the project while at the same time

LE DÉVELOPPEMENT, LE RÉSEAUTAGE

On comprend donc qu'au moment où les collectifs commencent à être soutenus par l'État, il y a nécessairement un change-ment de cap. Les centres d'artistes s'organisent en système, et ce système est unique, sans comparable. Alors que dans la plupart des pays occidentaux, les structures de soutien aux activités artistiques, quand elles existent, sont généralement directement soumises aux impératifs politiques, il y a ici autogestion, c'est-à-dire que le pouvoir – le jugement – est délégué aux artistes eux-mêmes, qui sont décideurs tant de la répartition des ressources que de la nature des activités. Ce système fait à juste titre l'envie des artistes partout dans le monde.

Comme le système requiert un équilibre dans la distribution des ressources, la connaissance des partenaires – des pairs – et de leurs modes de travail et d'existence est essentielle. On assiste donc à la naissance de regroupements dont l'objectif est la représentation des intérêts des centres membres, et c'est ainsi que naît le réseau des centres d'artistes autogérés.

De cette approche initiale où l'action était le fait de l'artiste libre participant à des niveaux variables aux investigations d'un collectif, nous voici devant un réseau dont l'identité est problématique et les valeurs sous pression. Car si l'objectif premier du regroupement est la représentation de ses membres, cette représentation même demande l'expression uniformisée des identités et des besoins.

DE A -> B

Les centres d'artistes se standardisent donc. Pour chacun d'eux on peut parler de programmation, de diffusion, d'acha-landage, de catégories de membres, de conseil d'administration. Paradoxalement, encore une fois, de la standardisation naît la spécialisation : comme tous les centres se calquent sur le même modèle, c'est la spécialisation qui permettra la distinction dans une évaluation comparative d'une performance standardisée. *Exit* le «tous sont créateurs». Peut-être le

placing their trust in others to do the same. In any event, resources were limited in the initial groups. Artists worked as volunteers for the most part, which didn't surprise them much because, after all, they were working for themselves. This was the time of "by and for". Simply put, the work they did was the work that had to be done.

GROWTH AND NETWORKING

It is thus understandable that once these collectives began to receive government support there was necessar-ily a change of course. Artist-run centres came together as a system, and this system is unique and without comparison. While support for artistic activities in most Western countries, when this support exists, is gener-ally directly tied to political imperatives, here we have self-governance: power—judgement—is delegated to the artists themselves, who make decisions concerning both the division of resources and the nature of the activities to be undertaken. This system is the envy of artists around the world, and rightly so.

Because the system requires equilibrium in the distribution of resources, familiarity with one's partners—one's peers—and their modes of work and existence is essential. We have thus witnessed the birth of associations whose goal is to represent the interests of their member centres. This is how the network of artist-run centres was born.

We have progressed from this initial approach, in which activities were the product of artists freely participating in the different levels of collective enquiries, to a network whose identity is problematic and whose values are under pressure. For if the primary objective of the association is to represent its members, this expression requires that the expression of identities and needs be made uniform.

modèle initial des centres d'artistes n'aura-t-il été au fond que l'incarnation temporaire d'un idéal passéiste, une sorte de phase transitoire marquée par l'inertie des formes désuètes? La libre organisation de son temps comme objectif n'était peut-être qu'une condition nécessaire au développement d'une certaine efficacité organisationnelle, pour le passage d'un artisanat social à une approche *professionnelle* de la création? De manœuvre sociale exigeant la réinvention constante des situations quotidiennes, les centres d'artistes sont en voie de devenir les lieux spécialisés d'un art spécialisé. De la liberté réclamée par Marcel Duchamp quand il prônait «l'abolition de la notion de jugement», nous en sommes aujourd'hui à des évaluations comparatives du rendement d'artistes professionnels.

Au moment d'écrire ces lignes, certains programmes récents de Conseil des Arts du Canada proposent d'adopter la «bonne gouvernance» comme critère d'évaluation du rendement de certains centres d'artistes, avec l'assentiment de ces derniers. Alors que la performance administrative est peut-être envisageable sur des bases créatrices (l'imagination dans l'usage des fonds disponibles peut être un critère), cette «bonne gouvernance», malgré l'évidente bonne volonté de ses supporteurs, ne peut que procéder d'une standardisation de la manière de faire les choses. On passe ici d'un artisanat à un métier, d'une activité d'artisan à un travail spécialisé, d'une proposition d'invention continuelle d'une vie renouvelée à l'application de manières de faire optimisées en fonction d'un rendement prédéfini. Manœuvre politique ou signe des temps?

URGENCE OU CONFORT?

Peut-être y a-t-il urgence au sein du réseau des centres d'artistes? Les moyens d'évaluation comparative que nous nous sommes donnés nous empêchent d'admettre, même entre nous, nos problèmes de fonctionnement. Peut-être y a-t-il nécessité d'organiser des états généraux et de prendre un peu de recul, de considérer le chemin parcouru? Peut-être devrions-nous nous donner les moyens de nous assurer que nous allons bien dans la direction où nous avions prévu aller, ou à tout le moins que nous sommes conscients des changements de direction qui ont modulé le parcours?

FROM A -> B

Artist-run centres are therefore becoming standardized. In each case it is possible to speak of programming, dissemination, attendance, categories of members and boards of directors. Paradoxically, once again, out of standardization has been born specialization. Since every centre imitates the same model, it is specialization which makes it possible to distinguish between them in a comparative analysis of a standardized performance. Exit "everyone's an artist". Was the initial model of artist-run centres perhaps in the end only the temporary embodiment of an ideal obsessed with the past, a kind of transitory phase marked by the inertia of out-of-date forms? Free organization of time as a goal was perhaps merely a necessary condition for the development of a certain organizational efficiency, for the passage from a social craft production to a *professional* approach to artistic production? From a social manoeuvre demanding the constant re-invention of day-to-day situations, artist-run centres are in the process of becoming specialized sites for specialized art. From the freedom sought by Marcel Duchamp when he called for "the abolition of the concept of judgement" we have reached the point today of comparative evaluations of the performance of professional artists.

At the time of this writing, some recent programs at the Canada Council for the Arts are proposing the adoption of "good governance" as a criterion for evaluating the performance of certain artist-run centres. This is being carried out with the consent of these centres. While administrative performance might perhaps be evaluated from a creative perspective (imaginative use of available funds might be one criterion), "good governance", despite the obvious good faith of its supporters, can only proceed from a standardization of the manner of doing things. It is the passage from craft production to a trade, from a craft activity to specialized labour, from a proposed constant invention of a renewed life to the application of ways of doing things which have been optimized according to a predefined performance. Political manoeuvre or sign of the times?

Mais peut-être aussi pouvons-nous nous convaincre que tout est bien en l'état. Peut-être arriverons-nous ainsi à protéger nos acquis, en faisant semblant que tout se passe comme prévu? Peut-être est-ce plus facile de ne pas voir la crise qui couve au sein du réseau en déclarant « naturel » que les compressions budgétaires fassent disparaître à court terme les collectifs les moins « performants »? Tout bien considéré, ne pourrait-on pas justifier cette professionnalisation des centres d'artistes en prétendant qu'elle est la clef d'un socialisme réel de l'art? Et de toute façon, Debord n'était-il pas soutenu par des gens aisés et lui-même sans soucis financiers? La vie d'art libre qu'il proposait n'était-elle pas à l'image d'une condition bourgeoise pour laquelle le « temps libre » est un privilège social indiscutable? En prêchant pour une vie de création continue, ne sous-entendait-il pas que d'autres feraient le travail? Après tout, comme le dit Joni Mitchell, qui fera le sale boulot si tous les esclaves sont libérés?

JOCELYN ROBERT
FÉVRIER 2006

URGENCY OR COMFORT?

Is there urgency in the network of artist-run centres? The comparative means of evaluation we have adopted prevents us from acknowledging, even amongst ourselves, our operational problems. Perhaps we need to organize a plenary meeting in order to step back and examine the distance we've travelled? Perhaps we should endow ourselves with the means to ensure that we truly are going in the direction we planned on going, or at least that we are aware of the changes in direction that have taken place en route?

But perhaps we can also convince ourselves that everything is fine in its present state. Perhaps we would thus come to protect our accomplishments by pretending that everything is going as planned. Perhaps it is easier not to see the crisis that is brewing in the network by declaring that it is "natural", in the short term, that budget cuts eliminate the less "effective" collectives? All things considered, couldn't we justify this professionalization of artist-run centres by maintaining that it is the key to a real socialism of art? In any event, wasn't Debord supported by well-off people, and wasn't he without financial worry? Wasn't the life of free art he proposed in the image of a bourgeois condition for which "free time" is an indisputable social privilege? By preaching a life of constant creation, wasn't he implying that others would do the work? After all, as Joni Mitchell said, who will do the dirty work if all the slaves are freed?

JOCELYN ROBERT
FEBRUARY 2006

Jocelyn Robert est un artiste. Il a réalisé des œuvres audio, vidéo, performatives, installatives et littéraires. Il a publié plus d'une douzaine de disques et son travail a été présenté au pays, aux États-Unis, en Amérique du Sud et en Europe. Il a fondé le centre d'artistes Avatar en 1993 à Québec, centre dont il assure la direction artistique. Il remportait en 2002 le premier prix de la catégorie Image du festival d'arts médiatiques Transmediale de Berlin pour son installation vidéo-informatique *L'invention des animaux*. Il enseigne à l'École des arts visuels et médiatiques de l'Université du Québec à Montréal.

Jocelyn Robert is an artist and writer. He has worked in sound, video, performance and installation. He has made more than a dozen records and his work has been exhibited in Canada, the United States, South America and Europe. In 1993 he founded the artist-run centre Avatar in Quebec City, where he was artistic director. In 2002 he won first prize in the Image category of the Transmediale media arts festival in Berlin for his video-computer installation *L'invention des animaux*. He teaches at the École des arts visuels et médiatiques at the Université du Québec à Montréal.

14 * 15

A COALITION

This 6th edition of the directory of artist-run centres produced by RCAAQ comes nearly thirty years after the first *Parallelogramme Retrospective* produced by the Association of National Non-Profit Artists' Centres (ANNPAC), a similar – if somewhat slimmer – publication produced by what at the time was a newly incorporated national association of artist-run centres. The *Retrospective* showcased a mere 18 centres, of which an even smaller number exist to this day.

The concept, however, is clearly a successful one. Today, the network of artist-run centres in Canada includes over 130 centres, in big cities as in smaller communities, from St. John's to Victoria, from Dawson City to Windsor, and numerous artists' collectives are active everywhere. Artist-run centres have developed to be an essential part of the Canadian visual arts scene, having produced thousands of exhibitions, publications, colloquiums, performances, screenings, and other art events and projects. They have been at the forefront of art made in this country, vital in the development of ideas and theory, pushing the very limits of what we call art.

The history of ANNPAC was at times tumultuous, and by the early nineties, regional and ideological differences within the organization became too pronounced to hold it together in its centralized form. After ANNPAC's dissolution in 1992, the country was served by a patchwork of advocacy organizations including the Artist-Run Network (ARN), Regroupement des centres d'artistes autogérés du Québec (RCAAQ), Pacific Association of Artist Run Centres (PAARC), and Artist Run Centres and Collectives of Ontario (ARCCO). These groups were very effective advocates for artist-run centres in their own areas, but especially after the eventual demise of ARN, left many parts of the country without representation and lacked an ongoing mechanism for collaboration across the country.

In May 2002, the Artist-Run Centres and Collectives of Ontario (ARCCO) organized the *Convergences* conference, in Ottawa, a forum that provided the opportunity for ARCs to meet from across the country and consider the idea of a national organization. It was generally agreed at this meeting that the regional model of advocacy—where it had existed—was very effective

UNE COALITION

Cette sixième édition du *Répertoire des centres d'artistes autogérés* est publiée par le RCAAQ près de trente ans après la *Parallelogramme Retrospective* de l'Association of National Non-Profit Artists' Centres (ANNPAC). Ce premier ouvrage, beaucoup moins volumineux, était lancé par ce qui était, à l'époque, une association nationale de centres d'artistes nouvellement formée. Il présentait à peine 18 centres, dont quelques-uns existent toujours.

Manifestement, la formule est gagnante. Aujourd'hui, le réseau de centres d'artistes au Canada compte plus de 130 centres, dans les grandes villes et dans les plus petites communautés, de St. John's à Victoria, de Dawson City à Windsor, sans compter les nombreux collectifs d'artistes qui s'agitent partout. Les centres d'artistes sont devenus incontournables quand on parle des arts visuels en ce pays; ils ont présenté des milliers d'expositions, de publications, de colloques, de performances, de projections, d'événements et de projets de toutes sortes. Ils ont été à l'avant-garde de l'art d'ici, essentiels dans l'évolution des idées et des théories et ont repoussé les limites mêmes de ce que l'on appelle art.

L'histoire de ANNPAC a été parfois tumultueuse. Au début des années 1990, les disparités régionales et idéologiques au sein de l'organisme sont devenues trop grandes pour que ce modèle centralisé puisse survivre. Après sa dissolution en 1992, les centres d'artistes ont été représentés par une mosaïque d'organismes : Artist-Run Network (ARN), le Regroupement des centres d'artistes autogérés du Québec (RCAAQ), la Pacific Association of Artist-Run Centres (PAARC) et Artist-Run Centres and Collectives of Ontario (ARCCO). Ces groupes ont été très efficaces pour la défense des intérêts des centres d'artistes sur leurs territoires respectifs mais, particulièrement après la disparition de ARN, plusieurs régions du Canada se sont retrouvées sans organisme de représentation et aucun réseau n'assurait une communication soutenue à l'échelle du pays.

and should be promoted, and rather than recreate ANNPAC, that these associations should continue their advocacy efforts at all levels of government. However, there was also agreement that there were many common issues that would benefit from a collaborative effort. After a second meeting following the *Tiré à part/Off-Printing* conference in Quebec City presented by the Regroupement des centres d'artistes autogérés du Québec (RCAAQ), a working committee was set up to develop structural models for a national association that would be flexible enough to accommodate regional differences and interests.

Finally, on March 1, 2004, following the *InFest* conference organized by the Pacific Association of Artist-Run Centres (PAARC) in Vancouver, representatives from centres across the country agreed to form the Artist-Run Centres and Collectives Conference/La Conférence des collectifs et des centres d'artistes autogérés (ARCCC-CCCAA), a coalition of regional associations and non-regional caucuses. A provisional Board was elected, with the mandate to set up the working mechanisms of this new association. ARCCC-CCCAA was officially incorporated in May 2005 and has already engaged in a number of important advocacy initiatives. To date, its members are:

THE ABORIGINAL REGION
The Aboriginal Region is comprised of ImagineNative (Toronto), Indigenous Media Arts Group (Vancouver), Sâkêwêwak Artists' Collective (Regina), Tribe Inc. (Saskatoon) and Urban Shaman (Winnipeg). The Region works to provide advocacy for Aboriginal artist-run centres in Canada, giving voice to the unique challenges of programming Aboriginal contemporary art.

ALBERTA ASSOCIATION OF ARTIST-RUN CENTRES (AAARC)
AAARC facilitates advocacy, networking, and development for artist-run centres in Alberta. In 2005, AAARC commissioned a report on the artist-run sector in Alberta, which is used as an important advocacy and reference tool.

En mai 2002, ARCCO a organisé *Convergences*, à Ottawa. Cette conférence a offert aux représentants de tous les centres d'artistes l'occasion de se rencontrer et d'évoquer la création d'une organisation pancanadienne. Lors de cette réunion, on a convenu que le modèle « régional » de promotion des intérêts, là où il existait, s'avérait très efficace et devait être encouragé. Plutôt que de recréer ANNPAC, on a convenu aussi que ces associations devaient poursuivre leurs efforts à tous les paliers de gouvernement. On a constaté, cependant, que les régions avaient plusieurs intérêts communs et qu'il serait profitable d'y travailler en collaboration. Lors d'une seconde rencontre à Québec, à la suite de la conférence *Tiré à part/Off Printing* organisée par le RCAAQ, on a mis sur pied un comité de travail, afin d'élaborer des modèles de structures d'une association nationale qui serait suffisamment flexible pour accommoder les particularités et les intérêts de chacun.

Puis à Vancouver, le 1er mars 2004, tout juste après *InFest* organisé par PAARC, les délégués des centres ont convenu de former Artist-Run Centres and Collectives Conference/La Conférence des collectifs et des centres d'artistes autogérés (ARCCC-CCCAA), coalition d'associations régionales et de caucus spécifiques. On a élu un conseil d'administration provisoire, qui avait comme mandat d'établir les bases de cette nouvelle association. ARCCC-CCCAA a été officiellement incorporée en mai 2005 et, déjà, s'active à la promotion et à la défense des droits et des intérêts des centres d'artistes. À ce jour, les associations suivantes forment la Conférence :

THE ABORIGINAL REGION
La Région autochtone regroupe ImagineNative de Toronto; Indigenous Media Arts Group de Vancouver; Sâkêwêwak Artists Collective de Regina; Tribe Inc. de Saskatoon et Urban Shaman de Winnipeg. L'association défend les intérêts des centres d'artistes autochtones du Canada et promeut la spécificité de l'art contemporain autochtone et sa diffusion.

ARTIST-RUN CENTRES ASSOCIATION OF THE ATLANTIC (ARCAA)

Incorporated in 2005, ARCAA represents artist-run centres in Newfoundland & Labrador, New Brunswick, Nova Scotia and Prince Edward Island. Being spread over four provinces makes communication more difficult, but the association is making good progress, establishing links with other arts advocacy groups to improve funding in the region.

ARTIST-RUN CENTRES AND COLLECTIVES OF ONTARIO (ARCCO)

Active since 1988, ARCCO represents over 40 artist-run centres and collectives across Ontario. With a rapidly growing membership, the association is working to expand the services it provides its members.

MANITOBA VISUAL ARTS ASSOCIATION (MVAA)

MVAA combines the efforts of Manitoba artist-run centres with other non-profit visual arts organizations in the province to advocate more strongly for better recognition and funding.

PACIFIC ASSOCIATION OF ARTIST-RUN CENTRES (PAARC)

British Columbia-based PAARC has been active since 1988 and with limited financial means has been able to advocate very efficiently for its members and raise the profile of artist-run activities in the province. Its membership is currently growing with the addition of new centres from Vancouver and the B.C. interior.

PLAINS ASSOCIATION OF ARTIST-RUN CENTRES (PARCA)

Saskatchewan-based PARCA represents five centres in Regina and Saskatoon and is working to expand its membership to other parts of the province.

ALBERTA ASSOCIATION OF ARTIST-RUN CENTRES (AAARC)

Cette association facilite la défense des droits, le réseautage et le développement des centres d'artistes albertains. En 2005, AAARC a produit un important rapport sur le secteur des centres d'artistes en Alberta, qui constitue un outil de référence et de promotion des droits essentiel.

ARTIST-RUN CENTRES ASSOCIATION OF THE ATLANTIC (ARCAA)

Incorporée en 2005, ARCAA représente les centres d'artistes de Terre-Neuve-et-Labrador, du Nouveau-Brunswick, de la Nouvelle-Écosse et de l'Île-du-Prince-Édouard. Son étalement sur quatre provinces rend les communications plus difficiles, mais l'association se met en place et tisse des liens avec d'autres groupes de pression de la région, afin d'améliorer le financement des arts.

ARTIST-RUN CENTRES AND COLLECTIVES OF ONTARIO (ARCCO)

Fondée en 1988, ARCCO représente plus de 40 centres d'artistes et collectifs partout en Ontario. Ses effectifs grandissent rapidement et l'association s'affaire à augmenter les services qu'elle offre à ses membres.

MANITOBA VISUAL ARTS ASSOCIATION (MVAA)

MVAA joint les efforts des centres d'artistes manitobains à ceux d'autres organismes en arts visuels à but non lucratif, afin d'obtenir pour tous une meilleure reconnaissance et un meilleur financement.

PACIFIC ASSOCIATION OF ARTIST-RUN CENTRES (PAARC)

PAARC, en Colombie-Britannique, est active depuis 1988. Malgré son budget limité, l'association a pu défendre les intérêts de ses membres et mettre en valeur leurs activités avec succès. Elle compte de plus en plus de membres avec l'arrivée de nouveaux centres de Vancouver et de l'intérieur de la province.

REGROUPEMENT DES CENTRES D'ARTISTES AUTOGÉRÉS DU QUÉBEC (RCAAQ)

RCAAQ is the oldest and largest regional association, celebrating its 20th anniversary this year and boasting 60 members across Quebec. The organization is very active organizing advocacy, workshops, publications and networking. RCAAQ is also an important partner in the Mouvement pour les arts et letters (MAL) coalition to improve arts funding in Quebec.

The strengths of artist-run centres are their diversity and determination. It is our hope that ARCCC-CCCAA will effectively represent these qualities well into the future. As recent surveys of funding levels, salaries and working conditions at artist-run centres indicate, widespread and combined advocacy efforts are exceptionally crucial. It is our hope that we can share the expertise developed in different regions, take advantage of our various networks and articulate the needs of artist-run centres as they continue to evolve. Particularly, we aim to speak with a strong voice and advocate for better recognition of the essential role artist-run centres play in this country, contributing to the vitality and dynamism of its contemporary arts.

JONATHAN MIDDLETON AND DANIEL ROY

PLAINS ASSOCIATION OF ARTIST-RUN CENTRES (PARCA)

PARCA, en Saskatchewan, représente cinq centres de Regina et de Saskatoon. L'association poursuit ses efforts pour élargir ses effectifs à l'extérieur de ces villes.

LE REGROUPEMENT DES CENTRES D'ARTISTES AUTOGÉRÉS DU QUÉBEC (RCAAQ)

Le RCAAQ, la plus ancienne et la plus importante des associations régionales, regroupant plus de 60 centres dans toutes les régions du Québec, célèbre cette année son vingtième anniversaire. Le Regroupement travaille activement à promouvoir les intérêts des centres d'artistes et à élargir son réseau, offre des programmes de formation et édite des publications. Le RCAAQ est un partenaire important du Mouvement pour les arts et lettres (MAL), coalition formée pour améliorer le financement des arts au Québec.

Les centres d'artistes puisent leur force dans la diversité et la ténacité; nous avons bon espoir que ARCCC-CCCAA pourra s'en inspirer pour l'avenir. Des études récentes sur le financement, les salaires et les conditions de travail dans les centres d'artistes nous indiquent, plus que jamais, que la concertation est primordiale. Nous avons bon espoir de pouvoir partager nos expertises, de profiter de nos réseaux respectifs et de faire respecter les besoins des centres au fil de leur évolution. Nous voulons nous exprimer d'une voix forte et promouvoir une meilleure reconnaissance du rôle essentiel que jouent les centres d'artistes dans ce pays, en participant pleinement à la vitalité et au dynamisme de ses arts actuels.

JONATHAN MIDDLETON ET DANIEL ROY

Jonathan Middleton is an artist and independent curator living in Vancouver. He was curator of Western Front' exhibitions programme from 1999-2005, and currently works with Projectile Publishing Society, an artist-run publishing house. Middleton is President of ARCCC-CCCAA.

Daniel Roy lives in Montreal. He has been working on a number of smaller projects since leaving his position as director of Centre des arts actuels Skol, in 2003, and was lately research and public relations officer for this edition of the Directory. Roy is currently director of ARCCC-CCCAA.

Jonathan Middleton vit à Vancouver, où il est artiste et commissaire indépendant. De 1999 à 2005, il était commissaire du Western Front Exhibitions Programme; il travaille présentement avec la Projectile Publication Society, une maison d'édition autogérée. Middleton est président de ARCCC-CCCAA.

Daniel Roy vit à Montréal et travaille comme pigiste depuis qu'il a quitté la direction du Centre des arts actuels Skol, en 2003. Il a récemment été recherchiste et relationniste pour cette édition du *Répertoire*. Roy est présentement directeur de ARCCC-CCCAA.

TERRE-NEUVE-ET-LABRADOR

NEWFOUNDLAND AND LABRADOR

EASTERN EDGE GALLERY

Established in 1984, Eastern Edge Gallery is Newfoundland and Labrador's first non-profit artist-run centre encompassing a 97.4 m² main exhibition space and The Rogue, an 11.4 m² non-juried local exhibition space. We program six 6-week exhibitions, a member's exhibition, and twelve 3-week exhibitions in The Rogue each year, in all media, prioritising innovative and critical works reflecting the current art scene. Eastern Edge has a Pin-In Gallery, with an on-going call for 1-inch button projects. We have a resource library and a variety of ongoing community oriented events. In particular, Eastern Edge hosts celebrations of Art's Birthday, New Year's Eve, Valentine's Day, and Earth Day. We host performances, workshops, panel discussions, artist talks and guest lectures. Eastern Edge Gallery's main outreach events are the annual Express: a festival of art in 24 hours, the International Women's Day exhibition and discussions, and our St. John's day drawing and cultural tours.

Eastern Edge Gallery also offers internships and work-study positions and is extending its educational outreach into local schools and universities. Community outreach is continually developed with screenings and movie nights, readings, classes, all ages shows, new media art collaborations with the collective Edge Intermedia, and local, national and international joint publishing ventures. It all directly serves our increasing membership, and with over 300 groups on our mailing list and over 100 members from across Canada, the United States and Europe, Eastern Edge remains solidly committed to its mandate to exhibit contemporary Canadian and international art in all media. We produce a varied, inclusive program encouraging feminist perspectives. Our artists, be they regional, national or international, emerging or established, receive CARFAC fees and return shipping. We handle all promotion and hire professional writers for our mini-publication invitations.

EASTERN edge
an artist-run gallery

72 Harbour Drive
PO Box 2641, Station 'C'
St. John's (Newfoundland) A1C 6K1
T 709 739 1882 F 709 739 1866
egallery@nfld.net
www.easternedge.ca

OPENING HOURS
Gallery Hours
TUESDAY » SATURDAY: 12pm-5pm
Office Hours
10am-5pm

DIRECTOR
MICHELLE BUSH

SUBMISSION DEADLINES
MAIN GALLERY
March 31 annually
ROGUE GALLERY
local artists, ongoing call for proposals,
artists drawn at random every 3 months
PIN-IN GALLERY
ongoing call

Fondé en 1984, Eastern Edge est le premier centre d'artistes autogéré sans but lucratif de Terre-Neuve et du Labrador. Le centre dispose d'un espace d'exposition principal d'une superficie de 97,4 m², ainsi que d'un espace de 11,4 m² réservé aux expositions locales, sans processus de sélection, nommé The Rogue. Notre programmation annuelle comprend six expositions d'une durée de six semaines, une exposition des œuvres de l'un de nos membres et douze expositions de trois semaines dans l'espace The Rogue. Nous favorisons tout particulièrement les œuvres innovatrices et critiques canadiennes et étrangères qui reflètent la production artistique actuelle. Toutes formes d'art sont par ailleurs acceptées. Eastern Edge possède également une galerie nommée « Pin-In », consacrée à l'exposition de boutons d'un pouce de diamètre qui nous sont continuellement proposés. Le centre est également pourvu d'une bibliothèque et organise régulièrement des événements axés sur la collectivité. Eastern Edge célèbre les festivités entourant l'Anniversaire de l'art, la veille du jour de l'An, la Saint-Valentin et le Jour de la Terre. Nous organisons des performances, ateliers, discussions en groupe et conférences d'artistes, en plus d'accueillir des conférenciers invités. Parmi ces principaux événements annuels, Eastern Edge organise « Express : a festival of art in 24 hours », ainsi qu'une exposition et des discussions dans le cadre de la Journée internationale de la femme, sans oublier le tirage de la Saint-Jean et les visites culturelles.

Eastern Edge offre également des programmes de stages et des postes combinant travail et études, en plus d'étendre ses activités de diffusion aux écoles et universités locales. Le centre poursuit ses efforts de diffusion auprès de la communauté par le biais de soirées de cinéma, de lectures, de cours, de spectacles pour tous âges, de collaborations artistiques faisant appel aux nouveaux médias avec le collectif Edge Intermedia, ainsi que de plusieurs coéditions locales, nationales et internationales. Nous espérons, par ces activités, répondre aux attentes de nos membres, dont le nombre ne cesse de croître. Notre liste d'envoi compte au-delà de trois cents groupes et plus d'une centaine de membres au Canada, aux États-Unis et en Europe. Enfin, la programmation variée et inclusive que nous proposons appuie notamment certaines perspectives féministes. Nos artistes, qu'ils soient de la région, du Canada ou d'ailleurs, qu'il s'agisse d'artistes de la relève ou de créateurs établis, touchent des cachets et des remboursements de frais de transport conformes aux tarifs du CARFAC. La galerie assume entièrement la promotion des expositions et des divers projets. Enfin, des rédacteurs professionnels travaillent à nos communications écrites.

EASTERN EDGE GALLERY. DARYL VOCAT (ON) AND CATHERINE ROSS (NY), *PRACTICAL ASSOCIATIONS*, SCREEN PRINTS AND *FINGERING AND FOOTING*, VIDEO.

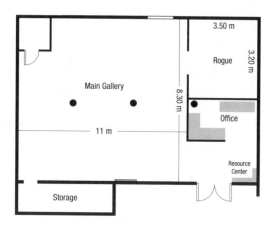

ST. MICHAEL'S PRINTSHOP

St. Michael's Printshop is part of a Canadian network of artist-run lithography, intaglio, and relief-print studios that provide professional printmaking facilities for professional visual artists.

The Printshop was established in 1972 with the assistance of a grant from the Canada Council for the Arts and was originally located in the small fishing village of St. Michael's, on the southern shore of the Avalon Peninsula of the island, approximately 50 kilometres from St. John's. St. Michael's Printshop remained in this location for fifteen years, attracting a core group of local artists and hosting visiting artists from across Canada. In 1986 St. Michael's Printshop moved its operations to a downtown location in St. John's, where it now occupies 2000 square feet of open studio space and a small gallery in a historic building overlooking St. John's Harbour.

In November 2001 St. Michael's Printshop was inducted into Newfoundland and Labrador Arts Council's Hall of Honour. This prestigious award was given *"in recognition of St. Michael's Printshop's significant contribution to the Arts"*. St. Michael's is the first arts organization to be inducted into the NLAC's Hall of Honour.

In 2002 St. Michael's celebrated its thirtieth anniversary. To date, approximately two thousand editions of prints have been created in the Printshop by hundreds of artists from Newfoundland, Canada, the United States, Great Britain and Europe. Prints bearing the distinctive St. Michael's Puffin Chop can be found in public and private collections around the world.

The studio is open to visual artists for a nominal fee, which includes basic printing supplies and chemistries. We offer a Visiting Artist Program that is open to printmakers from Newfoundland, Canada, and abroad. The Don Wright Scholarship is open to recent graduates of a recognized post-secondary visual arts program.

72 Harbour Drive, Second Floor
PO Box 193, Station C
St. John's (Newfoundland) A1C 5J2
T 709 754 2931 F 709 754 6188
stmichaelsprintshop@nfld.net
www.stmichaelsprintshop.com

OPENING HOURS
TUESDAY » SATURDAY: 10am-5pm
24-hour access for artists working
in the studio.

DIRECTOR
MICHAEL CONNOLLY

SUBMISSION DEADLINES
VISITING ARTIST PROGRAM,
Oct. 1 each year
DON WRIGHT PRINT SCHOLARSHIP,
June 1 each year

St. Michael's Printshop fait partie d'un réseau canadien d'ateliers autogérés en lithographie, gravure en creux et en relief; il met des équipements professionnels pour l'estampe à la disposition des artistes visuels professionnels.

L'atelier, fondé en 1972 grâce à une subvention du Conseil des Arts du Canada, a d'abord été situé dans le petit village de pêcheurs de St. Michael's, sur la rive sud de la péninsule d'Avalon, à 50 kilomètres de St. John's. St. Michael's Printshop y est demeuré pendant quinze ans, attirant un noyau d'artistes locaux et des artistes de passage de partout au Canada. En 1986, le St. Michael's Printshop a déménagé au centre de St. John's, pour occuper un espace de 600 m² et une petite galerie dans un édifice historique qui surplombe le port.

En novembre 2001, St. Michael's Printshop était accueilli au Newfoundland and Labrador Arts Council's Hall of Honour. Cette prestigieuse récompense lui a été décernée en reconnaissance de sa contribution au domaine des arts. Il est la première organisation artistique à recevoir cet honneur.

En 2002, St. Michael's Printshop célébrait son 30e anniversaire. À ce jour, près de 2 000 éditions ont été tirées dans nos ateliers par des centaines d'artistes de Terre-Neuve, du Canada, des États-Unis, de la Grande-Bretagne et de l'Europe. On retrouve ces estampes marquées du sceau de St. Michael's – un macareux – dans plusieurs collections publiques et privées du monde.

Les artistes visuels peuvent louer l'atelier moyennant un tarif minimal qui inclut les fournitures de base et les produits chimiques. Nous offrons un programme d'artistes en résidence ouvert aux graveurs de Terre-Neuve, du Canada et de l'étranger. Les diplômés récents d'un programme postsecondaire reconnu en arts visuels peuvent bénéficier de la bourse Don Wright.

ST. MICHAEL'S PRINTSHOP. PHOTO: JACK BOTSFORD

ASSOCIATIONS * ASSOCIATIONS

**ARCAA - Artist-Run Centres
Association of the Atlantic**
c/o 72 Harbour Drive, P.O. Box 2461
Station C
St. John's NL A1C 6K1
(709) 739-1882
egallery@nfld.net
www.easternedge.ca

**CARFAC-VANL: Visual Arts
Newfoundland and Labrador**
Devon House 59 Duckworth St.
St. John's NL A1C 1E6
(709) 738-7303
vanl-carfac@nf.aibn.com
www.carfac.ca

**Craft Council of Newfoundland
and Labrador**
59 Duckworth St.
St. John's NL A1C 1E6
(709) 753-2749
info@craftcouncil.nf.ca
www.craftcouncil.nf.ca

CONSEILS DES ARTS ET MINISTÈRES * ART COUNCILS AND CULTURE DEPARTMENTS

**Canadian Heritage /
Patrimoine canadien**
10 Barters Hill, 5th Floor
St. John's NL A1C 5X4
(709) 772-5364
www.pch.gc.ca

**Department of Tourism and Culture -
Cultural Affairs Division**
P.O. Box 8700
St. John's NL A1B 4J6
(709) 729-3609
ebatstone@tourism.gov.nf.ca
www.gov.nf.ca/tourism/

**Newfoundland and Labrador
Arts Council**
P.O. Box 98
St. John's NL A1C 5H5
(709) 726-2212
nlacmail@nfld.net
www.nlac.nf.ca

FONDATIONS * FOUNDATIONS

The Pouch Cove Foundation
P.O. Box 693
Pouch Cove NL A0A 3L0
(709) 335-7272
www.pouchcove.org

LIEUX DE DIFFUSION * EXHIBITION SPACES

**Art Gallery of Newfoundland
and Labrador**
Arts and Culture Centre, Allandale Road
/ Prince Philip Drive, P.O. Box 4200
St. John's NL A1C 5S7
(709) 737-8209
agnl@mun.ca
www.mun.ca

**Corner Brook Arts and
Culture Centre**
P.O. Box 100, University Drive
Corner Brook NL A2H 6C3
(709) 637-2581
www.cornerbrook.artsandculture
centre.ca

Gander Arts and Culture Centre
P.O. Box 2222, 155 Airport Boulevard
Gander NL A1V 2N9
(709) 256-1082
www.gander.artsandculturecentre.ca

Gordon Pinsent Centre for the Arts
Cromer Avenue
Grand Falls NL A2A 1W9
(709) 292-4520
www.grandfalls.artsandculturecentre.ca

Labrador Virtual Museum Project
Main Street
Forteau NL A0K 2P0
(709) 931-2072
webmaster@labradorvirtualmuseum.ca
www.labradorvirtualmuseum.ca

**Labrador West Arts and
Culture Centre**
P.O. Box 69, Hudson Drive
Labrador City NL A2V 2K3
(709) 944-5412
www.labradorwest.artsandculture
centre.ca

**Resource Center for the Arts
and Video (RCAV)**
3 Victoria Street
St. John's NL A1C 3V2
(709) 753-4531
rcav@nfld.net
www.rca.nf.ca

Sir Wilfred Grenfell College Art Gallery
Fine Arts Building, University Drive
Corner Brook NL A2H 6P9
(709) 637-6209
www.swgc.ca/artgallery/

St. John's Arts and Culture Centre
P.O. Box 1854, Prince Philip Drive
St. John's NL A1C 5P9
(709) 729-3650
www.stjohns.artsandculturecentre.ca

Stephenville Arts and Culture Centre
380 Massachusetts Drive
Stephenville NL A2N 3A5
(709) 643-4571
www.stephenville.artsandculturecentre.ca

**The Rooms - Provincial Art
Gallery Division**
9 Bonaventure Avenue, P.O. Box 1800,
Station C
St. John's NL A1C 5P9
(709) 757-8020
www.therooms.ca/artgallery

NOUVELLE-ÉCOSSE
NOVA SCOTIA

ARTSPLACE
ANNAPOLIS REGION COMMUNITY ARTS COUNCIL

As an Artist-Run Centre, ARTsPLACE puts on six juried contemporary art exhibits per year which run for an average of five weeks. ARTsPLACE as well hosts numerous visual arts exhibitions from the region and elsewhere, which incorporate professional, amateur and student art in both our Main Gallery as well as our smaller Chapel Gallery.

The Annapolis Region Community Arts Council (ARCAC) is centrally located in the historic town of Annapolis Royal in the Annapolis Valley. A two-and-one-half-hour drive southwest of metro Halifax and en route to Digby and Yarmouth Ferries, Annapolis Royal is a popular tourist stopover for more than 100,000 visitors each summer. The population of the town itself is only 598, but the ARCAC service region is a much larger area running from Claire to Kingston—a 75 km radius. This greater area has a population of approximately 20,000, representing a diverse group of people including: a significant African-Canadian Loyalist community, a First Nations community, an Acadian community and a varied Anglophone community. ARCAC is fortunate in this regard as it not only contributes to the community, but it derives its strengths from the varied and active communities that make up the region.

ARCAC's gallery ARTsPLACE is the only venue for the exhibition of contemporary art available within a 100 km radius. ARTsPLACE is also made available for workshops, artists' talks, private exhibits both professional and amateur and meeting space for arts and other community organizations.

ANNAPOLIS REGION COMMUNITY COUNCIL

396 St. George Street, P.O. Box 534
Annapolis Royal (Nova Scotia) B0S 1A0
T 902 532 7069 F 902 532 7357
arcac@ns.aliantzinc.ca
www.arcac.ca

OPENING HOURS
TUESDAY » FRIDAY: 9:30am-4:30pm
SAT. & SUN: 1pm-4pm
ARTSPLACE GALLERY IS OPEN
51 WEEKS PER YEAR

EXECUTIVE DIRECTOR
GENE LANE
EXHIBITIONS COMMITTEE CHAIR
RAY MACKIE
SECRETARY
BONNIE BAKER

SUBMISSION DEADLINES
April 15 and October 15

Le centre d'artistes autogéré ARTsPLACE présente chaque année six expositions d'art contemporain choisies par concours et qui durent en moyenne cinq semaines. ARTsPLACE présente également plusieurs expositions d'artistes de la région et d'ailleurs – professionnels, amateurs et étudiants – dans la galerie principale de même que dans la Chapel Gallery, salle de plus petites dimensions.

L'Annapolis Region Community Arts Council (ARCAC) se trouve dans la ville historique d'Annapolis Royal, dans la vallée de l'Annapolis. Situé à deux heures et demie au sud-ouest de Halifax sur la route qui mène aux ferries de Digby et de Yarmouth, Annapolis Royal s'avère une halte touristique très populaire qui accueille chaque été plus de 100 000 visiteurs. La population de la ville est de seulement 598 habitants, mais ARCAC dessert une région beaucoup plus vaste qui va de Claire à Kinsgton, ce qui représente un rayon de 75 kilomètres. La population de la région s'élève à 20 000 habitants environ et elle est très diversifiée. On y retrouve notamment une communauté de loyalistes afro-canadiens et une communauté d'anglophones d'origines diverses. ARCAC peut donc se compter chanceux puisqu'il ne fait pas seulement que contribuer à la collectivité, il tire sa force même de la vitalité et de la diversité des collectivités de la région.

ARTsPLACE, la galerie de ARCAC, est le seul lieu qui expose de l'art contemporain dans un rayon de 100 kilomètres. ARTsPLACE est aussi mis à disposition pour des ateliers, des conférences d'artistes, des expositions privées pour les professionnels et les amateurs et sert de lieu de rencontre pour les organismes artistiques et communautaires.

ARTsPLACE. CHRISTMAS MEMBERS' SHOW, 2005. PHOTO: KEN MAHER

THE CENTRE FOR ART TAPES

The Centre for Art Tapes is a non-profit artist-run organization that ensures that the media arts have a vital and unique presence both on the provincial and national levels. We are committed to providing this through our programs and exhibition initiatives that are available to the general public who wish to attend our events or become members of the organization. The initiatives include the production and presentation of experimental video works, documentary videos, on-line computer web projects, and gallery installations using multi-media platforms, as well as sound art and audio documentaries.

The Centre for Art Tapes (CFAT) facilitates and supports emerging, intermediate and established artists working with electronic media such as video, audio, and digital media. We provide production facilities, ongoing programming, and training to a diverse membership and public, whose creative abilities contribute to transformative social and artistic goals. Through programming we believe in enriching the public's cultural experience of the media arts and this has a reciprocal effect on the development of production, training and outreach.

The Centre has maintained an archive of media arts projects dating back to 1976. We have produced publications that include essays and documentation of our exhibitions, projects by artists in residence, and commissioned works. The Centre has been active in Halifax for over twenty-five years, and in that time it has been able to fill many essential cultural needs for the community and to provide the general public with opportunities to experience innovative media arts exhibitions. Apart from providing the opportunity for people to see exhibitions, the Centre is also strongly involved in disseminating its resources and expertise to other organizations through a variety of outreach and community integration initiatives.

Media artists from across Canada are invited to exhibit video, audio and new-media and to participate in colloquia, lectures, forums and Master Classes.

OPENING HOURS
TUESDAY: 9:30am-7pm
WEDNESDAY + FRIDAY: 9:30am-6pm
THURSDAY: 9:30am-8pm

EXECUTIVE DIRECTOR
ILAN SANDLER
cfat.operations@ns.sympatico.ca
PROGRAMMING DIRECTOR
JAMES MACSWAIN
cfat.programming@ns.sympatico.ca
PROGRAMMING COORDINATOR
MIREILLE BOURGEOIS
cfat.communications@ns.sympatico.ca

5600 Sackville St, Suite 207
Halifax (Nova Scotia) B3J 1L2
T 902 420 4002 F 902 420 4581
Cfat.communications@ns.sympatico.ca
www.centreforarttapes.ca

Le Centre for Art Tapes (CFAT) est un centre d'artistes autogéré et sans but lucratif qui veille à ce que les arts médiatiques occupent une place de choix dans le paysage artistique provincial et national. Le centre s'engage en ce sens par les programmes et projets d'exposition qu'il propose au public désirant assister aux événements ou adhérer à l'organisation. Le centre vise à encourager la création et la présentation d'œuvres vidéo expérimentales, de documentaires vidéo, de projets Web et d'installations en galerie faisant appel au multimédia, ainsi que d'œuvres sonores et de documentaires audio.

Le Centre for Art Tapes appuie les artistes de la relève, à mi-carrière ou établis qui utilisent les médias électroniques, notamment la vidéo, l'audio et les médias numériques. Le CFAT met à la disposition de ses members ses locaux et équipements de production, assure une programmation continue et dispense une formation aux membres ainsi qu'à un public varié, dont les capacités créatrices contribuent à façonner les objectifs sociaux et artistiques du centre. Par notre programmation nous voulons enrichir l'expérience qu'a le public des arts médiatiques et souhaitons que cette experience contribue à développer la production, la formation et la diffusion artistiques.

Le centre conserve en archives des projets artistiques médiatiques qui remontent à 1976. Parmi les publications que nous avons produites figurent des essais et documents liés à nos expositions, des projets d'artistes en résidence, ainsi que des œuvres de commande. Le centre, présent à Halifax depuis vingt-cinq ans, répond depuis ses débuts aux besoins culturels de la communauté en lui fournissant l'occasion de fréquenter les arts médiatiques grâce à ses expositions audacieuses. De plus, le CFAT dispense ses ressources et son expertise au profit d'autres organisations, par le biais d'activités visant la diffusion des arts et l'intégration communautaire.

Les artistes médiatiques de l'ensemble du Canada sont invités à présenter leurs œuvres vidéo, audio et nouveaux médias et à participer aux colloques, conférences, discussions et cours de maîtres proposés par le Centre for Art Tapes.

LE CENTRE FOR ART TAPES. PHOTO: MIREILLE BOURGEOIS

SUBMISSION DEADLINES
ANNUAL MEDIA ARTS
SCHOLARSHIP PROGRAM
April 28
ANNUAL LOCAL ARTIST IN
RESIDENCE PROGRAM
June 1
VISITING ARTIST IN RESIDENCE
On-going
PROGRAMMING AND EXHIBITIONS
On-going (consult our website)

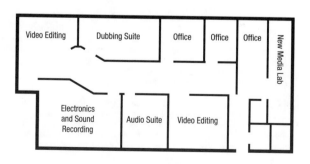

KHYBER ARTS SOCIETY
THE KHYBER CENTRE FOR THE ARTS

The Khyber Arts Society focuses on providing installation space for emerging Canadian artists. The Arts Society is located in the historic Khyber Building, formerly known as the Church of England Institute, built in 1888. Acting as a sort-of "half-way house", it is the Khyber's goal to treat emerging artists professionally and aid them during the integration process from the student to professional.

The Khyber is the only artist-run centre located in the Halifax downtown core. The Centre is located within blocks of the Nova Scotia College of Art and Design (NSCAD), and our openings are scheduled in tandem in order to share visiting artists and work with the local community.

The Khyber Arts Society hosts structurally unique features which allow for more diverse and creative programming. Featuring unique Victorian architecture, the Ballroom Gallery is a juried exhibition space where a majority of our programming occurs. Submission deadlines are March 31st and October 31st. As a juried space, artists selected for the Ballroom Gallery are paid according to the CARFAC fee schedule. The Khyber also hosts a variety of "Alternative Spaces" for installation works. The Frame, Stairwell, The Closet and Skylight serve as venues for works in progress, Khyber student-based works and as a satellite to inform the general public of cultural events happening outside of central HRM.

The Khyber Digital Media Centre (KDMC) is a useful media tool for those who have limited access to something as simple as the internet or have a desire to edit and create website and digital projects without media software. As an operating CAP site, the KDMC is the only CAP site in the local area with sufficient digital media software. Because of its uniqueness, the KDMC is available to teach in-house workshops and outreach programs to those interested in digital design.

1588 Barrington Street
Halifax (Nova Scotia) B3J 1Z6
T 902 422 9668
director@khyberarts.ns.ca
www.khyberarts.ns.ca

OPENING HOURS
Gallery hours
TUESDAY » SATURDAY: 12pm-5pm
Office hours
PLEASE CALL AHEAD TO MAKE
AN APPOINTMENT

La vocation de la Khyber Arts Society est de fournir un espace dédié à l'art de l'installation aux artistes canadiens en début de carrière. Le centre est situé dans le Khyber Building, bâtiment historique construit en 1888 et autrefois appelé le Church of England Institute. Servant en quelque sorte de «maison de transition», le centre épaule les jeunes artistes dans le processus qui les fera passer du statut d'étudiant à celui d'artiste professionnel.

La Khyber Arts Society est le seul centre d'artistes autogéré au centre-ville de Halifax. Il est situé à quelques rues du Nova Scotia College of Art and Design (NSCAD) et ses expositions sont programmées en tandem de manière à diffuser le travail des artistes de l'extérieur vers la communauté locale.

La Khyber Arts Society possède des caractéristiques uniques qui lui permettent d'avoir une programmation diversifiée et créative. C'est dans la Ballroom Gallery, une salle à l'architecture victorienne, que sont présentées la majorité des expositions. Les dates de soumission sont le 31 mars et le 31 octobre. Les artistes sélectionnés pour exposer dans cet espace reçoivent un cachet qui correspond aux normes fixées par CARFAC. La Khyber Arts Society propose une variété d'espaces dédiés aux installations. The Frame, Stairwell, The Closet et Skylight sont autant de lieux où sont montrés des *works in progress* et des travaux d'étudiants; ils peuvent aussi servir de points d'information pour renseigner le public sur les •événements culturels qui se déroulent dans la région.

Le Khyber Digital Media Centre (KDMC) est un outil médiatique utile pour ceux qui ont un accès limité à Internet ou qui désirent monter ou créer un site Web ou des projets numériques mais qui ne disposent pas de logiciels multimédias. Centre à vocation communautaire, le KDMC est le seul établissement du genre à posséder des logiciels multimédias en nombre suffisant pour répondre à la demande. En raison de sa singularité, le KDMC est mis à disposition pour accueillir des ateliers de formation et offrir des programmes d'animation extérieur pour ceux que le design numérique intéresse.

KHYBER ARTS SOCIETY. THE BALLROOM GALLERY.

Office

Ballroom Gallery
87 m²

ASSOCIATIONS • ASSOCIATIONS

ARCAA - Artist-Run Centres Association of the Atlantic
c/o 72 Harbour Drive, P.O. Box 2461
Station C
St. John's NL A1C 6K1

AFCOOP - Atlantic Filmmakers Cooperative
Box 2043 Station M
Halifax NS B3J 2Z1
(902) 420-4572
admin@afcoop.ca
www.afcoop.ca

ArtsSmarts Nova Scotia
Art Gallery of Nova Scotia 1723 Hollis
Street, P.O. Box 2262
Halifax NS B3J 3C8
(902) 424-6651
artssmarts@gov.ns.ca
www.artssmartsnovascotia.ca

CARFAC Maritimes (Nova Scotia, New Brunswick, Prince Edward Island)
732 Charlotte Street, Rm 213
Fredericton NB E3B 1M5
(506) 454-9655
c_maritimes@ciut.fm

Conseil culturel acadien de la Nouvelle-Écosse - CCANÉ
54, rue Queen
Dartmouth NS B2Y 1G3
(902) 433-2086
ccane@ccane.ns.ca
www.conseilculturel.ca

Nova Scotia Centre for Craft and Design
1683 Barrington Street
Halifax NS B3J 1Z9
(902) 492-2522
info@craft-design.ns.ca
www.craft-design.ns.ca

Nova Scotia Cultural Network
1683 Barrington St.
Halifax NS B3J 1Z9
(902) 423-4456
network@culture.ns.ca
www.culture.ns.ca

Visual Arts Nova Scotia
1113 Marginal Road
Halifax NS B3H 4P7
(902) 423-4694
vans@visualarts.ns.ca
www.vans.ednet.ns.ca

---

36 * 37 CONSEILS DES ARTS ET MINISTÈRES • ART COUNCILS AND CULTURE DEPARTMENTS

Canadian Heritage / Patrimoine canadien
5161 George Street, 6th Floor,
Suite 602
Halifax NS B3J 1M7
(902) 426-2244
www.pch.gc.ca

Nova Scotia Department of Tourism and Culture
1800 Argyle Street, suite 402
Halifax NS B3J 2R5
(902) 424-4442
cultaffs@gov.ns.ca
www.gov.ns.ca/dtc/culture

LIEUX DE DIFFUSION • EXHIBITION SPACES

Acadia University Art Gallery
Beveridge Art Centre
Wolfville NS B0P 1X0
(902) 585-1373
fran.kruschen@acadiau.ca
www.ace.acadiau.ca/arts/artgal

Anna Leonowens Gallery
1891 Granville Street, Nova Scotia
College of Art & Design
Halifax NS B3J 3J6
(902) 494-8223
www.nscad.ns.ca/students/gallery

Art Gallery of Nova Scotia
1723 Hollis Street, P.O. Box 2262
Halifax NS B3J 3C8
(902) 424-7542
dawec@gov.ns.ca
www.agns.gov.ns.ca

Art Gallery — Saint Mary's University
Loyola Building -
5865 Gorsebrook Avenue
Halifax NS
(902) 420-5445
gallery@smu.ca
www.smu.ca/administration/
externalaffairs/artgallery/

Cape Breton University Art Gallery
P.O. Box 5300
Sydney NS B1P 6L2
(902) 563-1342
beryl_davis@uccb.ns.ca
www.uccb.ns.ca/artgallery/

Dalhousie Art Gallery
Dalhousie University,
6101 University Avenue
Halifax NS B3H 3J5
(902) 494-2403
artgallery@dal.ca
www.artgallery.dal.ca

Eye Level Gallery
2128 Gottingen Street
Halifax NS B3K 2B3
(902) 425-6412
director@eyelevelgallery.ca
www.eyelevelgallery.ca

Mount Saint Vincent University Art Gallery
Seton Academic Centre
166 Bedford Highway
Halifax NS B3M 2J6
(902) 457-6160
gallery@msvu.ca
www.msvart.ca

MSVU Art Gallery
166 Bedford Highway
Halifax NS B3M 2J6
(902) 457-6160
info@msvuart.ca
msvuart.ca

St. Francis Xavier University Art Gallery
St. Francis Xavier University
P.O. Box 5000
Antigonish NS B2G 2W5
(902) 867-2303
gallery@stfx.ca
www.clients.norex.ca/art_gallery/

REVUES • MAGAZINES

Visual Arts News
1113 Marginal Road
Halifax NS B3H 4P7
(902) 455-6960
www.visuelartsnews.ca

Workprint Newsletter
5600 Sackville Street
Halifax NS B3J 2Z1
(902) 420-4572
admin@afcoop.ca
www.afcoop.ca

ÎLE-DU-PRINCE-ÉDOUARD

PRINCE EDWARD ISLAND

PRINTMAKERS COUNCIL OF PRINCE EDWARD ISLAND

The Printmakers Council is located in the Arts Guild building in downtown Charlottetown, in the heart of the arts community with Confederation Centre of the Arts across the street. The Council was incorporated in 1991 as a non-profit artist-run centre. We have a fully equipped studio for intaglio and all relief printing. Our studio includes 2 etching presses with bed sizes of 24" x 30" and 30" x 50"; 4 rollers; a WHMIS approved ventilation system; self-contained acid preparation and work area; isolated rosin work area; print storage and flat file drawers; worktables; an extensive library and The Minnow Gallery for on-going exhibitions of members' work. The studio is available 24/7 to members. We welcome all visiting printmakers and interested artists. The studio is open to the public every Thursday evening, with an experienced printmaker on hand. Our programs include a variety of workshops and demonstrations, artists in residence, national and international exchanges, mentoring and community outreach programs. There is a good-sized gallery, run by the Arts Guild, next to our studio which offers excellent opportunities for exhibitions. Please come and see us if you visit the Island!

115 Richmond Street
Charlottetown
(Prince Edward Island) C1A 1H7
T 902 894 7272
pc115pei@isn.net
http://www.peiprintmakers.ca/

OPENING HOURS
TUESDAY + SATURDAY:
12:30pm-4:30pm
THURSDAY:
7pm-10pm or by chance

STAFF
NO PERMANENT STAFF

SUBMISSION DEADLINE
No submission deadlines

Les locaux du Printmakers Council sont situés dans l'édifice Arts Guild, dans le centre de Charlottetown, au cœur de la communauté artistique, juste en face du Centre des arts de la Confédération. Le Printmakers Council a été incorporé comme centre d'artistes autogéré sans but lucratif en 1991. Notre atelier est entièrement équipé pour tous les procédés de gravure en creux et en relief. L'atelier comprend : deux presses à eau-forte de 24 x 30 po et 30 x 50 po; 4 rouleaux encreurs; un système de ventilation approuvé par le SIMDUT; des aires fermées de préparation des acides; une aire fermée de préparation des vernis; des espaces pour l'entreposage des estampes; des tables de travail. Nous disposons d'une importante bibliothèque et de The Minnow Gallery, qui présente le travail des membres. L'atelier est accessible aux membres 24 heures par jour, sept jours sur sept. Tous les imprimeurs et artistes de l'extérieur sont les bienvenus. L'atelier est ouvert au public tous les jeudis soirs, en présence d'un imprimeur expérimenté. Nos programmes comprennent des ateliers et des démonstrations, des résidences d'artistes, des échanges à l'échelle nationale et internationale, du mentorat et des programmes faisant place à la communauté. La Arts Guild possède une galerie de bonnes dimensions, située à côté de notre atelier, offrant d'excellentes conditions d'exposition. Venez nous voir si vous visitez l'île !

PRINTMAKERS COUNCIL OF PRINCE EDWARD ISLAND. PHOTO: BRUCE NOBBS

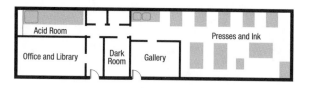

ASSOCIATIONS * ASSOCIATIONS

**ARCAA - Artist-Run Centres
Association of the Atlantic**
c/o 72 Harbour Drive, P.O. Box 2461
Station C
St. John's NL A1C 6K1

ArtsSmarts Prince Edward Island
ArtsSmarts PEI P.O. Box 58
Wellington PE C0B 2E0
(902) 854-7250
ccarsenault@gov.pe.ca
www.genieartsipe.ca

**CARFAC Maritimes
(Nova Scotia, New Brunswick,
Prince Edward Island)**
732 Charlotte Street, Rm 213
Fredericton NB E3B 1M5
(506) 454-9655
c_maritimes@ciut.fm

**Fédération culturelle de
l'Île-du-Prince-Édouard**
5, Promenade acadienne
Charlottetown PE C1C 1M2
(902) 368-1895 poste 244
fcipe@carrefour.piecaps.org
www.fcipe.ca

CONSEILS DES ARTS ET MINISTÈRES * ART COUNCILS AND CULTURE DEPARTMENTS

**Canadian Heritage /
Patrimoine canadien**
119 Kent Street, 4th Floor, Suite 420
Charlottetown PE C1A 1N3
(902) 566-7188
www.pch.gc.ca

PEI Council for the Arts
115 Richmond Street
Charlottetown PE C1A 1H7
(902) 368-4410
www.gov.pe.ca

**PEI Government - Community
and Cultural Affairs**
Fourth Floor, Shaw Building
95 Rochford Street P.O. Box 2000
Charlottetown PE C1A 7N8
(902) 368-4550
htholman@gov.pe.ca
www.gov.pe.ca

LIEUX DE DIFFUSION * EXHIBITION SPACES

**Confederation Centre of the Arts /
Centre des arts de la Confédération**
145, rue Richmond
Charlottetown PE C1A 1J1
(902) 628-1864
info@confederationcentre.com
www.confederationcentre.com

NOUVEAU-BRUNSWICK
NEW BRUNSWICK

ATELIER D'ESTAMPE IMAGO INC.

Imago est un centre de production voué au développement et à la diffusion de l'estampe contemporaine. Le centre offre aux artistes estampiers un lieu de recherche, un atelier bien équipé et une programmation qui reflète les tendances actuelles de l'estampe.

En plus d'offrir un laboratoire de création et d'expérimentation par son programme d'artistes en résidence, ses conférences, ses ateliers et ses projets de création interdisciplinaires, Imago attire des artistes de différentes disciplines explorant l'estampe contemporaine.

L'atelier possède des ressources en lithographie sans eau, en creux, en relief, en photolitho et récemment en sérigraphie à l'eau, ainsi que des équipements informatiques spécialisés.

Imago a été fondé en 1986 et incorporé en 1992 par 11 artistes du sud-est du Nouveau-Brunswick : Jacques Arseneault, Gillian Bond, David Bobier, Herménégilde Chiasson, Francis Coutellier, Marie Lucie Crépeau, Daniel Dugas, Will Kelly, Nancy Morin, Ginette Savoie et Barbara Symington. Imago est situé dans le Centre culturel Aberdeen, coopérative regroupant des ateliers d'artistes, des galeries, deux centres d'artistes autogérés, une école de danse, une maison d'édition, etc.

Imago cible surtout les jeunes artistes, le jeune public et l'interdisciplinarité. Établi dans un milieu minoritaire francophone, Imago est le seul centre de production au Nouveau-Brunswick et le seul centre de production francophone hors Québec.

Centre culturel Aberdeen, local 35
140, rue Botsford, Moncton
(Nouveau-Brunswick) E1C 4X5
T 506 388 1431 F 506 857 2064
imago@nb.aibn.com
www.atelierimago.com

HEURES D'OUVERTURE
LUNDI » MERCREDI : 9 h » 17 h

PRÉSIDENT
JACQUES ARSENEAULT

SOUMISSION DE DOSSIERS
15 septembre pour le programme
de résidences

Imago's mission is to facilitate, promote and disseminate the work of artists in the field of contemporary printmaking. This artist-run print shop provides research facilities and a full-fledged workshop for contemporary print artists.

Imago is the only artist-run production centre in New Brunswick and the only francophone production centre outside Quebec. A laboratory space for creation and experimentation, it not only hosts artists in residence, lecturers, workshops and interdisciplinary projects, but attracts artists in all fields to work in contemporary print. Imago decompartmentalizes print from its traditional approach and reflects current preoccupations in present-day art. By exhibiting in conventional and non-conventional venues, Imago is helping to promote printmaking as well as the region's artists. In addition, Imago supports emerging artists through a development scholarship in printmaking awarded annually to a graduating student from Université de Moncton or Mount Allison University in Sackville.

Imago was established in 1986 and incorporated in 1992 by 11 artists from southeastern New Brunswick: Jacques Arseneault, Gillian Bond, David Bobier, Herménégilde Chiasson, Francis Coutellier, Marie Lucie Crépeau, Daniel Dugas, Will Kelly, Nancy Morin, Ginette Savoie and Barbara Symington. The centre has grown and Imago's programming and provocative events have made it one of the major institutions for artists' development in the region, in the province and throughout Atlantic Canada.

Established in a minority francophone environment, Imago is located in the Centre Culturel Aberdeen, a co-operative of several artist studios, galleries, two artist-run centres, a dance school, a theatre company and much more. The print shop is fully equipped for intaglio, etching, relief, photolithography and silkscreen.

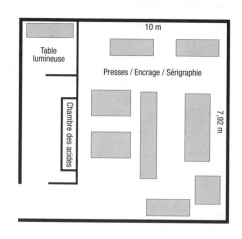

Table
lumineuse

Presses / Encrage / Sérigraphie

10 m

7,92 m

Chambre des acides

ATELIER D'ESTAMPE IMAGO. PHOTO: JACK BOTSFORD

GALERIE SANS NOM

La Galerie Sans Nom est le seul centre d'artistes acadien voué à la présentation de l'art actuel. Membre de la coopérative du Centre culturel Aberdeen, elle est associée à une trentaine d'ateliers d'artistes et d'organismes culturels et artistiques.

Les activités de la Galerie Sans Nom sont réparties sur trois grands axes d'intervention : présentation de l'art actuel canadien, participation au discours critique sur les arts visuels et appui aux initiatives et au perfectionnement professionnel des artistes. Ces priorités sont déterminées par les membres du conseil d'administration qui donnent au centre sa vision et la direction artistique de sa programmation.

Les choix artistiques sont déterminés par le conseil d'administration et les employés qui ont le souci de répondre aux tendances reflétées dans le travail des artistes membres. De plus, le centre encourage les occasions où le public peut s'investir et entretenir un dialogue avec ce que les artistes proposent.

Un appel de dossiers lancé à l'échelle du pays détermine le choix des expositions présentées dans l'espace principal. Les critères qui guident la sélection sont : la qualité de la recherche, la pertinence du propos dans le contexte de la communauté visée, l'innovation, le souci de la présentation et de l'occupation de l'espace. D'autres artistes dont le travail complète et enrichit celui de ceux qui sont déjà retenus peuvent aussi être invités pour compléter la programmation.

La Salle Sans Sous permet aux jeunes artistes de présenter leurs recherches dans un encadrement professionnel, en bénéficiant d'un contexte critique et d'un appui technique. Une programmation parallèle comprend, entre autres, un événement qui explore l'interdisciplinarité et les manifestations publiques hors galerie, ainsi qu'un festival de musique actuelle et d'œuvres sonores.

Nous avons intégré la publication de catalogues à notre champ d'activités, de façon à offrir des occasions d'échanges et de discussions plus approfondies sur les œuvres et nous accueillons à l'occasion des artistes en résidence.

Galerie Sans Nom
coopérative

140, rue Botsford, No. 12B & 16
Moncton (Nouveau-Brunswick) E1C 4X5
T 506 854 5381 F 506 857 2064
gsn@fundy.net
www.galeriesansnom.org

HEURES D'OUVERTURE
MARDI » SAMEDI : 12 h à 17 h

PRÉSIDENCE
MARIO DOUCETTE
DIRECTION
NISK IMBEAULT
COORDINATION
ANGÈLE CORMIER

SOUMISSION DE DOSSIERS
15 avril

The Galerie Sans Nom is the only Acadian artist-run centre dedicated to the presentation of contemporary art. As a member of the Aberdeen Cultural Centre cooperative it is associated with some thirty artists' studios and cultural and art organizations.

The activities of the Galerie Sans Nom fit into three broad categories of intervention: the presentation of Canadian contemporary art, the participation in critical discourse on visual art and the support of artists' initiatives and development. These priorities are decided by the members of the board of directors who determine the centre's vision and the artistic direction of its programming.

Artistic choices are determined by the board and the employees with regard to providing a response to the tendencies reflected in the work of member artists. In addition, we encourage opportunities and situations where the public can truly participate in a dialogue with the artist's propositions.

The exhibitions presented in the main space are selected by way of a call for submissions distributed nation-wide. The criteria guiding the selection process are: the quality of the work, its relevance to the target community, innovation, attention to presentation and to occupation of space. As well, other artists whose practice particularly complements and enriches the selected exhibitions can be invited to show their work.

The Salle Sans Sous enables emerging artists to present their work in a professional setting where they can take advantage of a critical context as well as technical help. Additional simultaneous programming comprises, among other things, an event exploring interdisciplinarity and off-site public intervention, as well as a new music and sound art festival.

We strive to provide opportunities for deeper exchange and discussion around the work presented. We have thus incorporated the publication of catalogues to our range of activities. We also occasionally receive artists in residence.

LE CENTRE CULTUREL ABERDEEN. PHOTO : HERMÉNÉGILDE CHIASSON

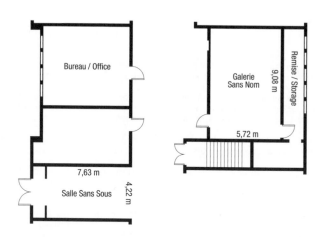

GALLERY CONNEXION
THE ORGANIZATION FOR THE DEVELOPMENT OF ARTISTS

Gallery Connexion was founded as The Association for the Development of Artists, whose purpose is:

- To expose Fredericton and the surrounding area to contemporary and experimental visual art, including performance, literary arts, musical arts, and interdisciplinary work, from other areas of the country and abroad.

- To offer exhibition space to artists who might not otherwise find an appropriate venue in our region because they do not easily fit the mandate of the traditional and commercial galleries that are predominant in New Brunswick. Our programming ensures that marginalized groups, Aboriginals, and emerging artists are included in our selections annually.

- To broaden the understanding of what marks great art in the minds of the members of our community by providing a forum for connecting the general public with the work we exhibit. Gallery Connexion is committed to organizing opening events, artists' forums, workshops and art education programs.

In 1984, five dynamic and determined visual artists banded together to create a space solely devoted to the creation and exhibition of contemporary and experimental art. The gallery they created is situated at the back of the Justice building, a well-known heritage building on Queen Street in Fredericton, the capital of New Brunswick.

Gallery Connexion hosts 4-6 shows annually. Residencies at Gallery Connexion are 4-6 weeks in length. Gallery Connexion provides appropriate CARFAC fees to all the artists it exhibits and assists with return shipping up to a maximum of $200.00. Additional support is provided whenever possible.

GALLERY CONNEXION
453 Queen Street
Fredericton (New Brunswick)
MAILING ADDRESS
P.O. Box 696
Fredericton, NB E3B 5B4
T 506 454 1433
connex@nbnet.nb.ca
www.galleryconnexion.ca

OPENING HOURS
TUESDAY » FRIDAY: 12pm-4pm

DIRECTOR
ELENI BAKOPOULOS
PRESIDENT OF THE BOARD
CAROL COLLICUTT
SELECTIONS COMMITTEE HEAD
LUCILLE ROBICHAUD

SUBMISSION DEADLINE
Submissions are accepted on an ongoing basis and are reviewed throughout the year

L'organisme Gallery Connexion a été fondé en tant qu'association vouée à l'épanouissement des artistes. Ses objectifs consistent à :

- Faire découvrir à la population de Fredericton et des environs l'art contemporain et expérimental de diverses régions du pays et de l'étranger, soit la performance, l'art littéraire, la musique et l'art interdisciplinaire.

- Offrir un espace d'exposition aux artistes qui éprouveraient autrement de la difficulté à trouver un lieu approprié à leur travail dans la région du Nouveau-Brunswick où prédominent les galeries traditionnelles et commerciales. Nous incluons à notre programmation annuelle des groupes marginalisés, des autochtones et des artistes émergents.

- Contribuer à faire apprécier l'art en créant des occasions de rencontre entre le public et le travail artistique que nous défendons. La galerie organise des vernissages, des forums, des ateliers de formation et des programmes éducatifs.

C'est en 1984 que cinq artistes déterminés se sont associés pour créer un espace entièrement voué à la création et à la diffusion de l'art contemporain et expérimental. La galerie est située derrière le Palais de justice, édifice historique bien connu de la rue Queen à Fredericton, capitale du Nouveau-Brunswick.

Gallery Connexion accueille de quatre à six expositions par année, et les résidences y sont d'une durée de quatre à six semaines. La galerie offre aux artistes exposants les cachets suggérés par CARFAC et contribue aux frais de transport des œuvres (max. 200 $). Une aide additionnelle peut être fournie lorsque les conditions le permettent.

GALLERY CONNEXION. RAPHAEL GOLDCHAIN, *FAMILIAL GROUND*, 2006; PHOTO: C. HAMILTON.

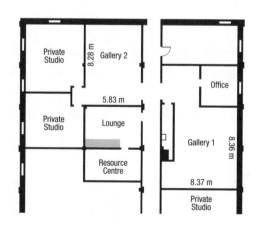

STRUTS GALLERY & FAUCET MEDIA ARTS CENTRE

At 7 Lorne Street the essential objective is to support the aesthetic goals of our members, individually and collectively, as well as those other cultural producers who choose to be associated with Struts & Faucet through residencies, commissions, exhibitions and other programmes. As a specific, local community of artists, our members seek to participate in and contribute to national discourses on contemporary culture. Our *modus operandi* is artist initiated by which we simply mean that the formal programme is decided upon by all members with equal voice; there is no curatorial voice but a derived consensus of practising artists reflecting their interests and needs at a particular time.

Struts has given priority to developing infrastructures for *production by artists* within a welcoming and supportive community. Three major projects have resulted:

- beginning in 1996 an annual Symposium of Art, co-hosted with the Owens Art Gallery and CHMA Radio 106.9 FM, a week-long commitment to performance and related practices with emphasis on opportunities to experiment.

- an Open Studio artist-in-residence programme which began with one residency in 1997 and included six artists in 2005. Typically, during five weeks the residents continue their practices in a public venue and develop interactions with their audiences in ways that are comfortable for each artist. Accommodations are provided in the gallery's apartment at 7 Lorne Street, travel and per diems are provided, and an artist's fee is paid.

- the Faucet Media Arts Centre, a regional focal point for media based productions including such initiatives as *Faucet OnLine*, commissioning and presenting media works directly on the Internet, and the Ease on Down the Road residency project for younger regional artists.

7 Lorne Street practises its motto with over a hundred events throughout the twelve months of the year - *all contemporary all the time*.

52 * 53

 STRUTS GALLERY
MEDIA ARTS CENTRE

7 Lorne Street
Sackville (New Brunswick) E4L 3Z6
T 506 536 1211   F 506 536 4565
info@strutsgallery.ca
faucet@strutsgallery.ca
www.strutsgallery.ca
www.strutsgallery.ca/faucet.html

OPENING HOURS
Gallery Hours
MONDAY » SATURDAY: 12pm-5pm
Office Hours:
MONDAY » FRIDAY: 9am-5pm

**MANAGER, FAUCET MEDIA
ARTS CENTRE**
PAUL HENDERSON

**COORDINATOR, STRUTS GALLERY
& FAUCET MEDIA ARTS CENTRE**
JOHN MURCHIE

SUBMISSION DEADLINES
March 1, Exhibition and other projects;
Performances
October 1, Exhibition and other projects;
Residencies

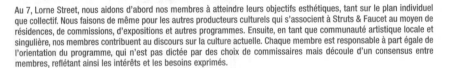

Au 7, Lorne Street, nous aidons d'abord nos membres à atteindre leurs objectifs esthétiques, tant sur le plan individuel que collectif. Nous faisons de même pour les autres producteurs culturels qui s'associent à Struts & Faucet au moyen de résidences, de commissions, d'expositions et autres programmes. Ensuite, en tant que communauté artistique locale et singulière, nos membres contribuent au discours sur la culture actuelle. Chaque membre est responsable à part égale de l'orientation du programme, qui n'est pas dictée par des choix de commissaires mais découle d'un consensus entre membres, reflétant ainsi les intérêts et les besoins exprimés.

Struts accorde sa priorité au développement d'infrastructures de production pour les artistes au sein d'une communauté accueillante et solidaire. Trois importants projets ont ainsi vu le jour :

- Depuis 1996 a lieu un symposium artistique annuel d'une durée d'une semaine, présenté conjointement avec la Owens Art Gallery et CHMA Radio 106,9 FM. L'événement met en vedette la performance et plusieurs autres pratiques, et encourage notamment l'expérimentation.

- Un programme de résidences d'artistes : Open Studio instaurait ce programme en 1997 avec une seule résidence ; six sont maintenant disponibles. De façon générale, les résidents poursuivent leur pratique dans un lieu public pendant cinq semaines et interagissent à leur gré avec le public. Ils sont hébergés dans l'appartement de la galerie au 7, Lorne Street, reçoivent une allocation journalière, un cachet d'artiste et un remboursement de leurs frais de déplacement.

- Le Faucet Media Arts Centre est un pôle de ressources pour les productions médiatiques locales. Mentionnons parmi elles *Faucet OnLine*, qui commande et présente directement des œuvres médiatiques en ligne, ainsi que le projet de résidence Ease on Down the Road, destiné aux jeunes artistes de la région.

Au 7, Lorne Street la devise « *all contemporary all the time* » (tout contemporain, tout le temps) s'applique douze mois par année à travers plus d'une centaine d'événements.

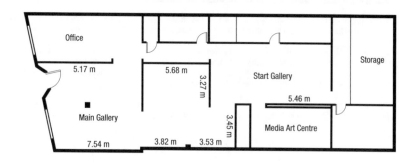

Office

5.17 m

5.68 m

3.27 m

Start Gallery

Storage

5.46 m

Main Gallery

3.45 m

Media Art Centre

7.54 m   3.82 m   3.53 m

STRUTS GALLERY & FAUCET MEDIA ARTS CENTRE. PHOTO: PAMELA DEWYS

THIRD SPACE GALLERY / GALERIE TIERS-ESPACE

The only artist-run centre for contemporary art in Saint John, Galerie tiers-espace/Third Space Gallery is an interdisciplinary exhibition, performance and production space committed to representing local, regional and national professional contemporary artists.

Third Space will highlight the work of emerging and established artists who cross disciplines and boundaries in their examinations of contemporary culture. The aim of the gallery is to facilitate the education, understanding and appreciation of contemporary art at a local, national and international level. It will do this by hosting exhibitions, workshops, residencies, lectures, performances and screenings, as well as by publishing and disseminating materials relevant to this aim.

Third Space will strive to present a schedule of balanced programming while allowing space for community-based events. Through a rigorous and attentive selection process gallery programming will present artmaking of an advanced and critical nature.

third space
tiers espace
42 Princess Street,
second floor [Brodie Building]
Saint John (New Brunswick) E2L 1K2
T 506 693 5839 F 506 635 8782
info@thirdspacegallery.ca
www.thirdspacegallery.ca
www.galerietiersespace.ca

OPENING HOURS
WEDNESDAY » FRIDAY: 4pm-10pm
SATURDAY: 1pm-6pm

ARTISTIC DIRECTOR
CHRIS LLOYD
CHAIRPERSON
JUDITH MACKIN

SUBMISSION DEADLINE
Ongoing throughout the year

Seul centre d'artistes autogéré de Saint-Jean, la Galerie tiers-espace / Third Space Gallery est un espace consacré aux expositions interdisciplinaires, à la performance et à la production, et sa vocation est de représenter les artistes contemporains de la scène locale, régionale et nationale.

Tiers-espace cherche à promouvoir le travail d'artistes établis ou émergents qui transgressent les disciplines et les frontières dans leur appréhension de la culture contemporaine. Le but de la galerie est de faciliter l'apprentissage, la compréhension et l'appréciation de l'art contemporain à l'échelle locale, nationale et internationale. Pour ce faire, la galerie présente des expositions, des conférences, des performances et des projections, elle offre des ateliers et des résidences et elle publie et diffuse des documents qui vont dans ce sens.

Tiers-espace s'efforce de présenter une programmation équilibrée tout en laissant une place aux événements à caractère communautaire. Soumises à un processus rigoureux de sélection, les expositions sont choisies pour leur nature critique et innovatrice.

GALERIE TIERS-ESPACE/THIRD SPACE GALLERY. NADIA MYRE, *SCAR PROJECT*, 2006; PHOTO: NADIA MYRE.

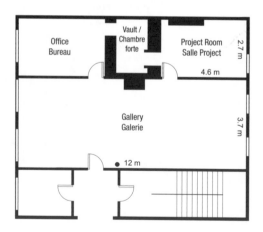

ASSOCIATIONS * ASSOCIATIONS

ARCAA - Artist-Run Centres Association of the Atlantic
c/o 72 Harbour Drive, P.O. Box 2461
Station C
St. John's NL A1C 6K1

Association acadienne des artistes professionnel.le.s du Nouveau-Brunswick
140, rue Botsford, bureau 17
Moncton NB E1C 4X5
(506) 852-3313
info@aaapnb.ca
www.aaapnb.ca

CARFAC Maritimes (Nova Scotia, New Brunswick, Prince Edward Island)
732 Charlotte Street, Rm 213
Fredericton NB E3B 1M5
(506) 454-9655
c_maritimes@ciut.fm

CONSEILS DES ARTS ET MINISTÈRES * ART COUNCILS AND CULTURE DEPARTMENTS

Canadian Heritage / Patrimoine canadien
1045 Main Street
Moncton NB E1C 1H1
(506) 851-7066
pch-atlan@pch.gc.ca
www.pch.gc.ca

Culture and Sport Secretariat / Secrétariat à la Culture et au Sport
Place 2000, 250 King Street
Fredericton NB E3B 9M9
(506) 453-2909
www.gov.nb.ca

New Brunswick Arts Board / Conseil des arts du Nouveau-Brunswick
634, rue Queen, bureau 300
Fredericton NB E3B 1C2
(506) 460-5883
mdkris@nbab-canb.nb.ca
www.artsnb.ca

LIEUX DE DIFFUSION * EXHIBITION SPACES

Beaverbrook Art Gallery
703 Queen Street, P.O. Box 605
Fredericton NB E3B 5A6
(506) 458-2028
emailbag@beaverbrookartgallery.org
www.beaverbrookartgallery.org

Centre culturel Aberdeen
140, rue Bostsford, bureau 21
Moncton NB E1C 4X4
(506) 857-9597
ccaberdb@nbnet.nb.ca
www.centreculturelaberdeen.ca

Galerie d'art de l'Université de Moncton
Pavillon Clément-Cormier,
Centre universitaire de Moncton
Moncton NB E1A 3E9
(506) 858-4088
charetl@umoncton.ca
www.umoncton.ca

Musée du Nouveau-Brunswick / New Brunswick Museum
277, avenue Douglas
Saint John NB E2K 1E5
(506) 643-2300
nbmuseum@nbm-mnb.ca
www.gnb.ca

Owens Art Gallery
61 York Street
Sackville NB E4L 1E1
(506) 346-2574
owens@mta.ca
www.mta.ca/owens

REVUES * MAGAZINES

Broken Jaw Press
PO Box 596, Station A
Fredericton NB E3B 5A6
(506) 454-5127
jblades@brokenjaw.com
www.brokenjaw.com

QUÉBEC

Résidences. Art public. Forums. Publications. Vidéos

Voué à la recherche en art actuel, le 3ᵉ impérial propose un programme d'accueil d'artistes en résidence qui allie la production, la diffusion et la mise en contexte de l'art sur un territoire signifiant. Ouverte à un vaste éventail de pratiques interventionnistes et au pistage de nouvelles avenues, cette formule de résidence constitue une plate-forme expérimentale qui prend place dans l'environnement géographique et social. Afin d'animer un pôle de réflexion autour de ces pratiques, le centre invite quelques auteurs en résidences de courte durée. En outre, les comités de travail, formés de membres actifs, sont des engrenages essentiels à la démarche éditoriale du centre et à la conceptualisation de projets et d'événements. Le 3ᵉ impérial réalise des forums festifs, des publications et des vidéos pour à la fois constituer une mémoire de l'art vivant et participer à l'évolution des discours critiques.

Depuis sa fondation en 1984, le 3ᵉ impérial loge dans l'ex-usine Imperial Tobacco, au cœur d'une région caractérisée par le dynamisme d'échanges féconds entre agriculture et industrie. Dans ce terreau se conjuguent les processus d'un art tout-terrain qui se téléscope autant dans les paysages urbains que ruraux.

Les résidences d'artistes incluent la réalisation de projets d'art public, documentés et diffusés par le biais de cyberreportages sur notre site Web, par l'édition de textes dans nos publications et la production de vidéos. Précédées d'un séjour de prospection d'une semaine, ces résidences durent généralement un mois et comprennent : cachet de résidence / hébergement / assistance à la recherche de lieux / tournée sur le vif du territoire / appui dans les démarches auprès des communautés locales / espace de travail individuel / aide technique / accès libre à une variété d'équipements de production / documentation visuelle / droits de diffusion et de reproduction. Les membres bénéficient de la location d'ateliers à prix modique.

---

60 * 61

164, rue Cowie, suite 330
Granby (Québec) J2G 3V3
T 450 372 7261
3eimperial@3e-imperial.org
www.3e-imperial.org

HEURES D'OUVERTURE
bureau
MARDI » VENDREDI : 10 h à 17 h

DIRECTION GÉNÉRALE ET ARTISTIQUE
DANYÈLE ALAIN
DIRECTION ADMINISTRATIVE
ET TECHNIQUE
YVES GENDREAU

SOUMISSION DE DOSSIERS
En tout temps. Contactez le centre pour connaître les dates de sélection.

Residencies - Public art - Forums - Publications - Videos

Committed to research in contemporaty art, 3ᵉ impérial combines a program of artist residencies with art production and presentation and contextualizes art in a meaningful way. This residency formula is an experimental platform to integrate a wide range of innovative new practices into the geographical and social environment. In order to sustain reflection around these practices, the centre invites several authors for short-term residencies. In addition, a number of committees made up of active members are essential elements for the centre's editorial process as well as for the conceptualization of projects and events. 3ᵉ impérial produces festive forums, special projects, publications and videos both to document art as it is taking place and to participate in the development of critical discourse.

Since its founding in 1984, 3ᵉ impérial has been located in the former Imperial Tobacco factory in the heart of a region distinguished by its dynamic interaction of agriculture and industry. In this fertile mix, multi-facetted public art processes have expanded out into both the rural and urban landscape.

Artists' residencies include the production of public art projects which are documented and disseminated via cyber-reports on our website, through texts written for our publications and by videos. Preceded by a one week research and development stay, these residencies usually last a month and include: residency fee/accomodation/assistance in finding sites; a visit to the local surroundings/support in making contact with local communities/private studio/technical help/ unlimited access to a variety of production equipment/visual documentation/exhibition and reproduction fees. Members are entitled to rent studios at very reasonable rates.

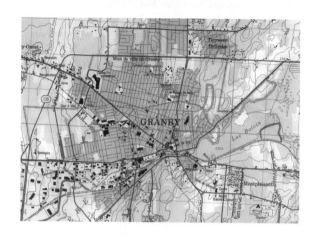

3ᵉ **IMPÉRIAL.** © MARIE-SUZANNE DÉSILETS, *TRANSFORMATION EXTRÊME*, 2005. DÉTAIL D'UNE INTERVENTION RÉALISÉE À GRANBY DANS LE CONTEXTE DU PROGRAMME DE RÉSIDENCE ET D'ART PUBLIC TERRAINS D'ENTENTE; PHOTO : BRUNO LACHANCE.

Fondé en 1987, Action Art Actuel (AAA) est un centre d'artistes autogéré situé à Saint-Jean-sur-Richelieu, en Montérégie. Son mandat : la diffusion et la promotion des arts visuels actuels. Ses moyens : l'organisation d'expositions, l'édition de publications, la production d'événements hors les murs et l'animation de conférences, tables rondes et discussions.

Pluridisciplinaire, le centre s'intéresse particulièrement au soutien des pratiques hybrides, tant par les disciplines et matériaux artistiques utilisés que par les questionnements et problématiques soulevés. Le centre privilégie les projets qui s'inscrivent de façon notoire dans l'actualité des pratiques et des recherches contemporaines autant que dans l'actualité des thématiques qui rendent compte de leur temps et de leur milieu. Souhaitant encourager le dialogue, nous favorisons la collaboration, la communication et la circulation des idées par la tenue d'activités satellites impliquant des artistes du Québec et de la communauté artistique internationale. Ces activités prennent la forme d'événements ponctuels à l'extérieur du centre, de collaborations avec d'autres organismes culturels, de projets de commissariats et d'édition de publications. Le centre table aussi sur l'action régionale qui fait de lui un lieu vivant et fréquenté.

Instauré en 2005, un programme de résidence permet aux artistes de faire des séjours de recherche et de création de durées variables. Adjacent au centre de diffusion, ce lieu comprend un espace de résidence et un atelier de création. Action Art Actuel poursuit également une mission éducative par l'animation d'ateliers offerts aux groupes scolaires et la mise sur pied de formations destinées au grand public.

Action Art Actuel
centre d'artistes autogéré

190, rue Richelieu
Saint-Jean-sur-Richelieu (Québec)
J3B 6X4
T 450 357 2178 F 450 357 2264
action@action-art-actuel.org
www.action-art-actuel.org

HEURES D'OUVERTURE
espace de diffusion
MARDI, MERCREDI, SAMEDI +
DIMANCHE : 13 h à 17 h
JEUDI + VENDREDI : 11 h à 17 h
administration
LUNDI » VENDREDI : 9 h à 17 h

DIRECTION
JULIE C. PARADIS

SERVICE ÉDUCATIF
JEAN MARTIN
ADJOINTE AUX COMMUNICATIONS
JOSIANNE MONETTE

SOUMISSION DE DOSSIERS
PROGRAMMATION RÉGULIÈRE
31 janvier
PROGRAMME D'ARTISTE EN RÉSIDENCE
31 janvier

Founded in 1987, Action Art Actuel (AAA) is an artist-run centre located in Saint-Jean-sur-Richelieu in the Montérégie region. Its mandate is to disseminate and promote contemporary visual art. It organizes exhibitions, publications and produces off-site events as well as conferences, round-tables and discussions.

The multidisciplinary centre is particularly interested in supporting practices which are hybrid either by the nature of the media they use or by the questions and issues they raise. It privileges artistic projects that significantly fit into prevailing current artistic practices and contemporary inquiry as well as into prevailing current themes that take into account their temporality and context. Because we wish to encourage dialogue, we promote collaboration, communication and the circulation of ideas by the organization of satellite activities involving both Quebec artists and artists from the international art community. These activities take the shape of occasional off-site events, collaborations with other cultural organizations as well as curatorial and publication projects. The centre is also involved in regional activities, making it a lively and well attended place.

Set up in 2005, an artist-in-residence program enables artists to spend a period of time of variable duration dedicated to research and creation. This space, adjacent to the exhibition centre, consists of a residential area and of a work studio. Action Art Actuel also pursues an educational mission through workshops offered to groups of school-aged children, as well as the development of workshops for the general public.

ACTION ART ACTUEL. FRANCINE POTVIN, *VIRIDITAS OU LA FEMME EST SALÉE COMME L'ALGUE.* © JULIE C. PARADIS.

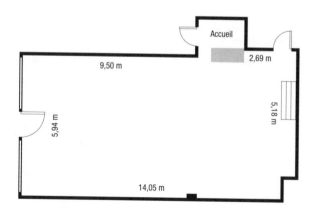

ADMARE
CENTRE D'ARTISTES EN ARTS VISUELS DES ÎLES-DE-LA-MADELEINE

Le regroupement des artistes professionnels des Îles-de-la-Madeleine a vu le jour en 1998 avec l'organisation d'un premier symposium intitulé Mer océane. En 2003, après avoir réalisé plusieurs autres projets ponctuels, l'organisme sans but lucratif a entrepris de créer sur l'archipel un centre d'artistes dont le mandat premier est de soutenir les pratiques actuelles en arts visuels. Il s'est donné comme mission de contribuer au développement artistique professionnel sur un territoire unique par sa géographie et sa culture insulaire. Avec la collaboration de la Municipalité des Îles, du Centre local de développement et du Fonds régional pour les arts et les lettres (région Gaspésie-les Îles), le centre d'artistes AdMare a aménagé dans ses locaux actuels en mars 2004.

Dans ce grand chalet situé au bord de la mer, à proximité du village de Cap-aux-Meules, sont regroupés un espace de création et de diffusion, un atelier de travail ainsi qu'un logement pour les artistes en résidence, deux bourses consécutives du CALQ régional ayant permis la mise en place d'un programme de résidences. Pendant un mois, les artistes sélectionnés sont logés à AdMare et bénéficient d'une période de création pendant laquelle le paysage, l'air salin, les chants d'oiseaux, l'accueil légendaire des Madelinots les inspirent pour la réalisation de leur projet. Au terme de la résidence d'artiste, l'œuvre est exposée pendant environ 30 jours après le vernissage.

De manière générale, le programme d'activités d'AdMare comprend l'accueil d'artistes en résidence, les expositions, les ateliers d'arts visuels, les rencontres d'artistes et les conférences sur divers sujets artistiques ou culturels. Le Centre est ouvert à longueur d'année et fait relâche aux mois de décembre et de janvier.

AdMare
Centre d'artistes en arts visuels

195, chemin Boudreau, Cap-aux-Meules
Îles-de-la-Madeleine (Québec) G4T 1H2
T 418 986 3005
admare@lino.com
www.admare.org

HEURES D'OUVERTURE
OCTOBRE » MAI : heures variables
selon la programmation des expositions
JUIN » SEPTEMBRE :
tous les jours, 13 h à 17 h

COORDINATION
CAROLE PAINCHAUD

The association of professional artists of the Magdalen Islands was founded in 1998 with the organization of a first symposium entitled "Mer océane". In 2003, after having put together several one-time projects, the non-profit organization decided to create an artist-run centre within the archipelago with the primary mandate of supporting contemporary practices in the visual arts. Its main mission is to contribute to professional artistic development on a territory utterly unique by virtue of its geography and culture. With the collaboration of the Municipalité des Îles, the local development centre and the Fonds régional pour les arts et les lettres (Gaspésie-les Îles region), AdMare moved into its own space on March 2004.

A large cottage by the sea, close to the village of Cap-aux-Meules, houses production and exhibition space, a work studio, and an apartment for artists-in-residence. Two consecutive CALQ grants have made it possible to establish a residency program. Selected artists are hosted by AdMare for a month, a creative period during which the landscape, sea air, the singing of the birds and the legendary hospitality of the locals serve as inspiration and lead to the completion of their projects. At the end of the residency, the work is exhibited for approximately 30 days after the opening.

In general, AdMare's program of activities consists of artist residencies, exhibitions, visual art workshops, artists' gatherings and public talks on various artistic or cultural topics. The centre is open year round except for the months of December and January.

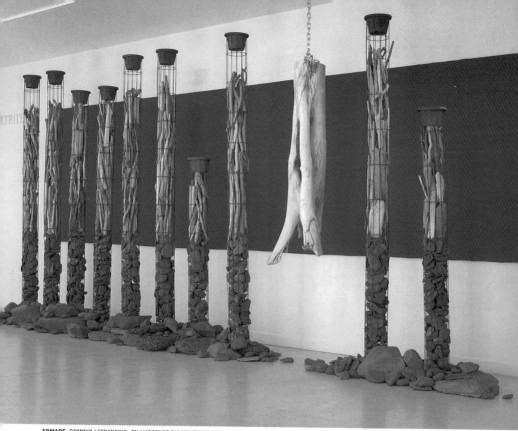

ADMARE. DOMINIC LEFRANÇOIS, *EN L'ABSENCE D'AMPHITRITE*, 2005.

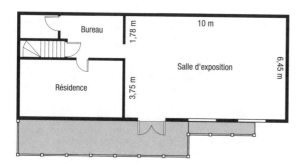

AGENCE TOPO

Agence TOPO est un centre d'artistes montréalais voué à la création, à la diffusion et à la distribution d'œuvres multimédias indépendantes. Fondée en 1993 pour promouvoir d'abord la photographie sous toutes ses formes, l'Agence TOPO initie et produit aujourd'hui des projets collectifs d'art Web tout en agissant comme diffuseur et distributeur de CD-ROM, DVD-ROMS et DVD-vidéos d'art et d'essai.

Vitrine de la fiction sur le Web, l'Agence TOPO favorise la convergence des arts visuels et de la littérature avec les nouveaux médias, le renouvellement sur le Web des genres narratifs et la présence sur le réseau d'artistes venant d'horizons artistiques et culturels divers.

Depuis 1998, TOPO a réalisé huit œuvres Web collectives avec quelque 60 artistes des arts visuels, des arts médiatiques, du théâtre, de l'audio et de la littérature, qui ont été présentées dans une trentaine de festivals d'art électronique dans le monde. L'organisme reçoit les propositions de centres, de collectifs, de commissaires et d'artistes de toutes disciplines qui souhaitent réaliser des œuvres multimédias novatrices. Les artistes accueillis en résidences de production bénéficient d'un soutien personnalisé à la réalisation et reçoivent des cachets de production et de diffusion.

Tout en cherchant à accroître la production de contenu d'auteur, l'Agence TOPO s'intéresse à la diffusion et à la distribution des œuvres multimédias indépendantes, sur le Web et sur support. L'organisme offre sur son site une section Archives, espace permettant la présentation de projets d'artistes, créés ponctuellement pour un contexte d'exposition, et qui n'ont pas (ou plus) de lieu d'hébergement sur le réseau. La Vitrine électronique est quant à elle un espace de promotion et de diffusion d'œuvres sur CD et DVD. La Vitrine possède un catalogue de 60 titres. TOPO organise également des activités de diffusion par des expositions, des programmes de visionnement et des participations aux festivals internationaux d'art numérique.

5455, avenue De Gaspé, espace 1001
Montréal (Québec) H2T 3B3
T 514 279 8676
topo@agencetopo.qc.ca
www.AgenceTopo.qc.ca

HEURES D'OUVERTURE
LUNDI » JEUDI : 10 h à 17 h

DIRECTEUR GÉNÉRAL
MICHEL LEFEBVRE
DIRECTRICE ARTISTIQUE
EVA QUINTAS
RÉALISATEUR MULTIMÉDIA
GUY ASSELIN

SOUMISSION DE DOSSIERS
En tout temps

Agence TOPO is a Montreal artist-run centre dedicated to the production, dissemination and distribution of independent multimedia works. It was founded in 1993 initially to promote all possible forms of photography. Today it initiates and produces collective web art projects while disseminating and distributing art and experimental CD-ROMs, DVD-ROMs and DVD-videos.

An on-line showcase for fiction, Agence TOPO's primary focus is on the convergence of visual art with literature and new media, the renewal of narrative genres within the context of the Web, and the presence of a network of artists coming from diverse creative and cultural horizons.

Since 1998, TOPO has produced eight collective Web works featuring some 60 visual, media, theatre, audio and literary artists. These have been presented at over thirty electronic art festivals around the world. The organization receives proposals from centres, collectives, curators and artists of all disciplines who are interested in producing innovative multimedia works. Artists who are chosen for production residencies receive personalized technical support as well as production and presentation fees.

Agence TOPO is devoted to both increasing the production of author-driven content and to the dissemination and distribution of independent multimedia works through the Web and via physical delivery media. The organization offers a section on its website called Archives, which is a space where it is possible to present artists' projects which were initially created for an exhibition context and are not, or are no longer, hosted anywhere on the Web. The *Vitrine électronique* is for its part is a space for the promotion and dissemination of works on CD and DVD. The *Vitrine* offers a catalogue of 60 titles. TOPO also organizes dissemination activities by way of exhibitions and screenings, as well as showcases at international digital and electronic art festivals.

agence
TOPO

ARTEXTE

Depuis plus de 25 ans, le Centre d'information Artexte est un organisme sans but lucratif voué à la documentation, à la recherche et à la diffusion de l'information relative aux arts visuels contemporains.

La collection du centre de documentation d'Artexte se distingue notamment par un fonds complet de catalogues d'exposition en art contemporain publiés au Canada depuis 1965. Une base de données bibliographique accessible sur place ou par Internet constitue le répertoire de cette collection. Sa mise à jour régulière permet de trouver facilement un résumé des renseignements contenus dans plus de 18 000 documents sur les arts actuels. Le centre de documentation rend aussi accessibles quelque 8 000 dossiers documentaires dont 5 500 dossiers d'artistes. Soucieux de favoriser la recherche, le personnel d'Artexte peut assister les usagers dans leurs recherches.

Des activités de recherche à plus long terme, et supervisés par des comités de travail, sont également entreprises par Artexte comme en font foi les publications, l'organisation de colloques, ou le projet Art public. Ce dernier consiste à répertorier dans une base de données une sélection d'œuvres d'art public, permanentes ou éphémères, réalisées depuis 1964 sur le territoire québécois.

Depuis l'année 2000, Artexte a multiplié ses interventions. Il a soutenu deux projets d'artistes qui faisaient usage de sa collection. Il a également offert une première bourse de résidence à une chercheure; une seconde résidence aura lieu au printemps 2006. Outre le colloque de septembre 2004, Artexte a invité en 2005 un organisme français à des échanges sur les modalités de la documentation spécialisée en art contemporain. L'objectif commun de ces activités est avant tout de jeter un regard nouveau sur le contenu de la collection et de le mettre en perspective. Ces initiatives favorisent ainsi l'ouverture d'avenues critiques sur l'information qui circule sur les pratiques artistiques.

460, rue Sainte-Catherine Ouest
espace 508
Montréal (Québec) H3B 1A7
T 514 874 0049
info@artexte.ca
http://www.artexte.ca

HEURES D'OUVERTURE
MERCREDI » SAMEDI : 10 h 30 à 17 h 30
L'horaire d'été peut différer.
Les demandes de référence peuvent
être acheminées par téléphone, téléco-
pieur, par la poste ou par courriel.

DIRECTION
FRANÇOIS DION
SPÉCIALISTES DE L'INFORMATION
FELICITY TAYLER, JOHN LATOUR

SOUMISSION DE DOCUMENTS
Artexte reçoit en tout temps les
publications sur l'art contemporain
ainsi que tous les documents publiés
par les organismes d'arts visuels
concernant leurs activités. Les artistes
professionnels sont invités à contacter
les spécialistes de l'information pour
mettre à jour leur dossier.

For over 25 years the Artexte Information Centre has been a non-profit organization dedicated to the documentation, research and dissemination of information relative to contemporary visual arts.

Artexte's documentation centre collection distinguishes itself by a comprehensive archive of contemporary art exhibition catalogues published in Canada since 1965. A bibliographic database which constitutes the directory of this collection is accessible on site or via Internet. Its regular update enables users to easily find a summery of the information contained in over 18,000 documents on contemporary art. The documentation centre also provides access to some 8,000 vertical files of which 5,500 are artists' personal files. Artexte's personnel is eager to facilitate research and can help users with their research needs.

Longer-term research activities, supervised by research committees, are also undertaken by Artexte as is demonstrated by their publications, the organization of a colloquium, or the Public Art project. The Public Art project consists in the creation of a database of selected public art works, either permanent or ephemeral, produced since 1964 within the province of Quebec.

Since the year 2000, Artexte has increased its interventions. It has supported two artists' projects that made use of its collection. It has also offered a first residency grant to a researcher. A second residency will take place over the spring of 2006. In addition to the 2004 colloquium, in 2005 Artexte invited a French organization for an information exchange on the particular modalities of specialized documentation in contemporary art. The common objective of these activities is above all to take a fresh look at the contents of the collection and to put it into perspective. These initiatives encourage new critical directions of reflection on the information that circulates around artistic practices.

Document Submissions: Artexte receives publications relative to contemporary art as well as all documents published by visual art organizations about their activities at all times. Professional artists are invited to contact the information specialists about updating their personal files.

© CENTRE D'INFORMATION **ARTEXTE** / MARIE-ORPHÉE DUVAL

ARTICULE

Depuis sa fondation en 1979, articule se caractérise par une approche de la programmation en constante adaptation reflétant les intérêts de ses membres, une passion pour la discussion ainsi qu'un engagement sérieux et sans cesse renouvelé envers la fonction sociale de l'art.

Depuis les chorégraphies *in situ* et les performances (Dena Davida, 1979, Mona Hatoum, 1983), en passant par le mouvement de théâtre Fluxus (Geoffrey Hendricks et John Giorno, 1996-1997) et les interventions itinérantes de type muséologique (Mobilivre/ Bookmobile, 2001), jusqu'aux expositions importantes hors galerie (*Hôpital*, 2001, *USED/Goods*, 2004), articule continue d'offrir un soutien flexible aux projets particuliers qui sortent des cadres d'exposition établis.

articule se consacre à une programmation pluridisciplinaire en art actuel, engagée sur les plans social et esthétique. Notre orientation à long terme se fonde sur la conviction commune voulant que la relation entre la création et le politique n'est pas contingent, mais nécessaire. Les activités d'articule sont un reflet des transformations constantes de cette relation. Bien que nous portions une attention particulière aux artistes de la relève, nous respectons ceux et celles qui ont déjà établi des précédents importants, qui continuent d'entretenir un idéal d'expérimentation et qui ont le goût du risque. En plus d'offrir un programme d'expositions en galerie, articule soutient un large éventail d'activités alternatives qui encourage les échanges, met à l'épreuve les limites du geste esthétique et construit des réseaux avec des artistes, des collectifs et des organismes ayant les mêmes affinités. Notre structure ouverte favorise la participation directe de nos membres, en provenance de divers horizons. En même temps, nous reconnaissons l'importance de canaliser cette vitalité, souhaitant contribuer à lui donner de la cohésion et la reconnaissance qu'elle mérite.

articule occupe une position spéciale dans le milieu québécois des centres d'artistes autogérés, puisqu'il compte une proportion non négligeable de membres anglophones vivant à Montréal et ailleurs au Canada. Ce caractère distinct lui permet de répondre à des besoins particuliers de la communauté artistique locale tout en cherchant à raffermir et à développer des liens avec les réseaux francophones.

articule

262, avenue Fairmount Ouest
Montréal (Québec) H2V 2G3
T 514 842 9686
info@articule.org
www.articule.org

HEURES D'OUVERTURE
MERCREDI » DIMANCHE : 12 h à 17 h

COORDONNATRICE ARTISTIQUE
CATHERINE BODMER
COORDONNATRICE ADMINISTRATIVE
CATHERINE CAHILL

SOUMISSION DE DOSSIERS
Veuillez consulter notre site Web

A number of features have characterized articule from its inception in 1979: a member-driven and constantly adapting approach to programming, a love for talk, and a deep and evolving commitment to the social function of art.

From site-specific choreography and performance (Dena Davida, 1979, Mona Hatoum, 1983) through Fluxus theatre (Geoffrey Hendricks and John Giorno, 1996-97), to itinerant museological interventions (Bookmobile, 2001), and major off-site exhibitions ("Hôpital", 2001, "USED/Goods", 2004), articule continues to provide flexible support for special projects that don't fit established exhibition modes.

articule is dedicated to a polydisciplinary program of new art that is socially and aesthetically involved. Our long-term direction is predicated on the shared belief that the relationship between the creative and the political is not contingent but necessary. articule's activities reflect the constant transformations of this relationship. While special consideration is given to emerging artists, we respect those who have already established important precedents and who continue to commit themselves to the ideals of experimentation and risk-taking. In addition to a full complement of gallery exhibitions, articule supports a broad range of discursive and alternative activities that promote dialogue, test the limits of aesthetic gesture and build networks with like-minded artists, collectives and organizations. Our open structure encourages the direct participation of an active and diverse membership. At the same time, we recognize the importance of directing this vitality, helping to give it the cohesion and professional bearing it requires.

articule fills a special niche in the artist-run milieu of Quebec with a significant portion of English-speaking members from Montreal and across Canada. This distinct character responds to the needs of an important part of Montreal's artistic and cultural makeup and also provides a portal to the local arts community as we consolidate and develop new relationships with francophone networks.

Nous déménageons à l'été 2006 !
Veuillez visiter notre site web pour plus d'information

We are moving in the summer of 2006
Please check our web site for updated info.

www.articule.org

ARTICULE. LUIS JACOB, *OPEN YOUR MOUTH AND YOUR MIND WILL FOLLOW*, 2005.

ATELIER CIRCULAIRE

L'Atelier Circulaire, fondé en 1982, est un centre d'artistes voué à la recherche, à la production et à la diffusion qui a pour but premier d'encourager le travail de création en arts imprimés. L'Atelier Circulaire souhaite soutenir le rayonnement de l'estampe contemporaine tout en encourageant les techniques anciennes et les nouvelles technologies. Depuis le 1er mai 2002, l'Atelier Circulaire occupe un nouvel espace lumineux de 10 000 pi² assez grand pour réunir la galerie et les ateliers, situé dans un quartier en pleine transformation, le Mile-End à Montréal où se côtoient de plus en plus les centres d'artistes, les galeries et les ateliers privés.

L'Atelier Circulaire offre des programmes et des services à la communauté artistique, aux artistes de la relève et au grand public. Il dispose d'ateliers bien équipés facilitant le travail et l'exploration de la taille-douce, du relief, de la collagraphie, de la lithographie, de la typographie, du monotype, de l'impression numérique, de la photogravure, de la photolithographie et des polymères. Ses objectifs généraux consistent à fournir un lieu de travail et de l'équipement aux artistes professionnels; à assister l'artiste dans sa production en fournissant de l'aide technique; à offrir des cours d'initiation et de perfectionnement aux artistes professionnels et de la relève; à accueillir des artistes professionnels en résidence; à diffuser et à promouvoir l'estampe en organisant des expositions et des conférences; à sensibiliser le grand public en organisant des visites guidées de la galerie et des ateliers; à soutenir ses membres par la vente d'œuvres et par l'organisation d'activités spéciales comme le concours en arts imprimés grand format Voir Grand.

Plus de trois cents artistes professionnels ont œuvré à l'Atelier Circulaire, de façon régulière ou ponctuelle. Aujourd'hui, l'Atelier Circulaire est formé de plus de 80 membres et il a un rayonnement tant national qu'international.

ATELIER CIRCULAIRE

5445, rue De Gaspé, espace 503
Montréal (Québec) H2T 3B2
T 514 272 8874 F 514 272 4022
atelcirc@colba.net
www.atelier-circulaire.qc.ca

HEURES D'OUVERTURE
galerie et atelier
MERCREDI » SAMEDI : midi à 17 h.
Les membres ont accès en tout temps.

COORDINATION ADMINISTRATIVE
MARIA CHRONOPOULOS
COORDINATION DE L'ATELIER DE LITHOGRAPHIE
CARLOS CALADO

COORDINATION DE L'ATELIER D'EAU-FORTE
PAULE MAINGUY

SOUMISSION DE DOSSIERS
VOIR GRAND – CONCOURS BIENNAL D'ESTAMPES GRAND FORMAT
15 novembre 2008 (biannual)
RÉSIDENCES POUR ARTISTES PROFESSIONELS
15 octobre chaque année

L'Atelier Circulaire, founded in 1982, is an artist-run centre devoted to artistic enquiry, production and dissemination whose primary goal is to encourage artistic creation in the field of printed media. L'Atelier Circulaire aims to support the visibility of the contemporary print while at the same time encouraging the use of older techniques and new technologies. Since 1 May 2002, L'Atelier Circulaire has occupied a bright new space of 10,000 sq. ft., which is large enough to house a gallery and studios and is located in a neighbourhood in the midst of major changes, Montreal's Mile End, where more and more artist-run centres, galleries and individual studios can be found.

L'Atelier Circulaire offers programs and services to the artistic community, young artists and the general public. It has studios with equipment which facilitates work and enquiry in the areas of copper-plate engraving, relief, collagraphy, lithography, typography, monotype, digital printing, photogravure, photo-lithography and polymers. Its general objectives consist in providing technical assistance, offering beginner's and advanced courses to professional and younger artists, offering residencies to professional artists, disseminating and promoting the print by organizing exhibitions and public talks, raising the awareness of the general public by organizing guided tours of the gallery and the studios, supporting its members through the sale of their work, and organizing special activities such as the large-format print art contest Voir Grand.

More than three hundred professional artists have worked at L'Atelier Circulaire on a regular or occasional basis. Today, L'Atelier Circulaire has more than 80 members and enjoys both national and international visibility.

L'ATELIER CIRCULAIRE. L'ATELIER DE LITHOGRAPHIE, PLAQUE DE CUIVRE DE RENÉ DONAIS À L'AVANT PLAN. PHOTO : MARIA CHRONOPOULOS

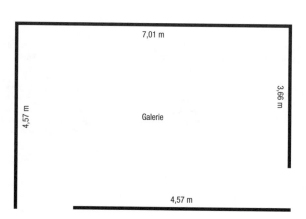

7,01 m

3,66 m

Galerie

4,57 m

4,57 m

ATELIER DE L'ÎLE

Fondé en 1974, l'Atelier de l'Île, centre d'artistes autogéré, favorise la recherche, la création et la production en estampe contemporaine. L'Atelier est équipé pour la sérigraphie, l'eau-forte, la lithographie, le bois gravé, la photographie, le papier-matière et l'infographie. De la formation professionnelle y est dispensée sur une base régulière. Les estampes originales produites et archivées à l'Atelier témoignent de la riche diversité des modes d'expression des artistes qui le fréquentent.

Volet important de la programmation de l'Atelier depuis bientôt trente ans, le programme de résidence accueille des artistes professionnels de partout dans le monde, qu'ils soient de la relève, en mi-carrière ou accomplis. Des ressources et de l'expertise sont mises à leur disposition pour faciliter leur recherche et la réalisation de leurs projets. Toutes les résidences de production donnent droit à l'accès gratuit aux équipements spécialisés pendant la période du séjour, au paiement d'honoraires et de certains frais de matériaux ainsi qu'à l'encadrement technique.

Des projets collectifs de création et d'exposition, ainsi que des conférences et tables rondes offrent aux membres la possibilité de travailler en collaboration sur diverses problématiques, telles que la situation actuelle de l'estampe, l'environnement et la communication, notamment. Plusieurs livres d'artistes réunissant graveurs et auteurs ont été édités par l'Atelier, de même que des publications pour accompagner certaines expositions. Le site Internet offre au public de l'information sur l'historique et les activités courantes de l'Atelier. Situé à une heure de Montréal, l'Atelier demeure un lieu signifiant, à l'écart des grands centres. L'Atelier existe grâce à l'implication bénévole de ses membres qui mettent leurs efforts en commun pour réaliser les diverses activités de la programmation.

1289, rue Dufresne
Val-David (Québec) J0T 2N0
T 819 322 6359
art@atelier.qc.ca
www.atelier.qc.ca

HEURES D'OUVERTURE
Les membres réguliers de l'atelier ont accès aux équipements 24 heures par jour.
POUR LE PUBLIC : LUNDI » VENDREDI
10h à 18h

DIRECTRICE
YOLAINE LEFEBVRE
ADJOINTE ADMINISTRATIVE
JEANNE CÔTÉ

SOUMISSION DE DOSSIERS
Le 31 janvier pour les projets de résidence, de création et de production en édition d'art.
ARTISTES EN ARTS VISUELS, TOUTES DISCIPLINES
Résidence d'une semaine
ARTISTES PRATIQUANT LES ARTS DE L'ESTAMPE
Résidence de deux semaines

Founded in 1974, the Atelier de l'Île is an artist-run centre supporting the innovative production of printmaking art. The Atelier is equipped for silkscreen, etching, lithography, woodcut, photography, paper-making and graphic design. Professional training is offered on a regular basis. The original engravings produced and archived at the Atelier are a testament to the rich diversity in modern printmaking.

The residency program has been an integral part of the Atelier's schedule for nearly thirty years. The program welcomes professional artists from around the world at different stages of their career. This programme provides the necessary equipment and space for the artist to create contemporary art through printmaking techniques. Resources and expertise are available to the artists to facilitate their research and the implementation of their projects. During the residency, the production program gives free access to the specialized equipment as well as some supplies and technical assistance.

Collective creation and exhibition projects, public talks and discussions give members an opportunity to collaborate on challenging topics, such as the environment, communication and particularly the world of printmaking today. Many books pairing authors and printmakers have been published at the Atelier, as well as publications for certain exhibitions. The Atelier de l'Île web site informs visitors of present activities and its historical background. Set in a prime location, one hour from Montreal, the Atelier is a significant place for artists. The Atelier exists thanks to the voluntary involvement of its members in joining in a common effort to accomplish our diverse programming activities.

L'ATELIER DE L'ÎLE. PHOTO : MARIE-CLAUDE ARNAUD

ARTISTES DE LA RÉGION DES
LAURENTIDES PRATIQUANT LES ARTS
DE L'ESTAMPE
Projet de production et d'édition
ARTISTES EN DÉBUT DE CARRIÈRE
PRATIQUANT LES ARTS DE L'ESTAMPE
Résidence de deux semaines
ON PEUT DEVENIR MEMBRE EN
TOUT TEMPS.

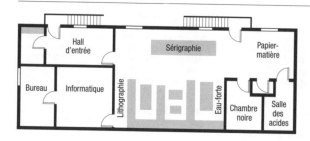

ATELIER PRESSE PAPIER

Situé à Trois-Rivières, l'Atelier Presse Papier offre aux artistes professionnels un lieu facilitant la production ainsi que des projets favorisant la recherche, la création et la diffusion de l'image multiple et imprimée. Le projet collectif de Presse Papier représente vingt-cinq années d'investissement humain, artistique, professionnel et économique de la part de différents créateurs et partenaires. Notre centre d'artistes inscrit son action à l'échelle nationale et internationale. Son développement en réseaux est le résultat des nombreux projets de création et de diffusion réalisés avec des partenaires internationaux. Cet axe d'action permet de stimuler constamment la réflexion sur les pratiques actuelles par des questionnements disciplinaires et des échanges d'artistes de provenances diverses. L'accueil d'artistes en résidence contribue également à la mise en circulation de l'image multiple et imprimée sous différentes formes.

Le rôle de Presse Papier s'articule autour de trois cibles : la recherche, la création et la diffusion. L'élaboration de projets thématiques annuels de création, d'expositions itinérantes, de séjours de création, de résidences, d'édition de livres d'artistes et d'autres publications inscrit l'Atelier Presse Papier au cœur de la rencontre de l'art d'aujourd'hui avec différents publics.

Fidèle à son engagement, Presse Papier participe à la diffusion et au rayonnement des œuvres des créateurs contemporains au Québec et à l'étranger, contribuant ainsi à une meilleure reconnaissance professionnelle des artistes.

73, rue Saint-Antoine
Trois-Rivières (Québec) G9A 2J2
T + F 819 373 1980
presse.papier.atelier@cgocable.ca
http://sites.rapidus.net/atelier.presse.papier

HEURES D'OUVERTURE
bureau
LUNDI » JEUDI : 8 h 30 à 16 h
centre de diffusion
MARDI » DIMANCHE : 14 h à 17 h
ateliers de production
EN TOUT TEMPS POUR LES MEMBRES

DIRECTRICE ADMINISTRATIVE
SUZANNE CLOUTIER

SOUMISSION DE DOSSIERS
15 mars de chaque année
RÉSIDENCE D'ARTISTES
en tout temps
ATELIER DE PRODUCTION
en tout temps

Located in Trois-Rivières, Atelier Presse Papier offers professional artists a production site as well as a place which encourages artistic enquiry and the creation and dissemination of multiple and printed images. A collective endeavour, Presse Papier represents twenty-five years of human, artistic, professional and financial investment on the part of various artists and partners. Our artist-run centre operates on both a national and an international level. These contacts are the result of numerous artistic and exhibition projects carried out with international partners. This approach enables us constantly to stimulate reflection on contemporary practices through disciplinary enquiry and artist exchanges with groups in various locations. Hosting artists in residence is also a part of this project of circulating multiple and printed images in various forms.

Presse Papier's role is focused on three main areas: artistic enquiry, creation and dissemination. Annual creative thematic projects, travelling exhibitions, artists' sojourns and residencies, and publishing artists' books and other publications place Atelier Presse Papier at the heart of the encounter between contemporary art and various sectors of the public.

Faithful to our commitment, Presse Papier contributes to the dissemination and exposure of the work of contemporary artists in Quebec and abroad. All this work contributes to a higher degree of professional recognition for artists.

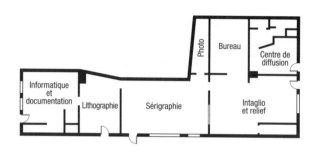

Photo

Bureau

Centre de diffusion

Informatique et documentation

Lithographie

Sérigraphie

Intaglio et relief

L'ATELIER PRESSE PAPIER. PHOTO : ALAIN FLEURENT

ATELIER SILEX

En activité depuis 1983, l'Atelier Silex est un organisme à but non lucratif ayant pour mandat d'offrir à ses membres un milieu favorisant la recherche et la diffusion en art actuel. Il voit à promouvoir et à développer les intérêts sociaux et professionnels des créateurs en art et à intervenir comme agent pertinent du milieu culturel. L'Atelier Silex est né d'un besoin de plusieurs individus de se doter d'équipements spécialisés pour sculpter la pierre. Près de 20 ans plus tard, la discipline sculpturale ayant connu un éclatement tant dans sa forme que dans ses approches idéologiques, l'Atelier Silex a aussi évolué non seulement en acquérant des équipements de façon à aborder plusieurs matières, mais surtout en élaborant un programme de recherche qui se traduit par l'étude de diverses notions de l'art actuel en organisant des conférences, des événements interdisciplinaires, des interventions publiques, ainsi qu'en créant un programme de résidence dont bon nombre d'artistes d'ici et de l'étranger profitent.

Nous favorisons les démarches expérimentales qui permettent une utilisation éclatée de l'espace dans la sculpture et l'installation contemporaine. En même temps, nous tenons compte du fait que d'autres formes d'art tendent à s'amalgamer aux pratiques sculpturales actuelles et que les frontières entre disciplines s'effritent de plus en plus. Ces nouvelles façons de faire nous intéressent beaucoup.

La résidence offre une chambre meublée de style studio et donne accès à une cuisine commune.

1095, rue Père Frédéric
Trois-Rivières (Québec) G9A 3S5
T 819 379 0121 F 819 379 4820
atelier.silex@tr.cgocable.ca
www.oculiartes.org

HEURES D'OUVERTURE
Atelier Silex
8 h 30 à 23 h
Espace 0...3/4
LUNDI » VENDREDI : 14 h à 17 h
fin de semaine sur rendez-vous

COORDINATION
LUCIE BEAULIEU
PRÉSIDENCE
JEAN MARIE GAGNON
JEAN LAURENT BÉLANGER

SOUMISSION DE DOSSIERS
ESPACE 0...3/4 :
15 décembre
RÉSIDENCE
15 décembre

Since its founding in 1983, L'Atelier Silex has functioned as a non-profit organization whose mandate is to provide its members with a setting conducive to artistic enquiry and dissemination in the field of contemporary art. It seeks to promote and develop artists' social and professional interests and to act as a critical agent in the cultural milieu. L'Atelier Silex was born of the need on the part of numerous individuals for access to specialized equipment for sculpting stone. Nearly twenty years later, with sculpture having gone through a period of upheaval both in terms of its form as well as in its ideological approaches, L'Atelier Silex has evolved not only at the level of the development of its equipment, in order to enable the use of various materials, but especially in the way it has elaborated a program of artistic enquiry. This latter is seen in its study of various concepts in contemporary art through the organization of public talks, interdisciplinary events and public artistic activities and by developing a residency program which has served a good number of national and international artists.

We encourage experimental projects which confront us with the wide variety of uses of space seen in contemporary sculpture and installation. At the same time, we take into account the fact that other artistic disciplines tend to blend with contemporary sculptural practices and that the boundaries between disciplines are increasingly blurred. These new ways of working are a constant concern of ours.

The residence consists of a furnished studio-style bedroom with access to a shared kitchen.

L'ATELIER SILEX. OHSHIN CHOI (CORÉE), *ROSACE #5*; PHOTO : ANDRÉ JACOB.

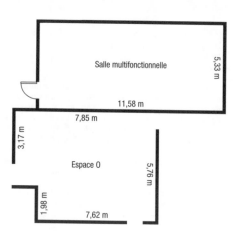

Salle multifonctionnelle

5,33 m

11,58 m

7,85 m

3,17 m

Espace 0

5,76 m

1,98 m

7,62 m

ATELIERS GRAFF

Fondé en 1966 par l'artiste Pierre Ayot, Graff se voue à la recherche et à la production en art actuel dans les différentes techniques de l'estampe. Son mandat principal est d'offrir aux artistes professionnels un lieu dynamique de création offrant les équipements nécessaires à la réalisation d'œuvres en estampe numérique, en sérigraphie, en lithographie, en gravure en creux et en relief, et ce, 7 jours par semaine et 24 heures sur 24.

Outre cet usage libre des ateliers, Graff offre à sa clientèle un programme d'activités récurrentes telles des ateliers-rencontres, des échanges d'artistes, des collaborations artistes-imprimeurs et des stages de perfectionnement. Intimement lié au développement de la gravure québécoise, Graff occupe également un rôle essentiel dans la promotion de l'estampe contemporaine et organise à cet effet maints événements dont des expositions, des conférences, des tables rondes et des activités éducatives destinées au grand public. En 1996, Graff crée le prix Graff à la mémoire de son fondateur afin de récompenser une fois l'an la qualité de la production d'un artiste en pleine carrière, toutes disciplines confondues.

Insertion : ce projet permet à des finissants de niveau collégial ou universitaire qui connaissent au moins une technique de l'estampe de réaliser gratuitement un séjour de création à Graff d'une durée de trois mois. La date limite de dépôt des candidatures est au mois de décembre de chaque année.

Artistes en résidence : Graff invite chaque année des artistes multidisciplinaires à réaliser une édition sous la supervision d'un maître imprimeur. Provenant de différentes disciplines, ces artistes peuvent ou non être familiers avec l'une ou l'autre des techniques de l'estampe.

 graff

963, rue Rachel Est
Montréal (Québec) H2J 2J4
T 514 526 9851
514 526 2616 (message)
F 514 526 2616
graff@videotron.ca
www.graff.ca

HEURES D'OUVERTURE
administration
MERCREDI » VENDREDI : 10 h à 18 h
ateliers
7/7 JOURS, 24 h / 24 h

DIRECTION
CHRISTIANE DESJARDINS
CHARGÉE DE PROJETS
SOPHIE MORIN
TECHNICIEN
LAURENT LAMARCHE

SOUMISSION DE DOSSIERS
en tout temps

Founded in 1966 by the artist Pierre Ayot, Graff is dedicated to research and production in contemporary art within the different techniques of printmaking. Its main mandate is to provide professional artists with a dynamic work space offering the necessary equipment for production in digital printmaking, silkscreening, lithography, etching, intaglio and woodcut, 24 hours a day, seven days a week.

In addition to this access to work studios, Graff also provides its membership with a program of recurring activities such as artist talks, artist exchanges, artist-printer collaborations and specialized training workshops. Highly involved in the development of Quebec printmaking, Graff also plays a leading role in the promotion of contemporary printmaking, organizing multiple events to this end, including exhibitions, public talks, panel discussions and educational activities for the general public. In 1996, Graff launched the Prix Graff, in memory of its founder, which every year rewards the quality of the production of an established artist from any discipline.

Insertion: this project enables CEGEP or university graduates trained in at least one printmaking technique to benefit from a three-month free production residency at Graff. The deadline for submissions is every December.

Artists in residence: every year Graff invites multidisciplinary artists to produce a limited edition of prints under the supervision of a master printer. Coming from a wide variety of disciplines, these artists do not necessarily need to be familiar with any printmaking techniques.

LES ATELIERS GRAFF. PHOTO : CHRISTIANE DESJARDINS

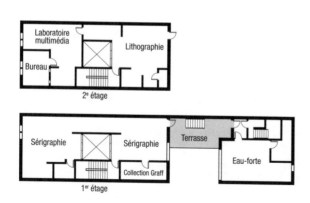

Le mandat d'Avatar est d'appuyer et de promouvoir la création en art audio et en art électronique. Pour ce faire, plusieurs structures et réseaux ont été mis en place afin de répondre aux différentes exigences de ces pratiques.

La programmation des activités d'Avatar est organisée autour de thématiques choisies par la direction artistique et est entérinée par le conseil d'administration. Cette programmation dite intégrale couvre plus d'une année de recherches et permet un approfondissement du discours artistique par l'interaction de chacun des projets entre eux. C'est en ce sens que les résidences avatariennes sont réalisées en trois étapes distinctes : développement des prémisses, réalisation de l'essentiel du projet et finalisation.

Avatar s'est doté d'un parc d'équipement professionnel permettant l'installation de trois espaces de production, et de la solide expertise d'une équipe technique offrant une approche sur mesure pour l'audio, l'image numérique et les systèmes interactifs.

Le laboratoire contient également tous les outils nécessaires à la réalisation de circuits électroniques. Le secteur informatique offre plusieurs plateformes dédiées à la programmation et aux divers médias. Enfin, la régie et le studio son sont ce qu'ils sont (ProTools, effets, etc.) avec, en prime, un piano DisKlavier.

Avatar publie, sous l'étiquette d'OHM éditions, des œuvres audio et électroniques ainsi que des documents critiques sur différents supports : CD audio, vidéo, ROM, DVD, DVD-ROMrom, livre… Avatar, en collaboration avec Locus Sonus, rend également publiques certaines œuvres à www.panatone.net. Et comme il n'existait pas de distributeur pour ce type de création au Canada, Avatar a mis sur pied VacuOhm, distributeur spécialisé qui ouvre ses portes aux œuvres d'art audio et électronique. Pour en savoir plus, vous pouvez contacter Avatar à avatar@meduse.org, ou consulter le www.lenomdelachose.org.

avatar

541, rue de Saint-Vallier Est, local 5-62
Québec (Québec) G1K 3P9
T 418 522 8918 F 418 522 6412
avatar@meduse.org
www.lenomdelachose.org

HEURES D'OUVERTURE
LUNDI » VENDREDI :
9 h à 12 h + 13 h à 17 h

COORDINATION GÉNÉRALE
MARIE-FRANCE THÉRIEN
DIRECTION ARTISTIQUE
JOCELYN ROBERT

SOUMISSION DE DOSSIERS
Les dossiers sont acceptés
en tout temps.

Avatar's mandate is to support and promote audio art and electronic art production. To do so, several structures and networks have been put into place in order to meet the different needs of these practices.

Avatar's programming is organized around themes proposed by the artistic director and approved by the board of directors. This "integral"' programming strategy involves research spanning a period of more than a year and allows a deepening of artistic discourse by way of the interaction of all the projects between themselves. It is with this in mind that Avatar's residencies are divided into three distinct stages: research and development, production of the bulk of the project, and finalization.

Avatar has acquired a body of professional equipment allowing the installation of three production spaces corresponding to the solid expertise of its technical team which offers a custom approach to audio, digital image and interactive systems.

The lab also carries all the necessary tools for the production of electronic circuits. The computer section offers several platforms dedicated to programming and different media. Finally, the control room and the recording/post-production audio studio are what they are (Pro Tools, effects, etc.), with, in addition, an available DisKlavier piano.

Avatar publishes, under the OHM editions label, audio and electronic works as well as critical documents on different delivery media: audio CD, video, ROM, DVD, DVD-Rom, books... In collaboration with Locus Sonus, Avatar also makes certain works available to the public on the Internet at www.panatone.net. And since no other distributor of this kind of work exists in Canada, Avatar has set up VacuOhm, a specialized distributor for the dissemination of audio and electronic artworks. For more information contact Avatar at avatar@meduse.org, or visit www.lenomdelachose.org

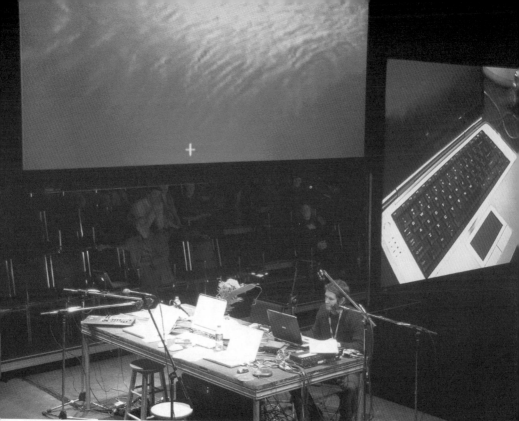

AVATAR. PHOTO : CATHERINE BÉCHARD, 2005

Laboratoire électronique 15 m²	Laboratoire informatique 39 m²	Régie et documentation 35 m²
Bureau 53 m²		Studio 43 m²
		Entrepôt 22 m²

AXENÉ07

Depuis ses débuts, AXENÉO7 a voulu être un lieu d'échanges entre les artistes de la communauté locale et ceux du Québec et du Canada. Il a permis la présentation d'expositions de créateurs de tous les horizons, il a comme premier mandat la diffusion des arts actuels dans la multiplicité des pratiques relevant du domaine des arts visuels. AXENÉO7 est un lieu de rencontres et d'expérimentation axé sur le renouvellement du langage visuel en favorisant la création et la présentation de nouvelles œuvres. Son programme d'artistes en résidence joue en ce sens un rôle important en offrant aux artistes invités un environnement physique et humain susceptible d'influer sur leurs œuvres.

Plus qu'un lieu physique, c'est aussi une communauté artistique qui regroupe majoritairement des artistes en arts visuels appuyés par des historiens de l'art, des écrivains et des enseignants. Dirigé majoritairement par des artistes, il se consacre à l'amélioration des conditions de production et de présentation d'œuvres nouvelles. Le paiement de cachets selon les barèmes du RAAV a toujours été un engagement absolu. Mais son engagement envers les artistes avec qui il collabore dépasse largement cette contribution. La promotion, les frais de montage et l'assistance technique sont aussi assumés par le centre, qui se fait un devoir de recevoir chaque artiste comme un invité important.

Sa programmation est élaborée par des artistes et des professionnels de l'art qui conçoivent et sélectionnent des activités qui sont souvent suivies de près par des conférences, séminaires et publications. Il a aussi choisi d'être un pont entre les générations d'artistes, faisant place à la relève, aux artistes en mi-carrière et à des praticiens chevronnés. AXENÉO7 dispose de trois salles d'exposition et d'une résidence d'artiste avec atelier de réalisation.

---

84 * 85

AXENÉ07
CENTRE D'ARTISTES

80, rue Hanson
Gatineau (Québec) J8Y 3M5
T 819 771 2122 F 819 771 0696
axeneo7@axeneo7.qc.ca
www.axeneo7.qc.ca

HEURES D'OUVERTURE
galerie
MERCREDI » DIMANCHE : 12 h à 17 h
bureau
MARDI » VENDREDI : 9 h 30 à 17 h

DIRECTRICE GÉNÉRALE
DIANE GÉNIER
COORDINATION DES PROGRAMMES EN GALERIE
MARTIN SIMARD

ASSISTANT AUX COMMUNICATIONS
JOSUÉ JUDE CARRIER
RELATIONS PUBLIQUES / CAMPAGNE DE FINANCEMENT
MÉLANIE BOULANGER

SOUMISSION DE DOSSIERS
AXENÉO7 accepte les projets d'artistes et de commissaires le 1er mars et fait occasionnellement des appels de dossiers. Vérifiez sur notre site Internet.

Ever since it came into existence AXENÉO7 has striven to be a site for exchange between artists from the local community and those from Quebec and the rest of Canada. It has enabled the presentation of exhibitions by artists from a wide variety of horizons. Its primary mandate is the dissemination, within the municipality, of contemporary practices belonging to the realm of visual art. AXENÉO7 is a site for meetings and experimentation revolving around the renewal of visual language which encourages the creation and presentation of new works. Its artist-in-residence program plays an important role in this sense by providing invited artists with a physical and human environment that can influence their work.

More than a physical place, it is also an artistic community bringing together primarily visual artists, supported by art historians, writers and teaching professionals. Mainly run by artists, AXENÉO7 is dedicated to improving the production and presentation conditions of new works. The payment of fees according to the standards recommended by the RAAV (Regroupement des Artistes en Arts Visuels du Québec) has always been an absolute commitment. But its commitment to the artists with whom it collaborates greatly surpasses this contribution. Promotion, exhibition set-up costs and technical assistance are also assumed by the centre which makes it its duty to receive each artist as an important guest.

AXENÉO7's programming is elaborated by artists and art professionals who conceive and select activities that are at times closely associated with public talks, seminars and publications. It has also chosen to serve as a bridge between different generations of artists, making room for emerging artists, mid-career artists and more established artists.

AXENÉO7 has three exhibition spaces and an artist's living quarters with studio.

AXENÉ07.
BETTINA HOFFMANN, *TOO CLOSE FOR COMFORT*, 2005
ROBERT DUCHESNAY, *RITUELS DE L'ANTISOCIAL*, 2005
PHOTOGRAPHE : MARTIN SIMARD

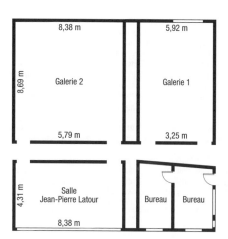

Galerie 2 — 8,38 m / 8,69 m / 5,79 m

Galerie 1 — 5,92 m / 3,25 m

Salle Jean-Pierre Latour — 4,31 m / 8,38 m

Bureau   Bureau

LA BANDE VIDÉO

La petite histoire de La Bande vidéo commence en 1977 par la création du Centre Populaire d'Animation Audio-Visuel de Québec. Né du désir de doter la population de Québec d'un parc d'équipement audiovisuel, le CPAAVQ concentre son action sur l'intervention sociale dans les milieux populaires. En 1986, le centre élargit son mandat. Il prend le nom de La Bande vidéo et film de Québec et soutient la pratique artistique par la gérance d'équipement spécialisé de production cinématographique et vidéographique. C'est en 1995 que l'organisme prend la forme qu'on lui connaît aujourd'hui. Délaissant la pratique cinématographique, La Bande vidéo se convertit en centre d'artistes dédié à la création, à la recherche et à l'expérimentation vidéographique et se joint à la coopérative Méduse. La Bande vidéo produit et diffuse un événement majeur : *Vidéaste recherché-e*. Présenté pour la première fois en 1990, le festival *Vidéaste recherché-e* est à la fois un événement et un concours mettant en valeur le travail des jeunes créateurs.

La Bande vidéo dispose de caméras numériques 3CCD, d'équipement d'éclairage, de prise de son, de diffusion, d'une salle de diffusion et de tournage en plus de salles de montage numérique. Des réductions de prix sont accordées aux membres sur la location d'équipements et de salles de montage pour les productions indépendantes et non commerciales.

Le centre offre plusieurs possibilités de résidences en invitant des artistes du Canada et de l'étranger à jeter un regard nouveau sur l'art vidéographique. La Bande vidéo étant un des membres de Méduse, les artistes qui séjournent dans nos murs ont accès à d'autres centres qui offrent des expertises multiples. Parallèlement à notre mandat de soutien aux artistes en arts médiatiques, nous ouvrons nos portes aux créateurs œuvrant aussi dans d'autres champs de création.

541, rue Saint-Vallier Est, B.P. 2
Québec (Québec) G1K 3P9
T 418 522 5561 F 418 522 4041
labandevideo@meduse.org-
www.meduse.org/labandevideo

HEURES D'OUVERTURE
LUNDI » VENDREDI : 13 h à 17 h

PERSONNE-RESSOURCE
FANNIE GIGUÈRE

SOUMISSION DE DOSSIERS
VIDÉASTE RECHERCHÉ-E : 31 août
COPRODUCTIONS : en tout temps

La Bande vidéo's brief history begins in 1977 with the creation of the Centre Populaire d'Animation Audio-Visuel de Québec. Born of a desire to provide the residents of Quebec City with access to audio-visual equipment, the CPAAVQ focused its efforts on social intervention in lower-income neighbourhoods of the city. In 1986, the centre broadened its mandate, changing its name to La Bande vidéo et film de Québec and supporting artistic activity by providing access to specialized film and video production equipment. In 1995 the group took the form in which it is known today. Leaving filmmaking behind, La Bande vidéo became an artist-run centre devoted to artistic creation, enquiry and experimentation in video and joined the cooperative Méduse. La Bande vidéo produces a major event: *Vidéaste recherché-e*. Presented for the first time in 1990, the *Vidéaste recherché-e* festival is both an event and a contest showcasing the work of young artists.

La Bande vidéo has 3CCD digital cameras, lighting, sound and projection equipment, a screening room, a production studio and digital editing studios. Members receive discounts on equipment rentals and editing studios for independent and non-commercial projects.

The centre offers various residency opportunities by inviting Canadian and foreign artists to take a new approach to video art. Because La Bande vidéo is a member of Méduse, resident artists have access to other centres with various areas of expertise. In addition to our mandate to support media artists, our doors are also open to artists working in other fields.

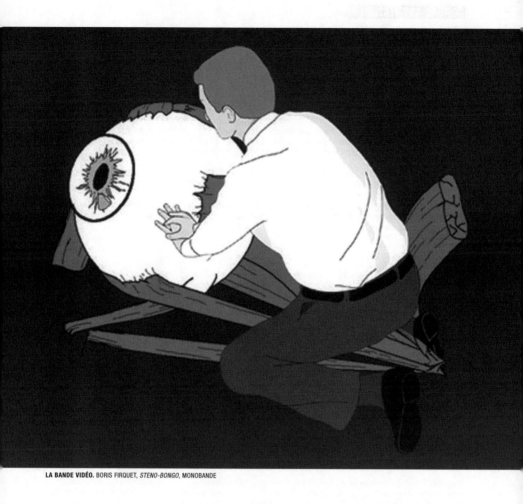

LA BANDE VIDÉO. BORIS FIRQUET, *STENO-BONGO*, MONOBANDE

BORÉAL ART/NATURE

Boréal Art/Nature est engagé depuis 1988 dans une démarche fondée sur l'actualisation des rapports entre l'art et la nature par le biais de programmes d'immersion créatrice en milieu naturel. Cet engagement se concrétise dans des productions interdisciplinaires et leur diffusion aux niveaux régional, national et international. Dans une optique d'exploration des langages artistiques et un esprit de sauvegarde des environnements naturels, Boréal Art/Nature affirme l'intérêt d'une prise de conscience de l'histoire, de l'évolution et de l'actualité des enjeux complexes qui lient la nature et la culture. L'application de cette approche offre aux artistes de mesurer leur pratique à des territoires naturels voire sauvages, choisis pour leur intérêt écologique, socioculturel et artistique. Hors des sentiers battus, avec un parti pris de précarisation des moyens d'intervention, Boréal Art/Nature crée des contextes propices à un mode singulier de création éphémère qui interroge la notion d'intégration de l'œuvre à l'environnement et anime une réflexion sur la présence à la nature qui déborde le champ de l'art et rejoint d'autres domaines d'étude et d'action sociale. À des fins de recherche, de production et de diffusion, sont établies des collaborations, des partenariats et des échanges avec les artistes, les spécialistes et les institutions de divers domaines. Boréal Art/Nature offre une participation directe au public par l'accès au Centre ArtTerre et par le biais de publications, de vidéos, d'un site Web, d'expositions, de conférences et d'ateliers.

Les résidences au Centre ArtTerre offrent aux artistes divers modes d'intervention individuels et collectifs dans des conditions rustiques sur un territoire forestier patrimonial de trois cents acres au cœur des Hautes-Laurentides.

Les expéditions art/nature nomades réunissent des groupes d'artistes de diverses origines pour des périodes de quelques semaines, au cœur d'écosystèmes significatifs choisis dans le monde. Elles impliquent des déplacements dans des environnements souvent éloignés des circuits habituels.

C.P. 4717
L'Annonciation (Québec) J0T 1T0
T 819 278 3273 / 275 7727
F 819 278 3649
info@artnature.ca
www.artnature.ca

Centre ArtTerre
4260, chemin de la Minerve
Labelle (Québec)

PERSONNES-RESSOURCES
JEANE FABB
DANIEL POULIN

SOUMISSION DE DOSSIERS
15 janvier

Boréal Art/Nature has been involved since 1988 in a process based on the actualization of relations between art and nature through creative immersion programs in natural settings. This involvement takes the shape of interdisciplinary productions and their dissemination at regional, national and international levels. Within a perspective of exploring artistic languages and a spirit of preserving natural environments, Boréal Art/Nature affirms the relevance of a consciousness of history, of evolution and of the current complex issues that connect nature and culture. The application of this approach suggests to artists to measure their practice in relation to natural, even wild, territories, selected for their ecological, sociocultural and artistic interest. Off the beaten track, with a conscious determination to use more precarious means of production, Boréal Art/Nature creates contexts that foster a singular mode of ephemeral artistic production which questions the notion of integration of the art work into the environment and nourishes thinking about presence in nature which goes beyond the world of art to encompass other areas of inquiry and social study. Research, production and dissemination collaborations, partnerships and exchanges are organized with artists, specialists and institutions from different areas interested in such an approach. Boréal Art/Nature provides the opportunity of direct partipation to the public through access to the ArtTerre Centre and via publications, videos, a website, exhibitions, public talks and workshops.

Residencies at the ArtTerre Centre provide artists with different possibilities for individual and collective intervention in the rustic conditions of a three-hundred-acre heritage forest territory in the heart of the Laurentians.

The nomadic art/nature expeditions bring together groups of artists of diverse origins for periods of several weeks, within significant ecosystems chosen around the world. They involve travel to environments often very distant from anything one is accustomed to.

BORÉAL ART/NATURE. FRANÇOIS MORELLI, *RELAIS 91K. 24/24. LE SOMNAMBULE*, INSTALLATION ET ACTION DE L'EXPÉDITION «MARCHEURS DES BOIS», ÉCHANGE INTERNATIONAL QUÉBEC/PAYS DE GALLES RÉALISÉ DANS LA RÉSERVE FAUNIQUE ROUGE-MATAWIN, HAUTES-LAURENTIDES, 2005.

CENTRE D'ARTISTES CARAVANSÉRAIL

Fondé en 2003 à Rimouski, Caravansérail est un centre de recherche, de production et de diffusion en art actuel. Spécifiquement dédié à soutenir la relève en arts visuels, Caravansérail offre un espace et des moyens aux jeunes créateurs pour se consacrer à leur recherche mais aussi diffuser leurs œuvres dans un contexte professionnel. Caravansérail a également pour ambition de contribuer à la promotion de l'art actuel en région et au rapprochement entre les artistes et la population.

La programmation annuelle du Centre comprend six expositions en salle et l'accueil régulier d'artistes en résidence de recherche/production. Désireux de sortir l'art de son réseau traditionnel de diffusion pour aller à la rencontre des publics peu familiers avec l'art actuel, le Centre développe également des projets et des événements inédits dans la sphère publique. L'ouverture de nouveaux territoires de recherche pour les artistes et le rayonnement des arts visuels en région sont au cœur de la démarche qui anime ce volet d'intervention.

En septembre 2005, Caravansérail a inauguré ses nouveaux locaux au sein de la Coopérative Paradis, un nouvel équipement culturel multidisciplinaire installé dans l'ancien cinéma Audito de Rimouski. Fondée par quatre organismes culturels, dont Caravansérail, la Coopérative offre à la communauté culturelle des espaces de pratique et de diffusion adaptés à leurs besoins. Occupant actuellement 1200 p², Caravansérail prévoit augmenter la superficie de ses locaux à 2500 p² au cours des prochaines années. De plus, Caravansérail utilise, selon la nature des activités, la salle multifonctionnelle et la salle de projection de la Coopérative Paradis.

Nouveau sur l'échiquier culturel, Caravansérail s'est rapidement imposé comme une tribune artistique et une plateforme d'échanges dynamique et stimulante pour le milieu régional. Fort du soutien actif de ses membres, Caravansérail poursuit son développement avec la préoccupation constante de donner aux artistes en début de carrière et à l'art actuel une place centrale en région.

Caravansérail
centre d'artistes

274, rue Michaud
Rimouski (Québec) G5L 6A2
T 418 722 0846 F 418 722 0846
caravanserail@globetrotter.net

HEURES D'OUVERTURE
salle d'exposition
MERCREDI » VENDREDI :
9h à 12h + 13h à 17h
SAMEDI : 13h à 17h
bureau
MARDI » VENDREDI :
9h à 12h + 13h à 17h

DIRECTRICE
MARIANNE COINEAU
COORDONNATRICE ARTISTIQUE
JULIE LÉVESQUE

SOUMISSION DE DOSSIERS
EXPOSITIONS ET RÉSIDENCES : variable
Communiquer avec le Centre pour
connaître les dates exactes de tombée.
Les projets de commissariat peuvent
être soumis en tout temps.

Founded in 2003 in Rimouski, Caravansérail is a centre for the research, production and dissemination of contemporary art. It is specifically dedicated to the support of emerging visual art practices. It provides a space and means for young artists to focus on their research as well as present their work in a professional setting. Caravansérail also aspires to contribute to the promotion of contemporary art in a region and to bring artists and the general public closer together.

Every year the centre organizes six exhibitions in its exhibition space in addition to regularly hosting artists for research/production residencies. With the intention of taking art out of its traditional presentation network in order to reach audiences rarely confronted in their daily lives with contemporary art, Caravansérail also develops unique projects and events for the public sphere. The exploration of new research territories for artists and outreach strategies for visual arts within a regional context are at the heart of the process that drives this area of intervention.

In September 2005, Caravansérail inaugurated its new space within the Coopérative Paradis, a new multidisciplinary cultural complex that occupies the former Rimouski Audito cinema. Founded by four cultural organizations, including Caravansérail, the Coopérative provides production and presentation spaces adapted to the needs of the members of the cultural community. Currently occupying 1200 square feet, Caravansérail foresees its space increasing to 2500 square feet over the course of the coming years. In addition, Caravansérail uses' depending on the activity, the Coopérative Paradis, multifunctional space and the film theatre.

Relatively new on the cultural map, Caravansérail has quickly imposed itself as an artistic tribune as well as a platform for stimulating and dynamic exchange for the local scene. With the active support of its members, Caravansérail continues its development with a constant effort to provide not only emerging artists, but also contemporary art itself, with a central place in the region.

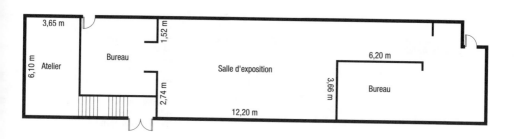

3,65 m

1,52 m

6,10 m   Atelier

Bureau

Salle d'exposition

6,20 m

3,66 m

2,74 m

Bureau

12,20 m

LA CENTRALE
GALERIE POWERHOUSE

Fondée en 1973, La Centrale Galerie Powerhouse est un des plus anciens centres d'artistes du Québec voué exclusivement à la diffusion de l'art actuel des femmes. Les activités principales de La Centrale comprennent des expositions, des programmations vidéo, des projets d'intervention hors les murs, des projets d'édition, des conférences et des tables rondes. De plus, La Centrale organise depuis 1994 l'événement bisannuel, Le mois de la performance, présentant diverses pratiques entourant la performance.

Le centre soutient la recherche, l'intervention et la création de discours multiples sur la pratique artistique, les féminismes et l'inter-disciplinarité. Il favorise aussi les échanges intergénérationnels, la mise en valeur de la diversité culturelle et l'implication commu-nautaire. En faisant appel aux artistes de la scène locale, nationale et internationale, La Centrale accorde autant d'importance aux artistes de la relève qu'aux artistes établies afin d'instaurer des liens et une porosité des idées.

La Centrale s'engage à verser aux artistes des cachets selon les barèmes recommandés et à promouvoir leurs expositions avec des outils de promotion efficaces. Aussi, les publications du centre assurent une longévité au travail des artistes et permettent de diffuser leur travail à l'étranger. On peut également trouver les archives du centre de 1973 à 2000 à l'Université Concordia.

La Centrale compte plusieurs catégories de membres : actives, bénévoles, abonnés/es, de soutien et bienfaiteurs/trices. Les membres actives s'impliquent directement dans les prises de décision du centre. L'engagement d'une membre active peut prendre diverses formes : participer aux comités permanents et *ad hoc*, assister aux préparations d'expositions, à l'organisation d'événements et aux campagnes de financement.

Depuis l'été 2004, La Centrale a pignon sur rue, ce qui favorise la visibilité du centre. Sa vitrine, sa structure d'accueil et ses activités d'animation contribuent à la formation d'un contexte de diffusion unique.

LA·CENTRALE
GALERIE POWERHOUSE

4296, boulevard Saint-Laurent
Montréal (Québec) H2W 1Z3
T 514 871 0268
galerie@lacentrale.org
www.lacentrale.org

FONDS D'ARCHIVES LA CENTRALE
UNIVERSITÉ CONCORDIA
(Service des archives
de l'Université Concordia)
T 514 848 7775 (sur rendez-vous)
archives3.concordia.ca

**HEURES D'OUVERTURE
(LA CENTRALE)**
MERCREDI : 12 h à 18 h
JEUDI + VENDREDI : 12 h à 21 h
SAMEDI + DIMANCHE : 12 h à 17 h

COORDINATION ADMINISTRATIVE
SUZANNE ST-DENIS
COORDINATION ARTISTIQUE
ANEESSA HASHMI

Founded in 1973, La Centrale Galerie Powerhouse is one of the oldest artist-run centres in Quebec. It has always been exclusively dedicated to the presentation of contemporary art by women. La Centrale's main activities include exhibitions, video screenings, off-site intervention projects, publication projects, public talks and panel discussions. In addition, since 1994, La Centrale organizes the biennial event Le mois de la performance, which presents diverse practices related to performance.

The centre supports research, intervention and production within multiple discourses about art practice, feminism and interdisciplinarity. It also encourages intergenerational exchanges and emphasis on cultural diversity and community involvement. Inviting local, national and international artists, La Centrale values emerging artists as much as established ones in order to ensure connections and the fluidity of ideas across generations.

La Centrale is committed to paying artists fees according to recommended standards and to promoting their exhibitions by effective means. In addition, the centre's publications ensure longevity for the work of the artists and enable its dissem-ination abroad. As well, the centre's archives from 1973 to 2000 are available at Concordia University.

La Centrale has several kinds of members: active, volunteer, subscribing, supporting, and benefactors. The active members are directly involved in the centre's decision-making process. An active member's involvement can take various forms such as participation in permanent and ad hoc committees or assistance in the preparation of exhibitions and the organization of events and fund-raisers.

Since the summer of 2004, La Centrale's space has a storefront window which increases the centre's visibility. Its window, its access structure and its public activities all contribute to a unique dissemination context.

LA CENTRALE. *LET IT SNOW*, CONÇU PAR 11 FEMMES DU NAJUQSIVIK SEWING CIRCLE (CAROLINE IQALUK, ANNIE KAVIK, SARAH QAVVIK, MINA EYAITUK, SARAH KUDLUAROK, MAGGIE KATTUK, BETSY MEEKO, MARY KAVIK JR., MARY KAVIK SR., LOTTIE ARRAGUTAINAQ, HANNAH KAVIK) ET LA COMMISSAIRE, GYU OH, PRÉSENTÉ PAR NUNAVUT ARTS & CRAFTS ASSOCIATION À IQALUIT, NUNAVUT. EXPOSITION DE VITRINE, DÉCEMBRE 2005 ; PHOTO : ROXANNE ARSENAULT.

ADJOINTE À LA PROGRAMMATION
ROXANNE ARSENAULT

SOUMISSION DE DOSSIERS
La Centrale accepte les projets
d'artistes en tout temps et fait à
l'occasion des appels de dossiers.
Surveillez notre site Internet.

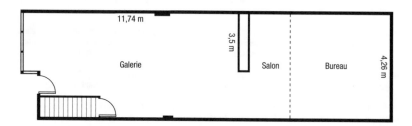

LA CHAMBRE BLANCHE

LA CHAMBRE BLANCHE est un centre d'artistes voué à l'expérimentation et à la diffusion des arts visuels, plus spécifiquement aux pratiques installatives et *in situ*. Le centre a créé son propre programme d'artistes en résidence quatre ans après sa fondation, en 1978. Ce programme est devenu le pivot de la programmation à partir de 1997. Il invite les artistes à remettre en question la nature même du travail artistique, son émergence comme sa réception. LA CHAMBRE BLANCHE s'intéresse tout spécialement aux œuvres qui, à la manière des *work in progress*, utilisent le temps comme facteur de création. Pendant leur résidence, les artistes sont amenés à créer une œuvre unique, éphémère, dans le contexte d'un véritable laboratoire *in vivo*.

À LA CHAMBRE BLANCHE, une résidence s'étend sur six semaines. Durant les premiers jours, la galerie sert exclusivement d'« atelier » à l'artiste. L'aspect diffusion entre en jeu par la suite, puisque les portes s'ouvrent alors aux visiteurs, leur permettant ainsi d'entrer en contact avec l'artiste au travail. Une grande attention est portée aux propositions qui mettent l'accent sur l'expérimentation et l'exploration.

L'intérêt du collectif pour la réflexion critique a donné lieu à des publications d'envergure relatives à certains événements. De plus, à chaque année, *Le Bulletin* permet un retour sur la programmation annuelle, en faisant la part belle aux essais critiques.

Enfin, deux autres services méritent d'être nommés : le centre de documentation, qui rend accessibles au public un grand nombre de documents sur l'installation, l'*in situ* et la résidence d'artiste, et le laboratoire de création sur le Web, qui depuis 2000 invite la communauté artistique à repenser la notion d'*in situ* dans le contexte du cyberspace. Avec son programme de résidences de production, le laboratoire Web propose aux artistes de concevoir l'espace virtuel comme un lieu à investir.

185, rue Christophe-Colomb Est
Québec (Québec) G1K 3S6
T 418 529 2715 F 418 529 0048
info@chambreblanche.qc.ca
www.chambreblanche.qc.ca

HEURES D'OUVERTURE
espace et centre de documentation
MARDI » DIMANCHE : 13 h à 17 h
bureau
LUNDI » VENDREDI : 9 h à 17 h

COORDINATION DE LA PRODUCTION
FRANÇOIS VALLÉE

SOUMISSION DE DOSSIERS
Décembre
Consulter notre site Internet

LA CHAMBRE BLANCHE is an artist-run centre dedicated to experimentation in and the dessemination of visual art, more specifically installation and *in situ* practices. Four years after it was founded in 1978, the centre created its own artist in residence program which, as of 1997, became the cornerstone of its activities. The residency program invites artists to question the very nature of artistic work from its inception to its reception. LA CHAMBRE BLANCHE is particularly interested in works using time as medium. During their residencies artists are encouraged to create a unique, ephemeral work within the context of an *in vivo* laboratory.

Residencies at LA CHAMBRE BLANCHE last six weeks. In the beginning the gallery is exclusively the artist's "studio". The presentation aspect comes into play later when the doors are opened to visitors in order to allow them to interact with the artist at work. Proposals that emphasize experimentation and exploration are thus of particular interest.

The collective's interest in critical reflection has given rise to significant publications connected to certain events. In addition, each year, *Le Bulletin* provides an overview of the annual programming with an important focus on critical essays.

Finally, two other services deserve to be mentioned. The documentation centre gives public access to an important number of documents on installation, *in situ* practices, and artists' residencies. Since 2000, the Web production laboratory invites the artistic community to rethink the idea of *in situ* within the context of cyberspace. With its production residency program. the Web Lab incites artists to conceive virtual space as a novel space with which to engage.

LA CHAMBRE BLANCHE. BRAD BUCKLEY, *THE SLAUGHTERHOUSE PROJECT: IN MEDIAS RES*, 2005; PHOTO : LOUIS AUDET.

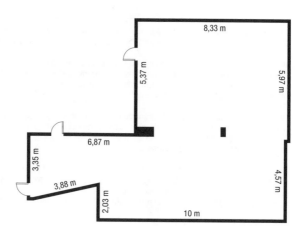

8,33 m

5,37 m

5,97 m

6,87 m

3,35 m

4,57 m

3,88 m

2,03 m

10 m

CENTRE D'EXPOSITION CIRCA

Le Centre d'exposition Circa fut fondé en 1988. Circa a présenté depuis son ouverture plus de 165 expositions solos, duos et collectives et a exposé les œuvres de plus de 400 artistes. Circa favorise principalement la diffusion de la sculpture et de l'installation.

Outre les expositions de sa programmation régulière, Circa a mis sur pied de nombreux et importants évènements et échanges notamment avec l'Allemagne, la Belgique, le Mexique, l'Autriche, l'Espagne, la France et le Canada. La multiplication de ces échanges vise à favoriser des rapprochements propres à maintenir la pluralité, l'accessibilité et l'esprit de recherche et d'expérimentation qui témoignent de l'importance de Circa pour le milieu de l'art visuel contemporain au Canada.

Circa vise à présenter, sans compromis, une programmation qui, tant par la qualité que la diversité de ses propositions, encourage une fréquentation importante d'intervenants spécialisés, mais également d'un public plus large qui s'ouvre ainsi à la connaissance et à l'appréciation de l'art contemporain. Ces dernières années, Circa s'est démarqué par son intérêt à présenter une programmation d'exposants qui tient compte d'une filiation entre artistes en début de carrière et artistes établis.

Le comité de programmation est composé de huit artistes élus et du directeur du Centre. Il reçoit chaque année des propositions qui sont analysées au regard de leur qualité, de l'originalité de la recherche et de l'expression artistique, ainsi que pour leur apport à l'enrichissement de la recherche en art contemporain. Le potentiel de l'artiste, la pertinence de son projet, la contribution de l'exposition à son cheminement sont des facteurs importants d'évaluation.

Tout en respectant ses objectifs principaux, le comité se montre également sensible à la volonté de l'artiste d'instaurer un dialogue dynamique avec l'espace très particulier de la galerie en favorisant une véritable appropriation du lieu et de sa spécificité.

HEURES D'OUVERTURE
MERCREDI » SAMEDI : 12 h à 17 h 30

DIRECTEUR
MAURICE ACHARD

372, rue Ste-Catherine Ouest, local 444
Montréal (Québec) H3B 1A2
T 514 393 8248 F 514 393 3803
circa@circa-art.com
www.circa-art.com

SOUMISSION DE DOSSIERS
31 décembre

The Centre d'exposition Circa was founded in 1988. Since it opened, it has presented over 165 solo, duo and group exhibitions and shown the work of over 400 artists. Circa's main focus is the dissemination of sculpture and installation.

In addition to its exhibitions and regular programming, Circa has organized numerous important events and exchanges notably with Germany, Belgium, Mexico, Austria, Spain, France and within Canada. These regular exchanges are meant to facilitate contacts ensuring plurality, accessibility and a spirit of research and experimentation and testify to Circa's importance on Canada's contemporary visual art scene.

Circa aims to present a program without compromises that attracts by its quality and diversity not only an important specialized clientele but also a wider public open to new knowledge and appreciation of contemporary art. In recent years, Circa has distinguished itself by its interest in presenting a program of exhibitors that acknowledges the relationship between emerging and established artists.

The programming committee consists of eight elected artists and of the director of the centre. Each year it receives proposals which are examined according to their quality and the originality of their research and artistic expression as well as their contribution to the evolution of research in contemporary art. The artist's potential, the pertinence of their project and the contribution of the exhibition to their work are all important evaluation factors.

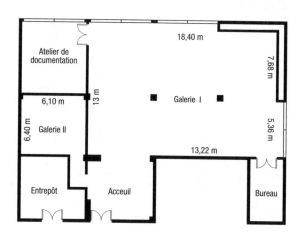

Atelier de
documentation

18,40 m

7,68 m

6,10 m

13 m

Galerie I

5,36 m

6,40 m

Galerie II

Entrepôt

Acceuil

13,22 m

Bureau

CLARK

Le Centre d'art et de diffusion CLARK est géré par un collectif d'une trentaine d'artistes et travailleurs culturels qui assurent par leur engagement et leur présence soutenue la direction artistique et administrative du Centre.

Actif tant dans la recherche et la production que dans la diffusion, CLARK se définit comme un espace souple et polyvalent, ouvert aux formes les plus novatrices de l'expression artistique.

Le Centre a la particularité de regrouper en un seul lieu une pluralité d'espaces de fonction autonomes et complémentaires. En plus de la galerie – avec ses deux salles d'exposition – et des ateliers de production individuelle, le Centre a créé en 1998, l'Atelier CLARK, atelier muni d'équipement spécialisé pour le travail du bois ouvert à l'ensemble de la communauté.

Depuis 1998 également, le programme de diffusion du Centre se double d'un programme de résidence de recherche et création, lequel permet chaque année à plusieurs artistes et collectifs de se produire en nos murs.

Au quotidien, CLARK se définit comme un espace rassembleur, un lieu de rencontre, d'échange et de découvertes, un carrefour de recherche et de mise en commun des connaissances stimulant qui encourage la réflexion sur l'art *en train de se faire*. CLARK encourage la collaboration, la communication et la circulation des idées par l'intermédiaire d'artistes et d'organismes d'ici et de l'étranger.

Simplement, CLARK revendique la responsabilité de donner à voir, de surprendre, de ravir… et pourquoi pas, de déplaire à l'occasion! Le tout dans la perspective de participer concrètement, avec les risques que cela comporte, à la propagation de l'art actuel d'ici et d'ailleurs.

---

98 * 99

5455, avenue De Gaspé, espace 114
Montréal (Québec) H2T 3B3
T bureau et galerie 514 288 4972
T atelier 514 276 2679
clark@cam.org
www.clarkplaza.org

HEURES D'OUVERTURE
galerie
MARDI » SAMEDI : 12 h à 17 h
atelier
MARDI » SAMEDI : 9 h à 17 h

COORDINATION
MATHIEU BEAUSÉJOUR
ADMINISTRATION
KYM BRENNAN
ATELIER CLARK
YAN GIGUÈRE

SOUMISSION DE PROJETS
15 octobre

The centre d'art et de diffusion CLARK is an art and dissemination centre run by a collective of some thirty artists and cultural workers who ensure by their continued involvement and presence its artistic and administrative direction.

CLARK is active both in research and production as well as dissemination. It defines itself as a flexible and multi-purpose space that is open to the most innovative forms of artistic expression.

The centre distinguishes itself by consisting of a plurality of spaces of complementary autonomous functions. In addition to the gallery—with its two exhibition spaces—and to the individual production studios, in 1998 the Atelier CLARK was created, a specialized workshop specifically equipped for woodworking open to the entire community.

Since 1998 as well, CLARK's presentation program has been complemented by a research and production residency program which enables several artists and collectives to make and show work within our walls each year.

On a daily basis, CLARK defines itself as a space for coming together, meetings, exchanges and discoveries, a stimulating cross roads between research and sharing of knowledge which encourages reflection about art *which-is-being-made-in-the-present*. Clark encourages collaboration, communication and the circulation of ideas among artists and organizations from here and abroad.

Without any pretensions, CLARK claims the responsibility of having something to show, of surprising, of pleasing . . . and, why not?, of displeasing sometimes! All this within a perspective of concretely participating, with all the risks that this implies, in the propagation of contemporary art from here and elsewhere.

PAUL DESBOROUGH, *WRIST ACTION: MARKING TIME IN STRECH MARKS, PAINT AND PLUNDER*, 2006; PHOTO : **CLARK** - BETTINA HOFFMANN.

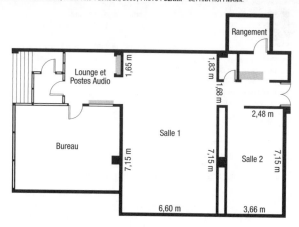

COLLECTIF REGART

Le collectif Regart est né en 1985 de la volonté d'artistes de Québec et de Lévis de prendre en main leur carrière. Jusqu'au début des années 1990, les événements de diffusion ont eu lieu dans différents espaces loués de Québec et de Lévis. En 1991, le centre d'artistes emménage dans le Vieux-Lévis, afin de créer un lieu stable de promotion.

Regart privilégie l'interdisciplinarité en favorisant les liens entre l'écrit et le visuel et encourage ses membres à produire des activités qui reflètent ce rapprochement dans leurs créations. En collaboration avec le collectif du même nom, Réparation de poésie, que le centre invite pour des soirées de récitals, il y a interaction entre le visuel et le poétique.

Regart s'implique encore dans la communauté en initiant des projets hors murs tel l'événement *Sémaphores* présenté au cours de l'été 2002 qui regroupait dix œuvres monumentales au bord du Saint-Laurent.

Avec les années, le collectif Regart s'est approprié une vocation significative dans la région de Chaudière-Appalaches, qu'il désire représenter avec fierté. Appuyé financièrement par la Ville de Lévis, le centre d'artistes est confirmé dans sa spécificité.

Regart développe l'interdépendance entre le visuel et l'écrit par des moyens numériques et reçoit les projets d'artistes et de commissaires. Le centre dispose d'une salle d'exposition avec vitrine sur la rue, d'une petite galerie, d'un système informatique pour l'édition et loue des ateliers de production à ses membres.

En informatique, un serveur dessert deux moniteurs et offre une gamme de logiciels de traitement d'images et de textes sur système Linux compatible avec PC et Mac. Ce système est relié à une imprimante couleur pour l'édition qualitative et quantitative d'œuvres. Sont disponibles au bureau un G3 et un G4 pour le multimédia et autres travaux des artistes membres.

HEURES D'OUVERTURE
MARDI » DIMANCHE : 13 h à 17 h
bureau
MARDI » VENDREDI : 10 h à 17 h

DIRECTION
VALÉRIE ST-PIERRE

SOUMISSION DE DOSSIERS
31 janvier

48, côte du Passage, C.P. 1248
Lévis (Québec) G6V 6R8
T 418 837 4099 F 418 838 4145
regart@qc.aira.com
www.regart.levinux.org

The Regart collective was founded in 1985 by a group of artists from Quebec City and Lévis who wanted to take charge of their careers. Until the early 1990s, dissemination events took place in different rented spaces in Quebec City and Lévis. In 1991, the artist-run centre settled down in Vieux-Lévis in order to create a stable promotion space.

Regart's primary focus is interdisciplinary practices which explore the different possible connections between writing and visual art and it encourages its members to develop activities reflecting these connections in their work. As well, in collaboration with the collective *Réparation de poésie*, which the centre hosts for evenings of poetry readings, interaction between the visual and the poetic is regularly explored.

Regart also cultivates community involvement by developing off-site projects such as the Sémaphores event presented during the summer of 2002 that brought together ten monumental works along the banks of the St. Lawrence river.

Over the years the Regart collective has established for itself a significant mission in the Chaudière-Appalaches region which it strives to represent with pride. The centre is encouraged in its specificity by the financial support of the city of Lévis.

Regart develops the interdependence of visual art and writing by digital means and is open to proposals from artists and curators. The centre has an exhibition space with a window onto the street, a small gallery and computerized publishing equipment. It rents production studios to its members.

Our computer equipment includes a server feeding two monitors offering a range of image and text treatment software on the Linux platform compatible with PC and Mac. This system is connected to a colour printer for the qualitative and quantitative publishing of work. In addition, in the office, a G3 and a G4 are also available for members' multimedia and other projects.

COLLECTIF REGART. ANETTE BELLEY ET MARYSE GOUDREAU, INVITÉE ANNE-LISE SEUSSE, *ON NE FAIT PAS DE CŒURS TRANQUILLES*, 2006.
PHOTO : CATHERINE CHARRON-BÉLAND.

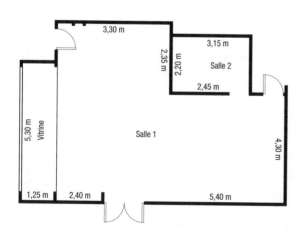

CENTRE DE PRODUCTION DAÏMÕN, ART MÉDIATIQUE ET PHOTOGRAPHIE

Situé dans l'édifice La Filature – une ancienne filature industrielle magnifiquement rénovée –, DAÏMÕN offre des ressources de création, de production et de diffusion dans les domaines de la photographie et des arts médiatiques. Légèrement à l'écart des grands centres urbains, DAÏMÕN est, dans la région de l'Outaouais, un environnement de création propice à la recherche et au développement de projets artistiques de petite et de grande envergure.

Par ses programmes Artiste résident, Recherche et création, Photographie et impression numérique et Soutien aux premières œuvres, DAÏMÕN encourage les artistes à repousser les limites de leur pratique et à développer de nouvelles approches par le biais de l'image, de la vidéo, ainsi que des arts sonores et électroniques, y compris les pratiques installatives, interactives et performatives.

Avec son STUDIÕ, espace de production et de diffusion, DAÏMÕN favorise la mise en espace et la mise à l'essai d'œuvres d'envergure, ainsi que le développement de pratiques transversales. Des rencontres publiques et informelles y sont organisées régulièrement afin de permettre à la communauté de s'initier au travail des artistes accueillis en résidence.

DAÏMÕN élabore des projets spéciaux qui stimulent la recherche et le développement de nouvelles avenues. *Paysages laboratoires*, mis sur pied en 2005, vise la réalisation d'activités de recherche autour de problématiques spécifiques et de production d'œuvres dans un contexte d'accompagnement artistique, critique et technique. Ce projet offre un cadre stimulant d'expérimentation comportant des ateliers de formation, un soutien à la recherche et à la production, des rencontres publiques, des conférences, des colloques et d'autres manifestations artistiques.

DAÏMÕN met à la disposition des artistes des équipements de tournage et d'enregistrement et des salles de montage audio et vidéo numérique. Une chambre noire permet des développements argentiques de grand format (1,32 m) à partir de négatifs pouvant aller jusqu'à 280 mm. Un service d'impression numérique (EPSON Stylus 9600 Pro) est également disponible.

102 * 103

art médiatique et photographie

78, rue Hanson
Gatineau (Québec) J8Y 3M5
T 819 770 8525 F 819 770 0481
daimon@daimon.qc.ca
www.daimon.qc.ca

HEURES D'OUVERTURE
LUNDI » VENDREDI : 10 h à 17 h

DIRECTION GÉNÉRALE
NORMAND RIVEST
DIRECTION DES PROGRAMMES
MARIE-JOSÉE COULOMBE

SOUMISSION DE PROJETS
1er septembre et 31 janvier

Located in the La Filature (textile mill) building - a magnificently renovated former industrial textile mill - DAÏMÕN offers creation, production and dissemination resources in the areas of photography and media arts. Slightly at a distance from the large urban centres, DAÏMÕN is a creative environment in the Outaouais region which is conducive to the research and development of small as well as large scale artistic projects.

By way of its artist in residence, research and development, photography and digital printing and support for first works programs, DAÏMÕN encourages artists to push the limits of their practice and to develop new approaches with image, video, and sound and electronic art, including installation and interactive and performative practices.

With its STUDIÕ, a production and exhibition space, DAÏMÕN encourages the materialization and installation of, and experimentation with, major works as well as the development of transversal practices. Public and informal meetings are regularly organized in order to allow the local community to familiarize itself with the work of artists in residence.

DAÏMÕN elaborates special projects that stimulate research and development in new directions. *Landscape Laboratories*, launched in 2005, aims to foster research activities around specific issues and the production of works within the context of artistic, critical and technical assistance. This project offers a stimulating environment for experimentation featuring training workshops, research and production support, public meetings, public talks, colloquia and other artistic events.

DAÏMÕN provides artists with access to image and sound recording equipment and digital audio and video editing suites. A darkroom enables large scale (1.32 m) silver emulsion development from negatives of up to 280 mm. A digital printing service (EPSON Stylus 9600 Pro) is also available.

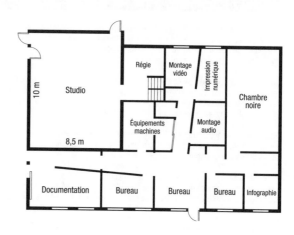

		Impression numérique	
	Régie	Montage vidéo	
Studio			Chambre noire
	Équipements machines	Montage audio	

10 m

8,5 m

Documentation	Bureau	Bureau	Bureau	Infographie

DAÏMÔN. MANON LABRECQUE, *FRICTIONS MÉDITATIVES*, 2003; PHOTO : LAURA-JEANNE LEFAVE.

DARE-DARE
CENTRE DE DIFFUSION D'ART MULTIDISCIPLINAIRE DE MONTRÉAL

DARE-DARE, Centre de diffusion d'art multidisciplinaire de Montréal soutient la recherche et valorise l'implication d'artistes jeunes ou chevronnés qui expérimentent de nouvelles pratiques. Le centre manifeste un intérêt soutenu pour l'exploration et la diversification des modes de présentation et de diffusion des projets. DARE-DARE privilégie également les pratiques où se rencontrent diverses communautés et disciplines qu'elles soient artistiques ou autres.

Fondé par Claire Bourque, Sylvie Cotton et Diane Tremblay, DARE-DARE a ouvert ses portes en 1985, Année internationale de la jeunesse. Son objectif est de diffuser le travail des jeunes artistes en privilégiant particulièrement le métissage disciplinaire. Devenu centre d'artistes autogéré en 1990, DARE-DARE réitère son engagement envers la diversité des formes de l'art actuel et se dote d'un comité de programmation composé d'artistes membres.

Particulièrement depuis 1996, DARE-DARE développe son expertise en art public en soutenant des interventions performatives, des projets en collaboration avec diverses communautés, des projets évolutifs, éphémères et de durée variable, tout en élargissant son rayonnement vers un public plus vaste et multiple.

Avec *Dis/location : projet d'articulation urbaine*, DARE-DARE a établi un contexte pour la recherche et la diffusion des pratiques qui ont lieu dans l'espace public. Pour ce projet, le centre s'est doté d'un abri mobile et a quitté son espace de galerie. Cette exploration urbaine s'effectue par amarrages successifs en des lieux de la ville de Montréal qui sont porteurs de riches questions sociales et politiques.

Parmi les événements récents du centre, notons : *Périmètre, un événement d'art public* (au square Viger, 2005) ; *Mémoire vive* (avec le Centre d'histoire de Montréal, 2002) et *L'algèbre d'Ariane* (échange avec Les Brasseurs Art Contemporain, Liège, 2000). En 2004, DARE-DARE lance *Mémoire vive + L'algèbre d'Ariane*, ouvrage qui porte sur le travail des artistes et des instigateurs dans le cadre des deux événements. Cette publication fait suite à celles publiées antérieurement, soit *Mobilité et résonances* (2000) et *Orbitæ* (1997).

Consultez notre site Internet
Montréal (Québec)
T 514 878 1088
daredar@cam.org
www.dare-dare.org

HEURES D'OUVERTURE
bureau
LUNDI » VENDREDI :
9 h à 18 h (variables)

COORDINATION ADMINISTRATIVE
MARIANNE THIBEAULT
COORDINATION ARTISTIQUE
JEAN-PIERRE CAISSIE

SOUMISSION DE DOSSIERS
Veuillez consulter le site Internet.

DARE-DARE Centre de diffusion d'art multidisciplinaire de Montréal supports artistic enquiry and young or more experienced artists experimenting with new practices. The centre has shown a sustained interest in the exploration and diversification of project exhibition and dissemination. DARE-DARE also privileges practices in which a variety of communities and disciplines meet, be these artistic or other communities.

Founded by Claire Bourque, Sylvie Cotton and Diane Tremblay, DARE-DARE opened its doors in International Youth Year in 1985. Its goal is to disseminate the work of young artists by privileging in particular disciplinary hybridism. After becoming an artist-run centre in 1990, DARE-DARE reiterated its commitment to the diversity of forms found in contemporary art and established a programming committee made up of member artists.

Since 1996 in particular, DARE-DARE has been developing its expertise in public art by supporting performances in the public arena, projects carried out in collaboration with a variety of communities and ongoing and ephemeral projects and those of varying duration while at the same time increasing its visibility within a larger and more varied public.

With *Dis/location: projet d'articulation urbaine*, DARE-DARE created a setting for enquiry into and the dissemination of artistic practices which are carried out in the public arena. For this project, the centre acquired a mobile shelter and abandoned its gallery space. This urban exploration took the form of successive berthings throughout Montreal, giving rise to a number of intriguing social and political questions.

Some of the centre's most recent events include *Périmètre, un événement d'art public* (in Square Viger, 2005); *Mémoire vive* (with the Centre d'histoire de Montréal, 2002); and *L'algèbre d'Ariane* (an exchange with Les Brasseurs Art Contemporain, Liège, 2000). In 2004, DARE-DARE published *Mémoire vive + L'algèbre d'Ariane* about the work of the artists and instigators of these two events. Previous publications include *Mobilité et résonnances* (2000) and *Orbitæ* (1997).

DARE-DARE. ROSE-MARIE E. GOULET, *NOS FRONTIÈRES*, AU SQUARE VIGER, 2005 ; PHOTO : DIANE URBAIN.

DAZIBAO,
CENTRE DE PHOTOGRAPHIES ACTUELLES

Dazibao est un centre d'artistes voué à la diffusion de la photographie actuelle et de ses pratiques connexes. Ce focus sur une seule discipline suscite une réflexion critique engagée et approfondie sur les pratiques de l'image, favorisant la construction d'un discours qui contribue tant à définir qu'à défier la notion même du photographique. Dazibao soutient des projets artistiques et des explorations théoriques offrant un point de vue novateur sur la photographie ou proposant des liens inusités avec d'autres disciplines. Dazibao s'engage à présenter des expositions témoignant d'un large éventail de pratiques, qu'il s'agisse d'œuvres résolument conceptuelles, d'installations ou encore d'œuvres exploitant les toutes dernières technologies en matière de production et de diffusion d'images.

Dazibao accueille des artistes du Québec, du Canada et de l'étranger. Le centre est à la fois un tremplin pour de jeunes artistes et, pour des artistes reconnus, un lieu privilégié pour élaborer et présenter des projets de nature plus expérimentale. Chaque année, dans le cadre de l'événement *Carte grise*, le centre invite un/e artiste à titre de commissaire. Chaque année aussi, en collaboration avec PRIM, Dazibao offre à un/e artiste une résidence de production/diffusion.

De plus, Dazibao défend le livre comme un espace supplémentaire de diffusion et de discussion des pratiques actuelles de l'image. Outre les publications qui accompagnent étroitement certaines expositions, nous avons publié plus de 35 ouvrages dont la majorité s'inscrit dans l'une de nos trois collections : DES PHOTOGRAPHES, LES ESSAIS OU LES ÉTUDES.

Depuis sa fondation en 1980, Dazibao a organisé plus de 300 événements : expositions, performances, lectures, conférences, concerts, rencontres avec les artistes, etc. Dazibao est un lieu d'échanges et de recherche, une galerie, un éditeur et, par ses archives, un centre d'information. Dazibao agit à titre de référence sur la photographie actuelle, tant sur le plan national qu'international.

4001, rue Berri, espace 202
Montréal (Québec) H2L 4H2
T 514 845 0063
info@dazibao-photo.org
www.dazibao-photo.org

HEURES D'OUVERTURE
galerie
MARDI » SAMEDI : midi à 17 h
bureaux
MARDI » VENDREDI : 10 h à 17 h

DIRECTION
FRANCE CHOINIÈRE
ADJOINTE À LA DIRECTION
MARIE-ORPHÉE DUVAL
COORDINATION DES EXPOSITIONS
JENNIFER CAMPBELL

SOUMISSION DE DOSSIERS
1er septembre et 1er janvier

Dazibao is an artist-run centre dedicated to the dissemination of contemporary photography and its related practices. This focus on a single discipline results in a deep critical consideration of different image practices that fosters the emergence of a discourse contributing not only to the definition, but also to the defiance, of the very notion of photography. Dazibao supports artistic projects and theoretical explorations that offer innovative approaches to photography or propose unusual connections with other disciplines. Dazibao is committed to presenting exhibitions showing a broad spectrum of practices, from resolutely conceptual works to installations or work exploring the most recent image production or presentation technology.

Dazibao welcomes artists from Quebec, the rest of Canada and abroad. The centre serves both as a launching pad for emerging artists and as a productive space to elaborate and present more experimental projects for established artists. Every year, as part of an event called *Carte grise*, the centre invites an artist to curate a show. Every year as well, in collaboration with PRIM, Dazibao awards an artist a production/dissemination residency.

What's more, Dazibao promotes books as supplementary dissemination and discussion spaces about current image practices. Thus, in addition to the publications that accompany certain exhibitions, we have published over 35 volumes, most of which fit into one of our three collections: DES PHOTOGRAPHES, LES ESSAIS and LES ÉTUDES.

Since it was founded in 1980, Dazibao has organized over 300 events, including exhibitions, performances, readings, public talks, concerts, meetings with artists, etc. Dazibao is a site for exchange and research, a gallery, a publisher, and, by way of its archives, an information centre. Dazibao is thus a major reference on contemporary photography on both the national and the international level.

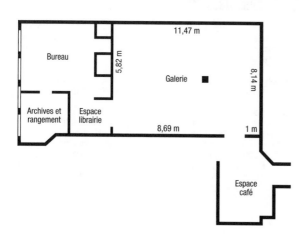

DAZIBAO. © MATTHIEU BROUILLARD

DIAGONALE, CENTRE DES ARTS ET DES FIBRES DU QUÉBEC

Diagonale, centre des arts et des fibres du Québec, est unique au pays : il défend et diffuse l'art actuel utilisant des fibres. L'organisme est né d'un regroupement des arts textiles, mais il s'est progressivement ouvert aux autres pratiques. Diagonale soutient la réalisation d'activités novatrices, qui renouvellent et réinterprètent les techniques des travaux d'aiguille, mais aussi de vannerie, de papier, et les installations vidéo et sonores, les performances, etc., toujours sous l'angle des arts actuels.

Notre programmation annuelle se compose de six expositions. La réflexion est variée et forte, les techniques surprenantes et parfois interdisciplinaires. Les projets sont séléctionnés suite à un appel de dossiers, par notre comité de programmation.

Le mandat et les activités de Diagonale consistent à diffuser le travail des artistes en arts visuels dont la pratique se démarque, utilisant les techniques ou concepts relevant du domaine des arts de la fibre ; à favoriser l'apparition d'artistes de la relève dont la production inclut le domaine des arts de la fibre (une exposition annuelle est consacrée aux lauréats universitaires québécois s'étant distingués par leurs travaux, et une ou deux expositions sont offertes aux artistes en début de carrière présentant leur mémoire de maîtrise) ; à créer des liens avec la communauté nationale et internationale par exemple en programmant des expositions hors Québec, des résidences pour des artistes étrangers et des échanges virtuels ; à organiser des débats et une réflexion sur les pratiques et théories actuelles afin d'établir un dialogue avec les artistes des autres disciplines, ce qui favorise le métissage des idées et élargit la notion du concept fibre. Le centre se veut un lieu de dialogue : conférences et rencontres d'artistes y sont organisées régulièrement et il est ponctuellement initiateur de publications.

Centre des arts et des fibres du Québec

5455, avenue De Gaspé, espace 203
Montréal (Québec) H2T 3B3
T 514 524 6645
1 800 524 6645
F 514 524 7735
galerie@artdiagonale.org
www.artdiagonale.org

HEURES D'OUVERTURE
MARDI » SAMEDI : 12 h à 17 h

**DIRECTRICE ADMINISTRATIVE
ET ARTISTIQUE**
STÉPHANIE L'HEUREUX
ADJOINTE
JOAN DORÉ
RESPONSABLE DES COMMUNICATIONS
SOPHIE CASSON

SOUMISSION DE DOSSIERS
En novembre de chaque année. Vérifier la date exacte sur le site Internet.

Diagonale, centre des arts et des fibres du Québec, is unique in the country. It promotes and disseminates contemporary art using fibres. Initially, the organization came out of a textile art association which gradually expanded to other practices. Diagonale supports the production of innovative activities which re-invent and re-interpret needlework techniques, but also basketry, paper, video and audio installation, performance and much more, always within a contemporary art perspective.

Our annual programming consists of six exhibitions. The ideas are diverse and strong, the techniques surprising and sometimes interdisciplinary. Projects are selected by our programming committee following a call for submissions.

Diagonale's mandate and activities is to present the work of contemporary artists in the visual arts whose work stands out by its use of techniques or concepts related to fibre arts; and to encourage emerging artists whose process encompasses fiber arts. Every year one exhibition is dedicated to outstanding graduates from Quebec universities. As well, one to two other exhibitions are dedicated to emerging artists completing their MFA and to networking with the national and international community. For example, by organizing exhibitions outside of Quebec, residencies for foreign artists and virtual exchanges and debates and think tanks on contemporary practices and theories in order to establish a dialogue with artists from other disciplines with the purpose of fostering hybrid ideas and expanding the concept of fibre. The centre aims to be a space for dialogue and exchange and regularly organizes public talks and artists' meetings as well as initiating occasional publications.

DIAGONALE. *BLANC DE BLANC,* 2005 ; PHOTO : STÉPHANIE L'HEUREUX.

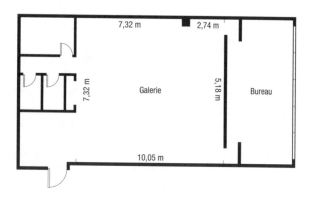

L'ÉCART... LIEU D'ART ACTUEL
CENTRE DES ARTISTES EN ARTS VISUELS DE L'ABITIBI-TÉMISCAMINGUE

Créé en 1992, L'Écart... lieu d'art actuel est un centre d'artistes autogéré ayant pour mandat de diffuser les tendances actuelles dans toutes les disciplines des arts visuels. Cependant, il se veut plus qu'un lieu de diffusion. Il se reconnaît différentes fonctions comme celles d'être un lieu de résidence d'artistes, de production (ateliers d'artistes et accès à des équipements technologiques), de recherche, de création et d'échanges. Le but ultime est qu'il soit un lieu habité par les artistes et leurs quêtes. En ce sens, c'est dans l'intention d'étendre ses ramifications que L'Écart diffuse les œuvres de ses artistes et favorise la tenue de différentes activités ailleurs qu'en ses murs, tant à l'intérieur qu'à l'extérieur de la région. La programmation se construit par appels de dossiers à l'échelle régionale, nationale et internationale. La sélection est effectuée par un jury d'artistes en arts visuels.

L'éloignement est un paramètre incontournable de notre réalité territoriale, et ce, tant à l'intérieur qu'à l'extérieur du territoire. Par conséquent, L'Écart doit mettre en valeur une politique de l'éloignement, de la différence, de la déviance et de l'audace. Ce vaste territoire doit être joué comme un atout plutôt que comme une limite et cela sur les plans interne et externe.

L'Écart facilite, favorise et soutient la diffusion et la production de ses artistes, en reconnaissant la spécificité de la production régionale. Il tente de débusquer et de mettre en valeur les propositions différentes, les démarches et les façons de faire particulières.

De plus, le centre maintient et renforce ses liens avec l'extérieur de la région en s'associant à des individus (par exemple des commissaires, des historiens, des critiques d'art) et à des centres d'artistes.

L'ÉCART
LIEU D'ART ACTUEL

167, avenue Murdoch, C.P. 2273
Rouyn-Noranda (Québec) J9X 5A9
T 819 797 8738 F 819 797 8693
ecart@cablevision.qc.ca
www.lecart.org

HEURES D'OUVERTURE
galerie
MERCREDI » VENDREDI : 13 h à 17 h
SAMEDI + DIMANCHE : 11 h à 17 h
bureau
LUNDI » VENDREDI : 9 h à 17 h

COORDINATION
VÉRONIQUE DOUCET

SOUMISSION DE DOSSIERS
15 janvier

Founded in 1992, L'Écart . . . lieu d'art actuel is an artist-run centre whose mandate is to make available to the public contemporary trends in every field of contemporary art. Nevertheless, it also aims to be more than an exhibition centre. It also serves as a centre for artist residencies and functions as a production centre (with artists' studios and access to technology) and a centre of artistic enquiry, creation and exchange. The ultimate goal is that it be a place inhabited by artists and their quests. In this sense, it is with the goal of extending these activities that L'Écart exhibits the work of its artists and promotes various activities outside its own walls, both within and beyond the region. Its programming is devised from calls for submissions on a regional, national and international scale. Projects are selected by a jury of visual artists.

Our remote location is an unavoidable aspect of our geographic reality, both within and beyond the region. As a result, L'Écart must privilege a policy of distance, of difference, of deviance and audacity. This vast territory must be seen as an advantage rather than as a hindrance, both here and beyond.

L'Écart facilitates, promotes and supports the work of its artists and its dissemination by recognizing the specificity of the region's production. It attempts to bring to light and promote divergent propositions, projects and ways of creating art.

In addition, the centre maintains and reinforces its links beyond the region by working with individuals (such as curators and art historians and critics) and other artists' centres.

L'ÉCART.. . LIEU D'ART ACTUEL. MARILYSE GOULET, *DE MÉMOIRE D'HOMME...*, 2004 ; PHOTO : ARNOLD ZAGERIS.

Saloon des abonnés	Bureau		Salle d'exposition	6,8 m
	9 m		13,3 m	

ENGRAMME

Engramme est un centre d'artistes autogéré qui se consacre depuis plus de 30 ans à la diffusion et à la production de l'estampe originale. Sa direction artistique s'affirme dans plusieurs sphères d'activités, les unes touchant le développement de l'expertise dans les techniques de l'estampe, les autres ayant trait à la création d'œuvres visant à élargir les possibilités artistiques et conceptuelles de cet art.

Engramme possède une galerie, trois ateliers de production (gravure, lithographie, sérigraphie), un laboratoire d'infographie, un magasin de matériel spécialisé et un centre de documentation consacré à l'estampe. Chaque année, Engramme présente environ dix expositions individuelles ou collectives d'artistes du Canada et de l'étranger et reçoit en résidence jusqu'à trois artistes invités. Outre ces programmes spécifiques, nous mettons à la disposition des artistes divers moyens permettant de soutenir et de développer le travail des membres de façon continue (bourses de perfectionnement, ateliers de formation, stages et échanges avec d'autres ateliers d'estampe) et d'intégrer le travail des jeunes artistes (bourses, concours spécifiques, exposition dans *La vitrine de la relève*).

Environ cinq fois par année, Engramme produit *La Morsure*, bulletin d'information sur les activités du centre, de même que *Les encarts*, textes d'analyse portant sur une exposition récente. Depuis une vingtaine d'années, Engramme a publié 10 catalogues ou coffrets d'estampes, le plus souvent créés à l'issue d'expositions collectives. À ces publications, s'ajoutent les ouvrages *Engramme, 25 ans d'estampe à Québec* et *Sol majeur*.

centre de production en estampe | diffusion en art actuel
ENGRAMME

BUREAU ET MAGASIN
501, rue De Saint-Vallier Est
Québec (Québec) G1K 3P9

GALERIE
510, côte d'Abraham
Québec (Québec)
T 418 529 0972

ATELIERS
T 418 529 1779 F 418 529 9849

engramme@meduse.org
www.meduse.org/engramme

HEURES D'OUVERTURE
bureau
LUNDI » VENDREDI :
9 h à 12 h + 13 h à 17 h
magasin
LUNDI : 11 h à 14 h
MERCREDI + VENDREDI : 9 h à 12 h
galerie
MERCREDI » VENDREDI : 12 h à 17 h
SAMEDI + DIMANCHE : 13 h à 17 h

Engramme is an artist-run centre which has been dedicated for over thirty years to the dissemination and production of original work in printmaking. Its programming spans several areas of activity, some related to the development of expertise in printmaking techniques, others dealing with the production of work seeking to expand the artistic and conceptual possibilities of the medium.

Engramme comprises a gallery, three production studios (etching, lithography, silkscreening), a digital imaging lab, a store selling specialized materials and a documentation centre dedicated to printmaking. Every year, Engramme presents approximately ten solo or group exhibitions of Canadian and international artists and hosts up to three artists-in-residence. In addition to these specific programs, we provide artists with access to different means ensuring the continued support and development of their work (specialized training grants, technical workshops, internships and exchanges with other printmaking organizations) and the integration of the work of emerging artists (grants, specific competitions, exhibitions within *La vitrine de la relève*, a platform for emerging artists).

Approximately five times a year, Engramme distributes *La Morsure*, an information bulletin about the centre's activities, as well as *Les encarts*, analytical texts on the subject of recent exhibitions. Over the past twenty or so years, Engramme has published 10 catalogues or box sets of prints, usually created in conjunction with group shows, as well as the two books *Engramme, 25 ans d'estampe à Québec* and *Sol majeur*.

L'ARTISTE TANIA GIRARD-SAVOIE DANS L'ATELIER DE SÉRIGRAPHIE D'**ENGRAMME**; PHOTO : STÉPHANE LALONDE.

DIRECTION
LOUISE SANFAÇON
AGENTE AUX COMMUNICATIONS
GENEVIÈVE DESMEULES
CHEF D'ATELIER ET MAGASINIER
LAURENT GAGNON

SOUMISSION DE DOSSIERS
En février de chaque année
Les artistes peuvent cependant soumettre
leurs dossiers de projets à d'autres
moments pour compléter la programmation en fonction des plages disponibles.

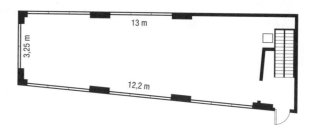

ESPACE F

Fondé en 1987 et situé à Matane (Québec), ESPACE F est un centre d'artistes qui soutient et fait connaître le travail de créateurs dans les domaines de la photographie, de la vidéo et des nouveaux médias. Le centre organise des activités qui font état de la diversité des démarches dans ces modes d'expression. À l'intention des artistes, il maintient un laboratoire numérique pour le traitement des images fixes et animées ainsi qu'un service de location d'équipements spécialisés.

Les artistes en début de parcours sont invités à présenter des projets dans le cadre d'une exposition collective qui leur est consacrée chaque printemps. Date de tombée : dernière semaine de mars.

ESPACE F

520, avenue Saint-Jérôme
Matane (Québec) G4W 3B5
T 418 562 8661 F 418 562 6675
info@espacef.org
www.espacef.org

HEURES D'OUVERTURE
bureau
LUNDI » VENDREDI : 10 h à 17 h
galerie
TOUS LES JOURS : 13 h à 17 h

DIRECTION
FRANÇOIS WELLS
COORDINATION
JULIE GALIBOIS

TECHNICIEN
GUILLAUME MÉRINEAU

SOUMISSIONS DE DOSSIERS
Les projets d'exposition ou de résidence peuvent être envoyés en tout temps. Le jury se réunit une fois par année. Date de tombée : dernière semaine de janvier.

Founded in 1987 and located in Matane, Quebec, ESPACE F is an artist-run centre which supports and promotes the work of artists from the fields of photography, video and new media. The centre organizes activities which present the wide range of practices within these fields. For local and visiting artists it runs a computer lab focused on still and moving image processing as well as a specialized equipment rental service.

Proposal submission dates: Exhibition or residency projects can be sent any time. The jury meets once a year. Deadline: last week of January. Emerging artists are invited to present projects for a collective exhibition dedicated to emerging practices every spring. Deadline: last week of March.

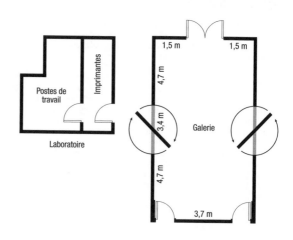

Imprimantes

Postes de
travail

Laboratoire

1,5 m   1,5 m

4,7 m

3,4 m   Galerie

4,7 m

3,7 m

LA MATANIE S'EXPOSE, 2ᵉ ÉDITION; PHOTO : **ESPACE F.**

ESPACEVIRTUEL

EspaceVirtuel est né du Cercle des Arts fondé en 1958, nommé par la suite Société des Arts de Chicoutimi. En 1984, la Société des Arts de Chicoutimi devient EspaceVirtuel. La nouvelle appellation signifie alors le lieu physique à investir (Espace) et le caractère exploratoire de l'art (Virtuel). Ce nouveau nom indique aussi une orientation vers les pratiques des arts contemporains, informées par l'art multidisciplinaire et l'art actuel.

Depuis, EspaceVirtuel se consacre à la présentation et à la diffusion du plus récent travail des artistes professionnels en arts visuels du Québec, du Canada et de l'étranger, en leur donnant un lieu adapté à leurs recherches et expérimentations. C'est principalement sous forme d'expositions ou de résidences, parfois lors d'événements ponctuels, de projets *in situ* ou hors les murs, qu'EspaceVirtuel présente dans sa programmation annuelle le spectre élargi des disciplines définissant les arts visuels. Conscient des réalités contemporaines de l'art actuel, EspaceVirtuel s'attarde avant tout à l'œuvre, résultat d'une démarche exploratoire, sans préjugé pour la discipline ou le métissage choisi par l'artiste.

En plus d'animer des activités d'échange sur les enjeux de l'art actuel entre les artistes, leurs publics et divers types d'intervenants (critiques, théoriciens, artistes, etc.), EspaceVirtuel publie un opuscule annuel regroupant l'ensemble des textes d'auteurs jumelés aux artistes ayant exposé au cours de l'année. Cette initiative traduit la volonté d'EspaceVirtuel de transmettre et d'entretenir le discours critique et de susciter l'intérêt collectif pour le travail des artistes. C'est ainsi qu'EspaceVirtuel encourage aussi la recherche critique des artistes en art actuel dans leur démarche créative.

Situé au centre de Chicoutimi, cœur culturel de Ville Saguenay, EspaceVirtuel offre à la population et aux artistes professionnels de partout un rendez-vous privilégié.

534, rue Jacques-Cartier Est
Chicoutimi (Québec) G7H 1Z6
T 418 698 3873 / 877 998 3873
F 418 698 3874
espacevirtuel@cybernaute.com
www.espacevirtuel.ca

HEURES D'OUVERTURE
LUNDI » VENDREDI : 10 h 30 à 16 h 30
JEUDI : jusqu'à 20 h 30

DIRECTION
JIMMY BOUDREAULT
COORDINATION
JEAN-MARC ROY

SOUMISSION DE DOSSIERS
30 novembre (propositions
d'exposition et/ou de résidence)

Espace Virtuel evolved out of the *Cercle des Arts* founded in 1958 which was later called the *Société des Arts de Chicoutimi*. In 1984, the *Société des Arts de Chicoutimi* became Espace Virtuel. At the time the new name stood for a physical space to fill (Espace) and the exploratory nature of art (Virtuel). It then represented the centre's new orientation towards contemporary art enhanced by the multidisciplinary reality of current practices.

Espace Virtuel has since been dedicated to the presentation and dissemination of the most recent work of professional visual artists from Quebec, the rest of Canada and abroad, by providing them with a space adapted for contemporary art reserach and experimentation. It is mainly in the form of exhibitions or residencies, sometimes other occasional events, *in situ* or off-site projects, that Espace Virtuel presents over the course of its yearly programming the wide range of disciplines encompassed by the visual arts. Conscious of the current realities of contemporary art, Espace Virtuel focuses mainly on work resulting from an exploratory process without any préjudices as to the discipline or hybrid approach chosen by the artist.

In addition to organizing exchange activities relative to contemporary art issues between artists, their audience and various guest speakers (critics, theorists, artists, etc.), Espace Virtuel releases a yearly publication which brings together all the different texts written by different authors in relation to the work of the artists having exhibited that year. This initiative is Espace Virtuel's effort to transmit and support critical discourse and to raise public awareness for the work of the exhibited artists. Thus, Espace Virtuel also encourages critical research as a creative process by contemporary artists.

Located in the centre of Chicoutimi, the cultural heart of Ville Saguenay, Espace Virtuel is an important focal point not only for the local population but also for professional artists from everywhere.

ESPACEVIRTUEL. MARIE-CLAUDE BOUTHILLIER, *RÉSISTER, SE DISSOUDRE*, 2005 ; PHOTO : PAUL CIMON.

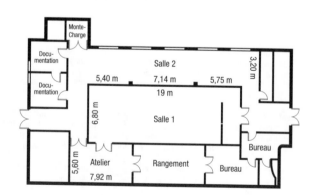

EST-NORD-EST, RÉSIDENCE D'ARTISTES

Fondé en 1992, Est-Nord-Est est un lieu de production et de diffusion de l'art contemporain dont l'objectif premier est d'offrir un soutien aux artistes en processus de recherche et d'exploration par le biais de résidences. Ces séjours offrent aux artistes l'occasion de s'extraire du quotidien pour travailler dans un espace culturel différent, vivant et stimulant. L'accueil convivial, le dialogue avec la communauté artistique locale ainsi que les échanges entre artistes d'expérience et d'origines diverses caractérisent nos résidences.

Est-Nord-Est réalise des événements thématiques, des expositions, des conférences, des publications, des journées portes ouvertes et des ateliers de création pour jeune public liés à son programme de résidence. Est-Nord-Est produit notamment *Memento*, publication biennale qui témoigne du passage des artistes en résidence. Est-Nord-Est travaille également à un projet de développement visant à le doter d'un nouveau bâtiment et d'équipements spécialisés.

Bien que notre expertise technique, l'outillage et la machinerie répondent surtout aux besoins de la sculpture et des pratiques connexes, nous sommes ouverts à toutes les démarches : installation, œuvres *in situ*, photographie, vidéo, peinture, etc. Nous encourageons l'expérimentation de nouveaux matériaux et procédés ainsi que la réflexion sur la pratique artistique.

Est-Nord-Est se situe dans le village de Saint-Jean-Port-Joli, sur la rive sud du fleuve Saint-Laurent. La forte présence du fleuve, de la forêt, de l'agriculture et des montagnes Appalaches définissent les paysages de la région.

Est-Nord-Est est membre du réseau de résidences d'artistes Res Artis et constitue une structure d'accueil pour les Pépinières Européennes pour jeunes artistes. Nos résidences s'adressent aux artistes en arts visuels et aux commissaires, en début de carrière ou établis. Chaque session réunit jusqu'à six artistes en provenance du Québec, du Canada et de l'étranger pour une durée de deux mois, trois fois par année : au printemps, à l'été et à l'automne. Les artistes en résidence ont accès à un atelier privé et à un éventail de services techniques et logistiques.

est nord est

335, avenue de Gaspé Ouest
Saint-Jean-Port-Joli (Québec) G0R 3G0
T 418 598 6363
estnordest@videotron.ca
www.estnordest.org

HEURES D'OUVERTURE
bureau
LUNDI » VENDREDI :
9 h à 17 h d'avril à décembre

DIRECTION
FRANCK MICHEL
COORDINATION
NATALIE LAFORTUNE

TECHNICIEN
DENIS RABY

SOUMISSION DE DOSSIERS
Nous acceptons les demandes
de résidence en tout temps.
Le comité de programmation se
réunit en novembre.

Est-Nord-Est, founded in 1992, is a centre for production and dissemination of contemporary art; its primary objective is to provide support, through residencies, for artists who are in the process of research and exploration. The residencies give artists an opportunity to withdraw from daily life and work in a cultural space that is distinct, vibrant and stimulating. At Est-Nord-Est, we offer a warm welcome, dialogue with the local art community, and exchanges with experienced artists of different origins.

Est-Nord-Est produces thematic events, exhibitions, public talks, publications, open houses, and creative workshops for young people linked to its residency program. Among its publications is the biennial catalogue Mémento, a record of the artists who have been in residence and their work. Est-Nord-Est is also working toward implementation of a development plan whose goal is to erect a new building and purchase specialized equipment.

Although our technical expertise, tools, and equipment meet above all the needs of sculpture and related art practices, we are open to all approaches: installations, *in situ* works, photography, video, painting, and so on. We encourage experimentation with new materials and methods as well as reflection on art practices.

Est-Nord-Est is located in the village of Saint-Jean-Port-Joli on the south shore of the St. Lawrence River. The river, forest, farms and the Appalachian mountain range strongly define the region's landscapes.

Est-Nord-Est is a member the Res Artis network of artists' residencies and provides hosting facilities for the Pépinières Européennes pour jeunes artistes. Our residencies are aimed at visual artists and curators—both those starting their career and those who are well established. There are three two-month sessions each year, in spring, summer, and fall, and each brings together up to six artists from Quebec, the rest of Canada, and other countries. Artists in residence have access to a private studio and a range of technical and logistical services.

EST-NORD-EST. VUE D'ATELIER, JOHANNES BIERLING (ALLEMAGNE), 2005. © PHOTO : FRANCK MICHEL.

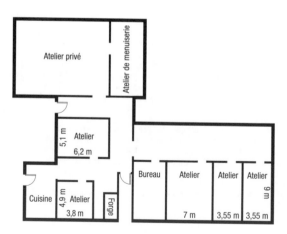

GALERIE B-312

Non loin du Musée d'art contemporain de Montréal, dans le quartier où se situe la majorité des galeries d'art actuel, la Galerie B-312 est un centre d'artistes qui fait connaître le travail des artistes en début de carrière ou dont la pratique mérite un soutien particulier. Le centre ne connaît pas de frontière entre les différents modes d'expression. Il présente des expositions, accueille des projets de commissariat qui prennent la mesure des enjeux de l'art actuel. Il étudie aussi tout projet d'événement de type exploratoire dans les domaines artistiques connexes aux arts visuels, tels la performance, l'art d'intervention, la musique ou la littérature. Soutenant l'art en tant que mode de connaissance à part entière, le centre organise aussi des tables rondes qui encouragent le dialogue entre artistes et chercheurs d'autres disciplines, et est ouvert à l'édition de livres d'artistes et de textes de réflexion sur l'art actuel.

La Galerie B-312 accueille les formes d'exposition les plus variées, de la vidéo à l'installation en passant par le travail *in situ* ou un accrochage au mur. Les artistes disposent de deux aires d'exposition indépendantes, utilisables aussi comme espace unique, et bénéficient d'un soutien technique lors des montages et démontages. Les préparations des expositions sont l'occasion d'échanges de réflexion. Ces échanges débutent avec une visite d'atelier, continuent à l'étape de la conception du communiqué de presse et peuvent prendre la forme de rencontres publiques lors de la tenue des événements.

Les expositions sont annoncées par envoi postal pancanadien, et toutes les activités du centre sont répertoriées et archivées sur son site Internet.

372, rue Sainte-Catherine Ouest,
espace 403
Montréal (Québec) H3B 1A2
T 514 874 9423 F 514 874 9423
b-312@galerieb-312.qc.ca
www.galerieb-312.qc.ca

HEURES D'OUVERTURE
MARDI » SAMEDI : 12 h à 17 h

DIRECTION
MARTHE CARRIER

SOUMISSION DES PROJETS
Consulter le site Internet ou
communiquer avec le centre.

Located not far from the Musée d'art contemporain de Montréal, in the neighbourhood where most contemporary art galleries are located, Galerie B-312 is an artist-run centre devoted to the work of beginning artists or of artists whose work requires special support. For the centre, there is no boundary between the various modes of expression. It mounts exhibitions and welcomes curatorial projects which address issues in contemporary art. It also considers any project involving an exploratory-type event in artistic domains related to the visual arts, such as performance, public intervention art, music or literature. The centre supports art as a fully-fledged form of knowledge and organizes panel discussions and encourages dialogue between artists and thinkers in other disciplines. It is also open to the publication of artists' books and theoretical texts on contemporary art.

Galerie B-312 hosts the most varied exhibitions, from video and installations to on-site work or work hung on the wall. Artists have access to two independent exhibition areas, which can also be used as one space, and benefit from technical assistance at the time of mounting or taking down the exhibition. Preparing for exhibitions is an opportunity for exchanging ideas. These exchanges begin with a studio visit and continue with designing the press release; they can also take the form of public events when the exhibition is under way.

Exhibitions are announced by mail across Canada and all the centre's activities are catalogued and archived on its web site.

GALERIE D'ART DE MATANE

La Galerie d'art de Matane est un lieu de diffusion en art actuel ouvert depuis 1976. Fondée par des artistes suite au Symposium de sculpture de Matane tenu l'été précédent, elle a occupé pendant plusieurs années des locaux à l'intérieur du Cégep.

Sensible à l'importance de l'art actuel en région, la galerie a le souci de présenter des œuvres de différentes disciplines : peinture, sculpture, estampe, installation, performance, collage, nouveaux médias, etc. Ne privilégiant pas de discours en particulier, elle est ouverte aux différentes approches autant qu'aux différentes thématiques.

Installée depuis 2000 dans le Complexe culturel Joseph-Rouleau au centre-ville de Matane, la galerie accueille un grand nombre de visiteuses et visiteurs de la région et de l'extérieur. Une fenêtre avec vue sur la rivière offre un éclairage naturel appréciable et cette ouverture permet une visibilité nocturne très prisée des marcheuses et marcheurs qui longent la rivière Matane.

La GAM présente chaque année sept expositions d'artistes professionnels en art actuel et, traditionnellement chaque été, ses espaces sont réservés aux artistes de la région. Misant sur la production artistique des gens d'ici, la carte de membre annuelle est illustrée par l'œuvre d'un créateur ou d'une créatrice de la région, œuvre qui est ensuite attribuée par tirage au sort à un-e membre de l'organisme. De plus, depuis 2003, la galerie gère l'exposition permanente « La Couleur de la Gaspésie » du peintre Claude Picher ainsi que sa boutique.

La disposition et l'architecture des lieux (murs pivotants entre les salles) permet la présentation de manifestations, expositions ou événements de concert avec ESPACE F, la salle Claude-Picher ou la salle Isabelle-Boulay/Smurfit-Stone.

LA GALERIE D'ART DE MATANE INC
520 SAINT-JÉRÔME   MATANE (QUÉBEC) G4W 3B5
TÉL: 418.566.6687   TÉLÉC: 418.562.6675
gartm@globetrotter.qc.ca

520, avenue Saint-Jérôme
Matane (Québec) G4W 3B5
T 418 566 6687 F 418 562 6675
gartm@globetrotter.qc.ca

HEURES D'OUVERTURE
MARDI » VENDREDI : 9 h à 17 h
SAMEDI : 13 h à 17 h
DIMANCHE : 13 h à 16 h

DIRECTION
Chantal Poirier

SOUMISSION DE DOSSIERS
30 septembre

La Galerie d'art de Matane is a contemporary art dissemination space that has been active since 1976. Founded by artists following the Matane Sculpture Symposium which had been held the year before, for several years it was located on the premises of the Matane CEGEP.

Sensitive to the importance of contemporary art within a regional context, the gallery strives to present works of diverse disciplines: painting, sculpture, printmaking, installation, performance, collage, new media, etc. It does not privilege any particular discourse and is open to the most diverse approaches and subject matter.

Located since 2000 in the Complexe culturel Joseph-Rouleau in the very centre of Matane, the gallery attracts many visitors from the region and beyond. A window with a view onto the river provides natural lighting. This window gives the gallery nighttime visibility from the outside and is greatly appreciated by strollers along the Matane river.

Every year GAM presents seven exhibitions by professional contemporary artists while every summer its walls are traditionally reserved for local artists. Focusing on the artistic production of locals, the yearly membership card is illustrated by the work of an artist from the region, selected from the members of the organization. In addition, since 2003, the gallery also runs the permanent exhibition "La Couleur de la Gaspésie" by the painter Claude Picher, as well as his shop.

The location and the architecture of the space (pivoting walls between the rooms) make it possible to present events and exhibitions in conjunction with Espace F, the Salle Claude-Picher or the Salle Isabelle-Boulay/Smurfit-Stone.

GALERIE D'ART DE MATANE. *LISE VÉZINA BELTRAMI, LE MÊME CHANGEANT,* 2006 ; PHOTO : LOUIS-ÉTIENNE FRÉCHETTE.

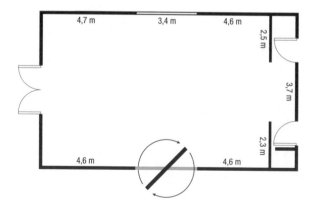

4,7 m   3,4 m   4,6 m

2,5 m

3,7 m

2,3 m

4,6 m   4,6 m

GALERIE VERTICALE ART CONTEMPORAIN

La Galerie Verticale Art Contemporain a été inaugurée le 9 octobre 1991. Mise sur pied par un regroupement d'artistes, la Société des arts visuels de Laval fut incorporée en 1987. La Société s'est dotée d'un centre d'artistes pour faciliter l'exercice de la profession artistique à Laval. Le cadre particulier d'autogestion du centre d'artistes en fait un lieu souple qui s'adapte et qui évolue selon les besoins des artistes dans une perspective de recherche et de développement des arts visuels. Le centre d'artistes se veut un lieu dynamique d'échanges et d'élaboration de la pensée artistique pour contribuer au développement de l'art actuel à Laval.

La Galerie Verticale Art Contemporain est le seul centre d'artistes à Laval. Elle a pour mandat de promouvoir, auprès du public ceinturant la grande région montréalaise, la diffusion, la production artistique et la recherche en art actuel. Elle favorise également les activités parallèles et les échanges culturels entre les artistes, le public et le milieu de l'art afin de stimuler la réflexion sur les théories et pratiques artistiques actuelles.

Par sa situation géographique en périphérie de Montréal, la Galerie Verticale se veut un tremplin pour les artistes de la relève dont elle diffuse les œuvres dans ses espaces et lors d'une exposition collective annuelle. Elle s'intéresse à toute problématique actuelle qui interroge la notion de territoires suburbains, qui redéfinit la perception esthétique, qui explore les paramètres des nouveaux médiums ou qui réinvestit les médiums traditionnels.

Exempte de toute fenêtre, la salle d'exposition permet une approche épurée de présentation des œuvres. La salle de vernissage et de lecture du centre de documentation est à la fois un lieu invitant et agréable favorisant les rencontres et les réunions pour la conception de projets spéciaux.

Galerie Verticale

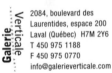

2084, boulevard des Laurentides, espace 200
Laval (Québec) H7M 2Y6
T 450 975 1188
F 450 975 0770
info@galerieverticale.com

HEURES D'OUVERTURE
MERCREDI » DIMANCHE : 12 h à 18 h

COORDINATION
MARTIN CHAMPAGNE
ASSISTANTE À LA COORDINATION
HÉLÈNE BRUNET

SOUMISSION DE DOSSIERS
15 novembre

La Galerie Verticale Art Contemporain was inaugurated on October 9, 1991. It was founded by a Laval artists' association, la Société des arts visuels de Laval, which was incorporated in 1987. The association evolved into an artist-run space in order to facilitate the practice of the artistic profession in Laval. The particular self-governance context of the artist-run centre enables it to be flexible and responsive to the needs of the artists within a perspective of visual art research and development. The centre strives to be a dynamic place for exchange and for the elaboration of artistic thought in order to contribute to the development of contemporary art in Laval.

La Galerie Verticale Art Contemporain is the only artist-run centre in Laval. Its mandate is to promote the dissemination and production of, and creative research in, contemporary art to the public of the greater Montreal area. It also encourages parallel activities and cultural exchanges between artists, the public and the art world so as to stimulate reflection on contemporary art practices and theories.

By its geographic location on Montreal's periphery, la Galerie Verticale aims to be a launching pad for emerging artists whom it exhibits within its own space and at an annual group exhibition. It is interested in all current questions regarding suburban territories that redefine aesthetic perception and explore the parameters of new media or revisit traditional media.

The windowless exhibition space allows a very pure approach to the presentation of artworks. The documentation centre's reading room, where openings are held, is a most inviting and pleasant space and an ideal setting for the development of special projects.

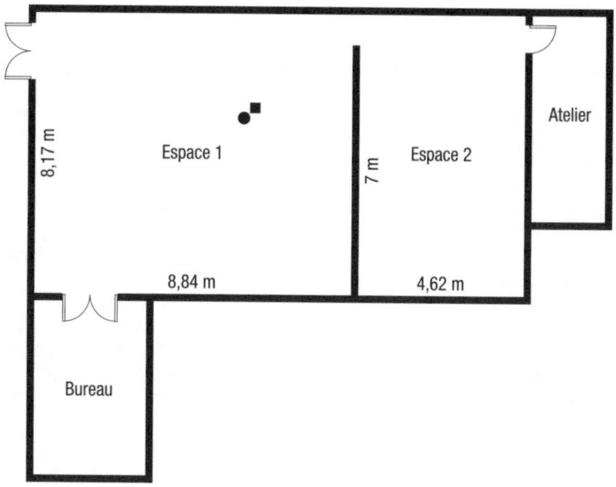
Espace 1
8,17 m
Espace 2
7 m
Atelier
8,84 m
4,62 m
Bureau

GALERIE VERTICALE ART CONTEMPORAIN.
XEVI CASTEJON ABELLA (PHOTOGRAPHIES) ET OLIVIA BOUDREAU (PROJECTION AU SOL), 2004; PHOTO : BRUNO GAREAU.

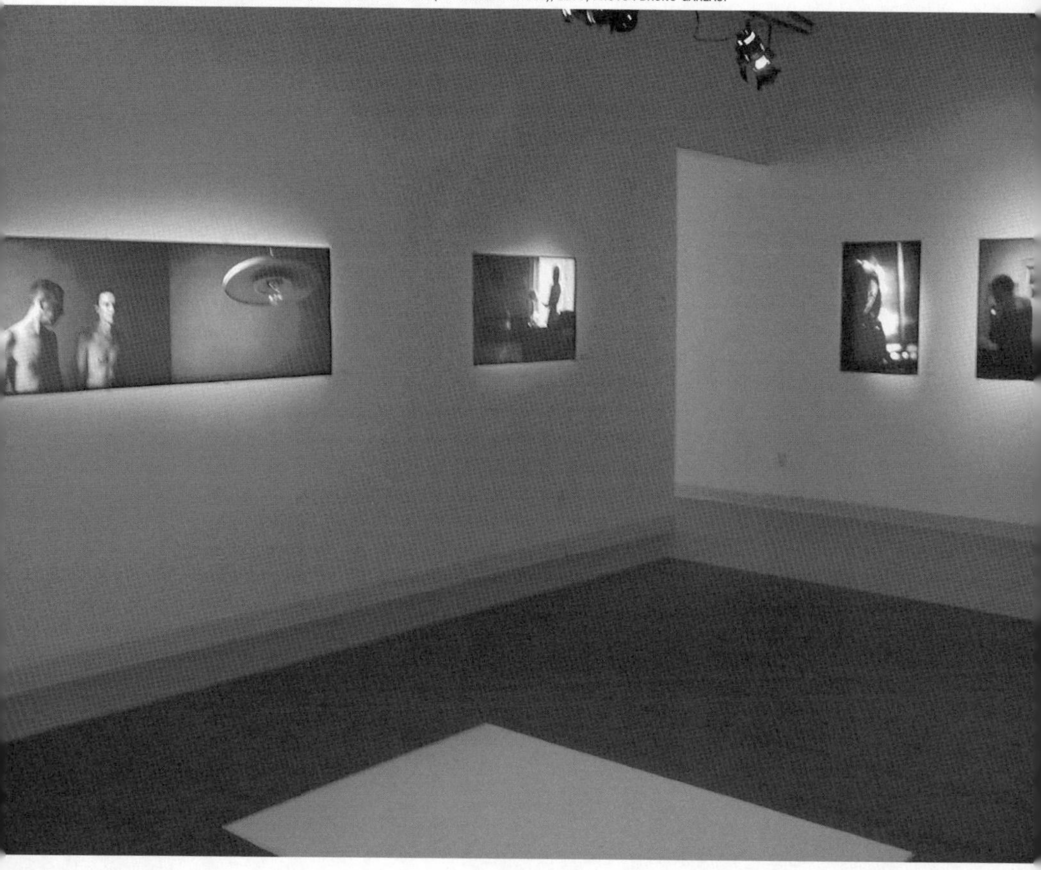

GRAVE / GROUPEMENT DES ARTS VISUELS DE VICTORIAVILLE

Fondé en 1985, le Grave ne favorise aucune discipline particulière. Il privilégie l'exploration des notions de récupération (reprendre ou recueillir ce qui pourrait être perdu) et de recyclage (réintroduire dans un cycle) appréhendées à l'intérieur du processus de création, à travers les préoccupations de l'artiste ou par le biais de l'aspect matériel de l'œuvre.

Son comité de programmation effectue la sélection une fois l'an en tenant compte de cette orientation, du caractère original et/ou novateur des propositions et en fonction des critères suivants : clarté, articulation et faisabilité du projet, cohérence entre les éléments visuels et conceptuels et qualité d'exécution.

Le centre présente annuellement cinq périodes d'exposition dans ses salles de diffusion, deux résidences d'artistes et deux expositions individuelles à la galerie d'art du cégep de Victoriaville, celles-ci réservées aux artistes en début de carrière. S'y greffent ponctuellement diverses activités spéciales : performances, rencontres thématiques, conférences, événements de création, collectifs des membres, visites animées.

Dans son volet résidence, le Grave adopte une politique ouverte afin de s'adapter aux besoins des artistes. Ses objectifs spécifiques : favoriser le ressourcement, susciter les échanges et sensibiliser le public au processus créateur. La plupart des résidences s'orientent sur la recherche et l'expérimentation, bien que certaines se concentrent sur la création *in situ* ou la production d'œuvres. La résidence sert aussi de lieu d'accueil occasionnel de courte durée pour les artistes, lors du montage de leur exposition.

Pour le séjour en résidence, d'une durée d'un mois, le centre verse un cachet à l'artiste indépendamment des droits d'exposition liés à une éventuelle diffusion de l'œuvre. L'hébergement est fourni gratuitement mais les frais de déplacement, de subsistance et de matériaux sont à la charge des artistes. Sise au centre-ville, la résidence est à proximité d'un supermarché, d'une piste cyclable et d'un parc avec sentiers pédestres.

---

126 * 127

C.P. 304, Victoriaville (Québec) G6P 6S9
17, rue des Forges, Victoriaville
(Québec) G6P 1N5
T + F 819 758 9510
legrave@ivideotron.ca
www.oculiartes.org/~grave/index.html

HEURES D'OUVERTURE
salles de diffusion
MERCREDI » DIMANCHE : 13 h à 17 h
bureau
LUNDI » VENDREDI : 9 h à 17 h

DIRECTION
CHANTAL BRULOTTE

RÉCEPTION DE DOSSIERS
31 janvier

Founded in 1985, Grave priviliges no particular discipline. It is primarily interested in the exploration of various concepts of "recuperation" (the salvaging of something that could otherwise be lost) and of "recycling" (the reintroduction into a cycle) within the creative process, addressed either by the artist's concerns or by the material incarnation of the work.

Its programming committee makes its selections once a year according to this specific orientation, as well as to the original or innovative character of the proposals and in relation to the following criteria: the clarity, articulation and feasibility of the projects, the coherence of the proposed visual and conceptual elements and the quality of their execution.

Every year the centre programs five periods of exhibitions in its presentation spaces, two artist residencies and two individual exhibitions at the art gallery of the Victoriaville CEGEP, the latter reserved for emerging artists. In conjunction with these, diverse special activities are also occasionally organized: performances, thematic meetings, public talks, art production events, member collectives and guided tours.

For its residency, Grave's policy is one of openness in order to better adapt to the artists' needs. Its specific objectives are: to encourage professional development, to stimulate exchange and to develop public awareness for the creative process. Most of the residencies revolve around research and experimentation, but some may focus on *in situ* projects or the production of new work. The residence is also used as temporary short-term accommodation for artists during the set-up of their exhibitions.

For the residency period, which lasts one month, the centre pays the artist a fee which is independent of the exhibition fee for any eventual presentation of the work. Accommodation is provided free of charge, however it is up to the artist to come up with their travel, subsistence and material costs. Located in the centre of town, the residence is in close proximity to a supermarket, a bike path and a park with walking trails.

GRAVE. ÉLISE CARON ET LISE LÉTOURNEAU, *CORRESPONDRE AU TERRITOIRE*, 2005; PHOTO : CHANTAL BRULOTTE.

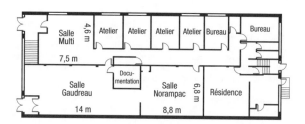

LANGAGE PLUS

Fondé en 1979 au Saguenay–Lac-Saint-Jean, Langage Plus est un centre d'artistes en art actuel multidisciplinaire où sont favorisées la recherche, la création et la diffusion d'œuvres souvent inédites. La programmation propose divers projets d'exposition, de résidence, de performance, d'événement et de publication. À ces activités régulières s'ajoutent des projets ponctuels. La situation géographique de l'organisme influence le fonctionnement et la direction artistique du centre en l'orientant vers trois préoccupations : le territoire et son appropriation, l'identité individuelle et collective, ainsi que la réflexion portant sur l'art actuel, son ancrage dans la communauté et son devenir.

L'organisme soutient dans sa programmation les artistes et les commissaires de diverses cultures et territoires et plus spécifiquement les jeunes créateurs. Il accueille en résidence des artistes canadiens et étrangers, afin d'encourager la diversité culturelle. Par ses programmes d'échanges avec l'étranger, il promeut la recherche des artistes qu'il appuie en participant au rayonnement du Québec et du Canada sur la scène internationale. Depuis 2003, une entente avec l'Agence culturelle d'Alsace et le Front régional d'Art Contemporain (FRAC) offre des échanges croisés entre Alma et Strasbourg. Ces projets avec la France et une récente collaboration avec Israël participent à la promotion des artistes d'ici à l'étranger, tout en favorisant l'accueil d'artistes de différentes cultures à Langage Plus. De plus, ces résidences permettent aux artistes de bénéficier de l'édition d'une publication, tout en vivant une expérience de création unique en développant un nouveau réseau de relations artistiques.

Langage Plus considère comme fondamental d'offrir à ses artistes membres et aux artistes qu'il soutient un apport professionnel de qualité, tout en offrant à son public une vitrine sur le monde. Cette priorité rejoint la direction artistique du centre en favorisant une ouverture sur diverses cultures, de manière à interroger les rapports existant entre l'identité, le territoire et l'art.

LANGAGE
PLUS

414, rue Collard, bureau 102, C.P. 518
Alma (Québec) G8B 5W1
T 418 668 6635 F 418 668 3263
langageplus@cgocable.ca
www.langageplus.com

HEURES D'OUVERTURE
LUNDI : SUR RENDEZ-VOUS
MARDI » VENDREDI :
10 h à 12 h + 13 h à 16 h 30
DIMANCHE : 13 h à 16 h 30
La galerie est fermée de juillet
à la mi-août.

DIRECTRICE
JOCELYNE FORTIN

SOUMISSION DE DOSSIERS
Le 31 janvier pour les projets
de résidence et d'exposition
(artiste et commissaire)
PROJETS SPÉCIAUX :
consulter le site Internet ou le centre.

Founded in 1979 in Saguenay–Lac-Saint-St-Jean, Langage Plus is a multidisciplinary contemporary art centre which promotes artistic enquiry and creation and the dissemination of often unusual works of art. Our programming includes various exhibition, residence, performance, event and publication projects. To these regular activities are added occasional projects. The centre's geographic location influences its operations and its artistic orientations, which centre on three concerns: the land and its appropriation; individual and collective identity; and enquiry into contemporary art, its place in the community and the process of its making.

The centre's programs support artists and curators of various cultural and geographic backgrounds, in particular young artists. It hosts Canadian and foreign artists in residence as a way of encouraging cultural diversity. Through its foreign exchange programs, it promotes the work of the artists it supports by contributing to the visibility of Quebec and the rest of Canada on the international stage. Since 2003, an agreement with the Agence culturelle d'Alsace and the Front régional d'Art Contemporain (FRAC) provides exchanges between Alma and Strasbourg. These projects with France, and a recent collaboration with Israel, contribute to the promotion of Canadian artists abroad while at the same time hosting artists from different cultures at Langage Plus. In addition, these residencies enable artists to undertake a publication project while at the same time benefiting from a unique artistic experience and developing a new network of artistic contacts.

One of the fundamental goals of Langage Plus is to provide its member artists and the artists it supports with professional, high-quality assistance while at the same time offering its public a window on the world. This priority coincides with the centre's artistic mission by promoting openness to diverse cultures in such a way as to question the existing relationships between identity, territory and art.

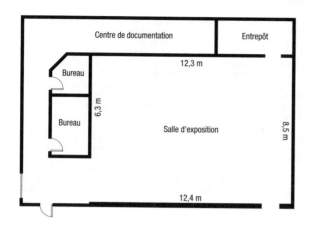

LANGAGE PLUS. DGINO CANTIN, *LES INTÉRIEURS APPRIVOISÉS*, 2005 ; PHOTO : RÉMY LAPRISE.

LE LIEU, CENTRE EN ART ACTUEL

Actif à Québec depuis 1982, Le Lieu est engagé dans des activités sédentaires à Québec et dans des opérations nomades, activités et projets à l'étranger ou en lien avec l'international. Le caractère multidisciplinaire du centre fait côtoyer installation, performance, manœuvre, art audio, poésie sonore, vidéo et autres explorations des paramètres nouveaux de l'expressivité artistique. Le Lieu a toujours inclus dans sa programmation des activités *in situ* ayant cours à l'intérieur de ses locaux, des activités hors murs et des opérations proches de ce qu'on admet aujourd'hui comme des pratiques interdisciplinaires, manœuvres ou d'esthétique relationnelle. Dans un but d'échange et pour contourner l'épineuse question de la documentation des pratiques éphémères, Le Lieu développe des moyens de faire interagir directement les générations d'artistes pour favoriser le transfert des connaissances, et ce, tant localement qu'internationalement. Un des leitmotiv du Lieu demeure la notion de réseau. Il l'actualise en reliant entre eux, par l'organisation d'événements, la production de publications et la participation à des activités internationales, divers interlocuteurs, éditeurs, centres, communautés dans les villes et régions dites périphériques, par rapport aux grandes capitales de l'art officiel.

Depuis 1988, l'étiquette Inter/Éditeur concerne la production de publications et de documents audio, sous diverses formes. Cela confirme l'orientation autogestionnaire qui anime les réalités et le processus évolutif du centre depuis ses débuts. Trente-cinq titres sont parus chez Inter/Éditeur, la plupart concernent les processus d'art vivant, l'art action et la performance. Plusieurs documents se rapportent aux *Rencontre Internationale d'art performance* et à des échanges avec d'autres villes. Notons l'importante publication *Art Action 1958-1998*, qui fait le bilan de l'art action historiquement et mondialement, une source d'information essentielle, en français et en anglais. Inter/Éditeur, avec ses publications, témoigne de l'apport des idées et des pratiques de l'art et de son contexte.

345, rue du Pont
Québec (Québec) G1K 6M4
T 418 529 9680 F 418 529 6933
infos@inter-lelieu.org
www.inter-lelieu.org

HEURES D'OUVERTURE
bureaux
LUNDI » VENDREDI : 9 h à 17 h
galerie
DIMANCHE » SAMEDI : 13 h à 17 h
(en période d'exposition)
centre de documentation
LUNDI » VENDREDI : 9 h à 15 h

COORDINATION
RICHARD MARTEL
COORDINATION ADMINISTRATIVE
SYLVIE CÔTÉ
ADJOINTE À LA COORDINATION
GENEVIÈVE FORTIN

SOUMISSION DE DOSSIERS
Le centre reçoit des propositions
de projets en tout temps.

Le Lieu has been active in Quebec City since 1982, where it carries out both local activities and others abroad or with international partners. The centre's interdisciplinary nature brings together installation, performance, manoeuvres, sound art, sound poetry, video and other explorations of the new frontiers of artistic expression. Le Lieu has always included in its programming on-site and off-site activities and activities close to what today are referred to as interdisciplinary practices, manoeuvres or relational aesthetics. In a spirit of exchange and in order to get around the thorny question of documenting ephemeral practices, Le Lieu develops ways of bringing different generations of artists into direct contact with each other in order to promote the transfer of knowledge, both on a local and on an international scale. On of the leitmotifs of Le Lieu remains the concept of networking. The centre has brought this concept up to date by bringing together, through events, publications and participation in international activities, various interlocutors, publishers, centres and communities in so-called peripheral (with respect to the major centres of official art) towns and regions.

Since 1988, the Inter/Éditeur imprint has produced publications and audio documents of various sorts. This is confirmation of the self-management orientation of the centre's realities and evolution since its beginnings. Inter/Éditeur has published thirty-five titles, most of them concerned with the processes involved in living art, action art and performance art. Many of these documents have to do with the *Rencontre internationale d'art performance* and with exchanges with other cities. The major publication *Art Action 1958-1998* provides a historical overview of action art around the world and is an essential source of information, in both French and English. Through its publications, Inter/Éditeur bears witness to the contribution of artistic ideas and practices and to their context.

LE LIEU. MOHAMED EL BAZ, *BRICOLER L'INCURABLE. GOLD SAVE THE QUEEN*, 2005 ; PHOTO : MICHAËL PINEAULT.

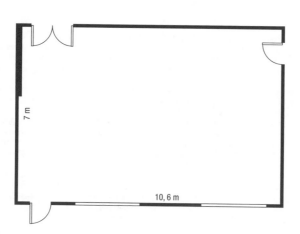

LE LOBE

Fondé en 1993 par les six membres de l'atelier L'Oreille coupée, Le Lobe des premiers jours était en fait un sous-espace de 200 pi², prélevé à même les zones de travail des artistes. Depuis, le Lobe a mué deux fois, a grandi et est devenu autonome. Désormais situé au sein de TouTTouT, un regroupement d'ateliers, Le Lobe baigne encore et toujours au cœur d'un lieu de production. Profitant de ce contexte dynamique, le centre voue ses activités à recevoir des artistes en résidence.

Le Lobe se veut un laboratoire ouvert à la recherche et à l'expérimentation dans tous les domaines des arts visuels contemporains. Il avoue toutefois son penchant pour les pratiques parallèles, hybrides, novatrices et les projets à risque qui font réfléchir à la place et aux modes de présentation de l'art. Son mandat est de favoriser les croisements de poésies, d'esthétiques et d'engagements en s'ajustant toujours aux besoins des artistes qu'il reçoit. Les artistes dont le projet est retenu viennent au Lobe pour une résidence variable de deux à quatre semaines. Ils sont hébergés chez un membre du conseil d'administration et ils bénéficient de la galerie en guise d'atelier. Un atelier de menuiserie collectif est également laissé à leur disposition. Le résultat de leur travail est ensuite présenté publiquement, le plus souvent sous forme d'exposition d'une durée de deux à quatre semaines.

Souple et malléable, Le Lobe agit comme un véritable senseur à l'affût des mouvements et déplacements de l'art. L'artiste et son œuvre sont perçus comme des générateurs de sens et de questionnement. Le Lobe organise également des événements ponctuels empreints de fraîcheur et très courus, notamment une soirée conférence où des artistes du Saguenay-Lac-Saint-Jean présentent des projets réalisés hors région ainsi qu'une soirée spéciale lors de la Fête de l'art.

114, rue Bossé
Chicoutimi (Québec) G7J 1L4
T 418 960 3182 F 418 690 3182
lelobe@videotron.ca
www.lelobe.com

HEURES D'OUVERTURE
galerie
MARDI » SAMEDI : midi à 17 h
+ sur rendez-vous
bureau
MARDI » VENDREDI : 9 h à 17 h

COORDINATION
CHRISTINE GAUTHIER

SOUMISSION DE DOSSIERS
30 novembre et 10 février. Seuls les projets de résidence sont retenus.

Founded in 1993 by the six members of the studio L'Oreille coupée, Le Lobe was at first a sub-space of 200 square feet, carved out of the artists' own work spaces. Since then, Le Lobe has undergone two transformations, grown and become autonomous. Now housed in TouTTout, a studio collective, Le Lobe is located once again and evermore in a production space. In order to take advantage of this dynamic setting, the centre's activities are dedicated to receiving artists in residence.

Le Lobe aims to be a laboratory for artistic enquiry and experimentation in every field of contemporary visual art. It professes a preference, however, for alternative, hybrid and innovative practices and for risky projects which give rise to a reflection on the place and modes of the exhibition of art. Its mandate is to promote encounters between varying forms of poetry, aesthetics and commitment, at all times adjusting its work to the needs of the artists it hosts. Artists accepted into residency stay at Le Lobe for a period ranging from two to four weeks. They are lodged with a member of the organization's board of directors and benefit from the use of the gallery as a studio space. A collective woodworking shop is also placed at their disposal. Following their production residency, their work is shown publicly, most often in the form of a two-to-four-week exhibition.

Flexible and malleable, Le Lobe acts as a veritable sensor of artistic movements and shifting currents. Artists and their work are seen as generators of meaning and questions. Le Lobe also organizes innovative and well-attended occasional events, in particular a discussion evening in which artists from Saguenay–Lac-St-Jean present projects they have carried out outside the region, as well as a special evening during the Fête de l'art.

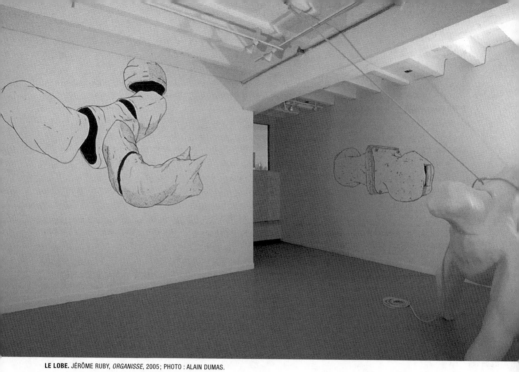

LE LOBE. JÉRÔME RUBY, *ORGANISSE*, 2005; PHOTO : ALAIN DUMAS.

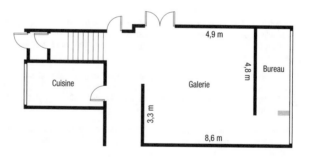

Cuisine

Galerie

Bureau

4,9 m

4,8 m

3,3 m

8,6 m

OBORO

Fondé en 1982 avec la conviction que l'expérience artistique transculturelle vivante contribue au mieux-être de l'humanité, OBORO est un centre d'artistes qui favorise le développement des pratiques artistiques sur la scène locale, nationale et internationale. Le champ d'action d'OBORO couvre les arts visuels et médiatiques, les nouvelles technologies, les arts des nouvelles scènes et les pratiques émergentes.

OBORO s'est donné le mandat plus spécifique de soutenir la création issue de diverses pratiques culturelles ; d'encourager l'innovation, l'expérimentation, l'échange d'idées et le partage du savoir ; de mettre sur pied des expositions, résidences, publications, conférences, performances, ateliers, projets réseaux, activités de recherche, de production et de formation. L'objectif d'OBORO est de contribuer à une culture de paix.

OBORO est ouvert à toutes les formes de projets originaux qui font avancer la réflexion et évoluer les pratiques artistiques. Nous acceptons les projets d'artistes, de collectifs d'artistes et de commissaires qui souhaitent réaliser une exposition, un événement, une conférence, une publication ou une résidence.

Les projets de recherche et de production en nouvelles technologies peuvent inclure des incursions dans les domaines de la vidéo, de l'audio, du multimédia, d'Internet, du Web, des télécommunications et des environnements immersifs. Consultez notre site Web à <www.oboro.net/lab> pour obtenir une description détaillée de nos ressources et services.

Avant de nous faire parvenir un dossier, veuillez d'abord consulter attentivement notre site Web pour connaître le type de travail et les pratiques que nous avons soutenus dans le passé. Dans le cas de projets impliquant des ressources technologiques considérables, veuillez d'abord nous contacter pour vérifier leur disponibilité. Oboro verse aux artistes les droits recommandés par le RAAV. Pour connaître la procédure de présentation de projets, veuillez consulter notre site Web à l'adresse suivante : <www.oboro.net/appel>.

OBORO

4001, rue Berri, espace 301
Montréal (Québec) H2L 4H2
T 514 844 3250, poste 224
F 514 847 0330
oboro@oboro.net
www.oboro.net

HEURES D'OUVERTURE
galerie
MARDI » SAMEDI : midi à 17 h

DIRECTION
DANIEL DION

SOUMISSION DE DOSSIERS
1er octobre et 1er avril

Founded in 1982 with the conviction that living transcultural artistic experiences contribute to the betterment of humankind, OBORO is an artists' centre that promotes the development of art practices locally, nationally and internationally. OBORO's sphere of activity encompasses visual and media arts, new technologies, new performing arts and emerging practices.

OBORO's more specific mandate is to support creation in various cultural practices; to encourage innovation, experimentation, the exchange of ideas and the sharing of knowledge; to set up exhibitions, residencies, publications, public talks, performances, workshops, network projects, and research, production and training activities. OBORO wishes to contribute to a culture of peace.

Research and production projects in new technologies can include explorations in the fields of video, audio, multimedia, Internet, web, telecommunications and immersive environments. Consult our website at www.oboro.net/lab for a more detailed description of our resources and services.

Before you send us a proposal, please consult our website carefully to fully understand the work and practices supported by us in the past. For projects with important technological requirements, please contact us to check the availability of our resources. OBORO pays artists' fees in accordance with RAAV's standards. For procedures on how to submit a proposal, please go to www.oboro.net/appel.

SABRINA RAAF, *FLOTTE* : UNE SÉRIE D'ŒUVRES ÉLECTRONIQUES, CINÉTIQUES ET PHOTOGRAPHIQUES, 2005 ; PHOTO : MAY TRUONG © **OBORO**.

OCCURRENCE, ESPACE D'ART ET D'ESSAI CONTEMPORAINS

Occurrence, espace d'art et d'essai contemporains a pour mandat de représenter avec force le caractère multidisciplinaire qui articule la recherche dans le domaine des arts visuels et médiatiques, et ce, tout en maintenant une expertise reconnue dans le champ photographique. Accueillant et sollicitant des pratiques diverses et inédites tant du point de vue artistique que de celui de la réflexion théorique, le centre forme chaque année un comité composé d'artistes, d'historiens de l'art et d'auteurs de la communauté, comité qui a pour mission d'établir la programmation en collaboration avec le conseil d'administration. Occurrence est par ailleurs un centre initiateur de projets *in situ* et hors les murs. L'un des objectifs majeurs d'Occurrence est incidemment la création de réseaux avec des centres d'ici et de l'étranger. En 1989, Occurrence, espace d'art et d'essai contemporains ouvre ses portes dans le quartier Villeray de Montréal. En 1994, désirant intensifier la visibilité des expositions, le centre se relocalise au centre-ville, près du Musée d'art contemporain et à proximité d'autres centres. Outre le public spécialisé, le profil des visiteurs s'est diversifié avec les années, que ce soit par la visite régulière d'étudiants de différents niveaux scolaires, ou par celle d'un public intéressé par des champs artistiques novateurs.

Occurrence bénéficie de la présence d'employés réguliers et de bénévoles. Notre politique liée aux droits d'auteur et cachets versés aux artistes se base sur celle du RAAV.

460, rue Sainte-Catherine Ouest,
espace 307
Montréal (Québec) H3B 1A7
T 514 397 0236 F 514 397 8974
occurrence@vif.com
www.occurrence.ca

HEURES D'OUVERTURE
MERCREDI » SAMEDI : 12 h à 17 h

DIRECTRICE
LILI MICHAUD
PRÉSIDENT
SERGE CLÉMENT

SOUMISSION DE DOSSIERS
Les appels de dossiers se font en septembre et octobre, le comité de sélection se réunissant en novembre.

The mandate of Occurrence, espace d'art et d'essai contemporains is to forcefully represent the multidisciplinary nature of artistic enquiry in the visual and media arts while at the same time maintaining its established expertise in the field of photography. The centre welcomes and solicits a variety of uncommon approaches, from both an artistic and a theoretical point of view. Each year, it establishes a committee of artists, art historians and authors drawn from the community whose mission is to establish the centre's programming in collaboration with the board of directors. Occurrence initiates both *in situ* and off-site projects. One of its major goals is to establish contacts with other centres at home and abroad. Occurrence, espace d'art et d'essai contemporains began life in the Villeray neighbourhood in Montreal in 1989. In 1994, wanting to increase the visibility of its exhibitions, it relocated to downtown Montreal, near the Musée d'art contemporain de Montréal and other artist-run centres. Apart from specialized gallery-goers, our public has diversified over the years, through regular visits by students of different levels and members of the public interested in the arts.

Occurrence enjoys the support of permanent employees and volunteers. Our policies concerning copyright and artists' fees are based on the policy set out by the RAAV.

OCCURRENCE. *RÉSONANCE. LE PROJET CORPS ÉLECTROMAGNÉTIQUES*; PHOTO : RICHARD-MAX TREMBLAY.

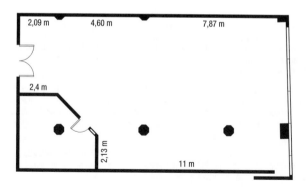

L'ŒIL DE POISSON

Centre de diffusion et de production en art actuel et multidisciplinaire, l'Œil de Poisson existe depuis 1985. À l'origine le centre se consacrait uniquement à la photographie et a par la suite élargi progressivement ses activités et étendu son action à l'ensemble des arts visuels ainsi qu'à la réalisation d'événements multidisciplinaires. Membre de la coopérative Méduse depuis 1995, l'Œil de Poisson lançait en 2000 la Manifestation internationale d'art de Québec*, événement biennal à caractère thématique maintenant incontournable.

L'Œil de Poisson privilégie un art de recherche et d'exploration qui encourage le décloisonnement des pratiques artistiques et stimule les transferts et les rencontres entre disciplines. Le centre concrétise ses objectifs artistiques par la réalisation et la production de différents projets d'exposition, de conservation et d'échange, au moyen d'événements, de conférences, d'ateliers, de spectacles et de publications. Enfin le centre s'engage aussi dans des projets ponctuels de production, de résidence, de collaboration et d'échange avec l'étranger.

En plus de ses deux galeries, le centre offre aux artistes deux nouveaux espaces d'intervention : le mur du hall d'entrée en vitrine, ainsi qu'un espace sur la page d'accueil de son site Web. Les artistes exposants, tout comme les membres producteurs, ont accès aux ateliers de production regroupant une menuiserie, un atelier de métal et une salle de peinture.

* L'événement, maintenant connu sous le nom de Manif d'art, est pris en charge par l'organisme Manifestation internationale d'art de Québec.

541, rue de Saint-Vallier Est
Québec (Québec) G1K 3P9

galerie
580, côte d'Abraham (Québec)

bureaux
T 418 648 2975
atelier de production
T 418 647 0510

F 418.648.8284
oeildepoisson@meduse.org
www.meduse.org/oeildepoisson

HEURES D'OUVERTURE
bureaux
LUNDI » VENDREDI : 9 h à 17 h
galerie
MERCREDI » DIMANCHE :
12 h à 17 h + sur rendez-vous
atelier de production
LUNDI » VENDREDI : 9 h à 17 h

DIRECTION
CAROLINE FLIBOTTE

L'Œil de Poisson, an exhibition and production centre for multidisciplinary contemporary art, was founded in 1985. Initially, the centre was devoted exclusively to photography; later, it gradually expanded its activities and extended its work to include all the visual arts, as well as the organization of multidisciplinary events. A member of the Méduse cooperative since 1995, L'Œil de Poisson launched the Manifestation internationale d'art de Québec* in 2000. This thematic biennial event has become a fixture on the contemporary art scene.

L'Œil de Poisson privileges artistic enquiry and exploration which encourages the de-compartmentalizing of artistic practices and stimulates transfers and exchanges between disciplines. The centre brings its goals to fruition through the creation and production of uncommon exhibition, preservation and exchange projects by means of events, public talks, workshops, shows and publications. Finally, the centre also carries out occasional production, residency and foreign collaborative and exchange projects.

In addition to its two galleries, the centre provides artists with two new spaces to exhibit their work: the display case in the entry hall and a space on the home page of its web site. Exhibiting artists, as well as members, have access to production studios, including a woodworking shop, a metal shop and a painting studio.

* This event, now known as the Manif d'art, is organized by the group Manifestation internationale d'art de Québec.

L'ŒIL DE POISSON. AMÉLIE-LAURENCE FORTIN, *ENTREPOSAGE DOMESTIQUE*, 2005; PHOTO : IVAN BINET.

SOUMISSION DE DOSSIERS
15 septembre

Petite galerie, hall d'entrée, vitrine Web,
projets musicaux et multidisciplinaires,
commissariat : en tout temps

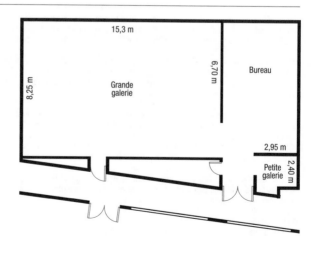

OPTICA, UN CENTRE D'ART CONTEMPORAIN

Depuis sa fondation en 1972, Optica contribue à faire connaître les pratiques contemporaines d'artistes de la scène locale, nationale et internationale. La vocation multidisciplinaire du centre réunit des programmes d'expositions, de colloques et de rencontres avec les artistes, soutenus par une activité éditoriale et un investissement dans la production d'événements thématiques.

Les publics servis par ces programmes viennent principalement de la région du grand Montréal, alors que les publications (essais, actes de colloques, livres d'artistes) rejoignent d'autres publics au pays et à l'étranger. Notre objectif est d'offrir une tribune critique variée en œuvrant en partenariat avec des institutions et des organismes culturels d'ici et d'ailleurs dont le mandat est complémentaire au nôtre.

Un des principaux mandats d'Optica est de susciter une réflexion sur les pratiques actuelles, leurs mises en exposition et leurs supports de diffusion. Soumis une fois l'an et sélectionnés par un comité, tous les projets d'artistes et de commissaires inscrits à la programmation reçoivent l'assistance technique nécessaire à leur conception et à leur réalisation, de la part d'un personnel dynamique et qualifié. Le centre procède aussi par invitation pour rester à l'affût des tendances les plus novatrices et pertinentes dans la recherche en art contemporain. Les expositions montées sous le commissariat du centre font par ailleurs l'objet d'appels de dossiers thématiques qui donnent lieu à des recueils d'essais.

En 1992, Optica s'est doté d'un fonds d'archives, administré par l'Université Concordia, qui répertorie les activités du centre depuis sa fondation. Le public peut y avoir accès en prenant rendez-vous ou en consultant les archives électroniques réunies sous Décades sur le site <www.optica.ca>.

À l'international, Optica s'est distingué par des commissariats d'exposition en Europe et aux États-Unis, de même que par sa participation à la foire d'art Artforum Berlin.

Optica

372, rue Sainte-Catherine Ouest,
espace 508, Montréal (Québec) H3B 1A2
T 514 874 1666   F 514 874 1682
info@optica.ca
www.optica.ca

HEURES D'OUVERTURE
bureau
MARDI » VENDREDI : 10 h à 17 h
galerie
MARDI » SAMEDI : 12 h à 17 h

DIRECTION
MARIE-JOSÉE LAFORTUNE
COMMUNICATIONS
DAGMARA STEPHAN
TECHNIQUE
MARC DULUDE

SOUMISSION DE DOSSIERS
28 février

Since its founding in 1972, OPTICA has contributed to making the practices of contemporary artists known on the local, national and international stage. The centre's multidisciplinary vocation brings together exhibition programs, symposia and discussions with artists, supported by a publishing program and a commitment to the production of thematic events.

These programs serve a public located mainly in the greater Montreal region, while the centre's publications (essays, conference papers, artists' books) reach a national and international audience. The goal is to provide a varied critical platform by working in partnership with cultural institutions and agencies here and abroad whose mandate complements our own.

One of OPTICA's principal mandates is to give rise to a reflection on contemporary practices and forms of exhibition and dissemination. All proposals by artists and curators are examined once annually by a committee; those selected receive the technical assistance necessary to carry them out from our dynamic and qualified staff. The centre also works by invitation in order to remain on top of the most innovative and relevant trends in contemporary art. Exhibitions curated by the centre are the subject of thematic calls for submissions and result in the publication of essay anthologies.

In 1992, OPTICA established an archive, administered by Concordia University, which documents the centre's activities since its foundation. The public can consult this archive by appointment or by visiting our web site at www.optica.ca, where our electronic archives are organized by decade.

On the international stage, OPTICA has distinguished itself by curating exhibitions in Europe and the United States, as well as through its participation in the Atforum Berlin art fair.

OPTICA. JEANIE RIDDLE, *FLOATING FLOORS... OR MAYBE JUST A PILE OF LOVE*, INSTALLATION ; JEAN-MAXIME DUFRESNE, *TRACKERS*. INSTALLATION VIDÉO, 2006 ; PHOTO : MARC DULUDE.

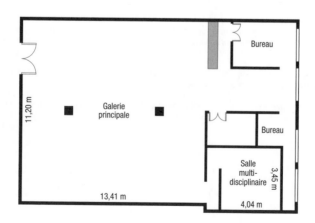

PARALŒIL,
CENTRE D'ACCÈS EN ARTS MÉDIATIQUES

Situé à Rimouski, Paralœil a comme premier mandat de diffuser des œuvres cinématographiques et vidéographiques, principalement des créations québécoises qui s'inscrivent dans l'un ou l'autre des créneaux suivants : le social, le politique, la recherche, la jeunesse, l'art et l'expérimentation.

Le second mandat de Paralœil consiste à soutenir la production vidéo et à rendre possible l'exploration des nouveaux médias en région en donnant accès à des équipements de tournage et de montage professionnels de même qu'à des services de soutien et de formation.

De plus, Paralœil organise une dizaine de formations annuellement, possède un centre de location d'équipements, une salle de cinéma de 130 places ainsi qu'un café-bar où des artistes de la région viennent échanger des vues sur leurs pratiques.

274, rue Michaud
Rimouski (Québec) G5L 6A2
T 418 725 0211 F 418 725 1758
info@paraloeil.com
www.paraloeil.com

HEURES D'OUVERTURE
LUNDI » VENDREDI : 9 h à 17 h

DIRECTION GÉNÉRALE
CLAUDE FORTIN
**COORDINATION DE LA
PROGRAMMATION**
CLAUDE FORGET
ADJOINTE ADMINISTRATION
SOPHIE LEBEL

**COORDINATION DU SECTEUR
PRODUCTION**
GABRIEL ANCTIL

SOUMISSION DE DOSSIERS
PROGRAMME DE SOUTIEN
À LA PRODUCTION
1er février, 15 mai, 1er septembre

Located in Rimouski, Paralœil's primary mandate is to disseminate film and video work, principally new works produced in Quebec which fall into one of the following categories: social issues, political issues, artistic enquiry, youth issues and art and experimentation.

Paralœil' s second mandate is to support video production and make possible an exploration of new media in outlying regions by providing access to professional shooting and editing equipment as well as technical support and training.

In addition, Paralœil organizes a dozen or so skills workshops annually and operates an equipment rental centre, a 130-seat cinema and a café-bar where artists of the region can meet and exchange ideas about their work.

PARALŒIL. PHOTO : STEVE LEROUX

PERTE DE SIGNAL

Perte de Signal est un centre de production, de recherche et de développement de projets en arts médiatiques. Prenant différentes formes – de la création sur disque numérique à l'installation immersive *in situ* – les projets de diffusion cherchent à repenser les modes de présentation des œuvres numériques. De plus, l'organisme sans but lucratif commande une structure de prestation de services qui offre à sa collectivité un apport professionnel en termes de représentation d'artistes, de production d'œuvres et d'événements, de location d'équipement, de commissariat d'exposition, de parrainage, de réseautage, d'édition, de défense des droits d'auteur, d'appui à l'amélioration du statut socioéconomique de l'artiste et de soutien au rayonnement des arts médiatiques.

perte de signal

372, rue Sainte-Catherine Ouest,
local 327
Montréal (Québec) H3B 1A2
T 514 273 4813
info@perte-de-signal.org
www.perte-de-signal.org

HEURES D'OUVERTURE
variables

PRÉSIDENCE ET COMMUNICATIONS
JASON ARSENAULT
CHARGÉS DE PROJET
MYRIAM BESSETTE, ARIANE DE BLOIS,
SÉBASTIEN PESOT

SOUMISSION DE DOSSIERS
En tout temps

Perte de Signal is a media arts research and development centre. Taking different forms—from digital disk production to site-specific immersive installations—the projects attempt to reconsider how digital works are presented. The non-profit organization also manages a structure that provides professional services to its community, including representing artists, producing artworks and events, equipment rental, curatorship, mentorship, networking, publishing, advocacy for artists' rights, ancillary support for improving artists' socio-economic conditions and promoting media arts.

PERTE DE SIGNAL. CLAUDETTE LEMAY, *JARDIN*, 2005; PHOTO: ALEXIS BELLAVANCE.

PRAXIS ART ACTUEL

Praxis art actuel est un centre d'artistes autogéré en arts visuels orienté vers la recherche, la présentation, la promotion et la diffusion de projets artistiques novateurs. Le centre encourage les thématiques d'exposition axées sur les relations de l'être humain avec son environnement dans un contexte de nomadisme et de tout ce qui en découle : le déplacement, l'errance, la distance, le mouvement, l'adaptation, la trace, l'empreinte, le cycle, etc. Il favorise en particulier les événements à caractère itinérant dans une volonté soutenue d'action sur le territoire de la ville de Sainte-Thérèse et de la région des Laurentides.

Praxis diffuse des œuvres d'artistes en art actuel dont la pratique suscite un regard particulier sur sa spécificité et favorise le développement de son interdisciplinarité. Il encourage les artistes de la relève dont les pratiques s'accordent avec les thématiques du centre en leur réservant un espace et des activités dans la programmation des expositions. Praxis favorise les échanges avec les centres du Québec, du Canada et des autres pays et la circulation des œuvres d'art.

Centre de diffusion d'abord, mais aussi centre de recherche, Praxis n'a pas de programme de résidence à proprement parler. L'organisme est cependant intéressé par des projets de ce type dans la mesure où ils permettent la réalisation d'interventions sur le territoire ou de *work in progress* dans l'espace de diffusion.

Le centre a publié les catalogues *Kilomètr'art 2001 / Sur la piste de l'art. 2003 / Quand ça roule* en 2003 et *Les valises 2000 2002 2004* en 2005, témoins des projets spéciaux qu'il a réalisés. Le collectif d'artistes s'oriente de plus en plus vers des projets d'édition qui offriront une vitrine supplémentaire aux artistes, traitant de ce qui le distingue.

34, rue Blainville Ouest, C.P. 98549
Sainte-Thérèse (Québec) J7E 1X1
T 450 434 7648   F 450 434 8421
praxis@artactuel.ca
www.artactuel.ca

HEURES D'OUVERTURE
MARDI » DIMANCHE : 13 h à 17 h

COORDONNATRICE
GENEVIÈVE MATTEAU

SOUMISSION DE DOSSIERS
POUR LA PROGRAMMATION RÉGULIÈRE :
1er octobre
POUR LES PROJETS SPÉCIAUX :
dates à confirmer

Praxis art actuel is an artist-run visual arts centre which focuses on artistic enquiry and the exhibition, promotion and dissemination of innovative artistic projects. The centre encourages thematic exhibitions dealing with the relationship between people and their environment with respect to nomadism and everything that flows from this: displacement, wandering, distance, movement, adaptation, traces, impressions, cycles, etc. In particular, it promotes events of an itinerant nature with the goal of creating a sustained presence in the town of Saint-Thérèse and the Laurentian region.

Praxis makes available to the public the work of contemporary artists whose practice sheds a particular light on contemporary art's specificity and promotes its interdisciplinarity. It promotes the work of young artists whose artistic practices are in tune with the centre's themes by reserving space for them in its activities and exhibition programs. Praxis promotes exchange and the circulation of works of art among artist-run centres in Quebec, the rest of Canada, and abroad.

Praxis is first and foremost a centre for making art available to the public, but it is also a centre for artistic enquiry. It does not have a residency program per se. Nevertheless, it is interested in projects of this kind insofar as they enable artistic intervention in the region or the creation of "works in progress" in our exhibition space.

The centre has published the catalogues *Kilomètr'art 2001 / Sur la piste de l'art. 2003 / Quand ça roule* in 2003 and *Les valises 2000 20002 2004* in 2005, which document the special projects it carries out. The artists' collective is increasingly inclined towards publishing projects which will provide an additional showcase for artists who deal with its specificity.

PRAXIS ART ACTUEL. SYLVAINE CHASSAY, *À SUIVRE*, 2004.

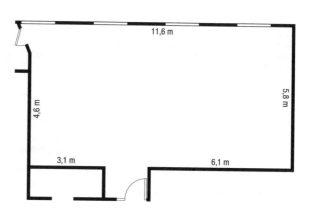

11,6 m

5,8 m

4,6 m

3,1 m

6,1 m

LES PRODUCTIONS RECTO-VERSO

Les Productions Recto-Verso est un groupe de création et de diffusion en art multidisciplinaire. Le travail de création de Recto-Verso s'élabore par la rencontre et l'imbrication de divers langages artistiques, et ce, souvent autour d'un élément central : l'espace scénographique. La nature des œuvres est variable : œuvres scéniques ou installations scénographiques fortement marquées par un contenu dramatique qui croise une quête de résonance des lieux, des espaces.

Affirmant la nécessité d'écrire le drame avec les codes et les outils actuels, de chercher la résonance de notre époque avec les outils de notre époque, l'intégration des nouvelles technologies figure au premier plan de l'esthétique de la complexité de Recto-Verso.

Assumant également un mandat de diffuseur spécialisé, Recto-Verso présente le Mois Multi, rare festival dédié tant à la création multidisciplinaire qu'à l'art électronique. Cet événement annuel permet la rencontre de nouvelles formes de création issues du travail d'artistes nationaux et étrangers. Le Mois Multi est un événement d'envergure qui jette un regard nouveau sur la création sous l'angle du croisement des discours, des méthodes et des langages.

Recto-Verso s'est doté d'outils qui lui permettent de soutenir la pratique multidisciplinaire. Ainsi, la gestion des équipements majeurs que sont la salle Multi et le studio d'Essai de Méduse permet au groupe d'épauler, dans le cadre de son programme de résidence, de nombreux artistes dans le développement de nouvelles œuvres.

La salle Multi et le studio d'Essai sont des espaces de type boîte noire dont la vocation multifonctionnelle offre de nombreuses possibilités de configuration. Ces salles se distinguent par leur double mandat de production et de diffusion. Elles sont entièrement modulables et possèdent une régie indépendante, des systèmes de sonorisation, d'éclairage, de communication, de projection vidéo, des habillages de scène, des gradins amovibles, etc. En plus d'équipements pour la production, elles possèdent un débarcadère pour manutentionner le matériel ainsi qu'un dépôt sécuritaire pour l'entreposage.

650, côte d'Abraham
Québec (Québec) G1R 1A1
T 418 524 7553 F 418 524 7993
recto-verso@meduse.org
www.meduse.org/recto-verso

SALLE MULTI ET STUDIO D'ESSAI
591, rue de Saint-Vallier Est, Québec
location
418 524 7347
billetterie
418 524 7577
infosalles@meduse.org

HEURES D'OUVERTURE
LUNDI » VENDREDI : 9 h à 17 h

CODIRECTION ARTISTIQUE
ÉMILE MORIN
CAROLINE ROSS
COORDINATION GÉNÉRALE
SHERLEY OUELLET

SOUMISSION DE DOSSIERS
En tout temps

Productions Recto-Verso is a multidisciplinary group for the creation and dissemination of art. Recto-Verso's creative work arises out of the encounter between and intermingling of various artistic languages, often around a central element: scenographic space. The nature of the work can vary: theatrical works or scenographic installations strongly marked by a dramatic content which incorporates this quest for the resonance of places and spaces.

Because of the need to write drama with present-day codes and tools and to seek out the resonance of our times with the tools of those times, the integration of new technologies is at the forefront of Recto-Verso's aesthetic of complexity.

Recto-Verso has also taken on the mandate of being a specialized disseminator, organizing Mois Multi, a rare festival dedicated to both multidisciplinary artistic creation and electronic art. This annual event makes possible an encounter between new forms of artistic creation born of the work of national and foreign artists. Mois Multi is a major event which casts a new look at artistic creation from the perspective of an intermingling of discourses, methods and languages.

Recto-Verso has equipped itself with tools which enable it to support multidisciplinary artistic practice. Major facilities such as the Salle Multi and the Essai de Méduse studio enable the group, through its residency program, to support numerous artists in their development of new work.

The Salle Multi and the Essai studio are black-box type spaces whose multi-functional vocation offers numerous possibilities for configuring them. These facilities are distinguished by their two-fold mandate of creation and dissemination. They are completely modular and contain an independent control panel, sound and lighting systems, video projection, stage dressing, fixed rows of seating, etc. In addition to technical production materials, they come equipped with a loading dock for unloading equipment and a secure storage area.

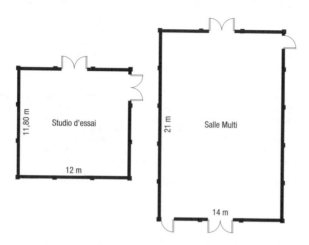

Studio d'essai

11,80 m

12 m

Salle Multi

21 m

14 m

LES PRODUCTIONS RECTO-VERSO. ÉMILE MORIN, *BOÎTE NOIRE*, 2005; PHOTO : ÉMILE MORIN.

REGROUPEMENT DES ARTISTES DES CANTONS-DE-L'EST (RACE)

Le Regroupement des Artistes des Cantons de l'Est est le seul centre d'artistes autogéré qui œuvre dans la région de l'Estrie. Il est situé au centre-ville de Sherbrooke dans un quartier en pleine expansion voué aux arts et à la culture. Le RACE est propriétaire d'un immeuble qui comprend de nombreux locaux : une galerie à géométrie variable, la galerie HORACE (pouvant accueillir une ou deux expositions à la fois) et, pour la production, un atelier collectif, des ateliers individuels, un atelier de gravure, un laboratoire de photographie, un atelier de couture, une menuiserie, un centre de recherche et de documentation et un atelier résidence qui est en voie de réalisation.

Notre collectif est engagé dans une réflexion et une interrogation sur la recherche en art actuel en présentant l'œuvre d'art issue de toutes disciplines dans un concept dynamique, ouvert sur l'échange, le partage des idées, la sensibilisation et l'expérimentation. Dorénavant, dans cette nouvelle perspective, les expositions seront présentées dans le cadre d'activités que nous appelons « Événements-laboratoires ». Ces Événements-laboratoires à caractère thématique seront articulés autour d'expositions, d'ateliers de formation, de conférences, de débats ou de colloques. Cette dynamique de recherche compte également des actions interventionnistes hors les murs et des projets d'artistes en résidence. Le Regroupement poursuit une démarche rigoureuse mettant en avant des projets-événements comme soutien d'une réflexion sur la situation des arts visuels actuels.

Dans cette optique, le RACE invite les artistes à proposer des projets qui favorisent les rencontres et les échanges avec les artistes et le public de la région estrienne.

HEURES D'OUVERTURE
MERCREDI » VENDREDI : 12 h à 17 h
SAMEDI + DIMANCHE : 13 h à 17 h

DIRECTION GÉNÉRALE
GINETTE SAINT-AMANT

SOUMISSION DE DOSSIERS
31 octobre

74, rue Albert
Sherbrooke (Québec) J1H 1M9
T 819 821 2326 F 819 821 2326
horace@abacom.com

The Regroupement des Artistes des Cantons de l'Est (RACE) is the only artist-run centre in the Estrie region of Quebec. It is located in downtown Sherbrooke in a neighbourhood with a growing number of arts and cultural activities. RACE owns a building with numerous facilities: a gallery whose configurations can be modified to suit; the HORACE gallery (able to accommodate one or two exhibitions at a time); and, on the production side, a collective studio; an engraving studio; a photographic darkroom; a needlework studio; a woodworking shop; a research and documentation centre; and a studio-residence, which is under construction.

Our collective is engaged in thinking about and enquiring into contemporary art by presenting works of art deriving from every discipline in a dynamic environment, one open to the exchange and sharing of ideas, public awareness and experimentation. Under its new formulation, exhibitions are now presented as part of activities we call "event laboratories". These thematic event laboratories will be organized around exhibitions, skills acquisition workshops and public talks, debates or conferences. This spirit of enquiry also includes off-site public events and projects carried out by artists in residence. Ours is a rigorous project of bringing to the forefront projects and events which contribute to thinking about the situation of contemporary art today.

In this light, RACE invites artists to propose projects which promote encounters and exchanges between artists and the public in the Estrie region.

RACE. BRIGITTE ROY, *LES CORPS QUI ABRITENT*, 2003 ; PHOTO : B. ROY.

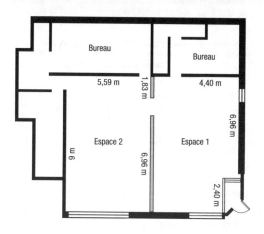

SAGAMIE

Fondé en 1981, SAGAMIE est un centre de recherche et de production spécialisé en impression numérique grand format et traitement numérique de l'image en art actuel. L'activité principale du centre est orientée vers la résidence d'artiste à laquelle viennent se greffer des activités spéciales de diffusion, de réflexion théorique, de formation et de publication. Le centre offre ainsi aux artistes, commissaires et théoriciens des conditions propices à la recherche, à la création, à la réflexion théorique et à la diffusion d'œuvres et de textes inédits qui s'inscrivent dans une continuité visant à contribuer aux nouveaux discours artistiques sur les arts contemporains numériques.

Ce laboratoire en continu soutient les projets de recherche qui développent une réflexion novatrice sur la technique numérique, interrogent le photographique et la picturalité ou proposent des interfaces avec d'autres formes de création : installation, performance, interventions extérieures, art relationnel, photographie, peinture, estampe, intégration à l'architecture, pratiques hybrides, transversales ou émergentes des nouvelles générations d'artistes, etc.

SAGAMIE exploite un des plus importants programmes d'artistes en résidence au Canada en recevant annuellement plus de 50 artistes du Québec, du Canada et de l'étranger. Ces artistes sont accueillis pour des séjours intensifs d'expérimentation et de création dans un imposant laboratoire informatique à la fine pointe des technologies possédant trois imprimantes numériques grand format (largeur d'impression de 60 po) utilisant des encres archives, cinq postes de travail Macintosh G4 et G5, tablettes graphiques, scanners et appareil photo numérique haute définition. Une attention particulière est portée au soutien d'artistes débutants ayant une problématique de recherche prometteuse.

En résidence, les artistes redéfinissent l'intervention numérique, créent de nouveaux langages, de nouvelles écritures artistiques apportant ainsi une contribution essentielle aux enjeux actuels de l'image et une reconnaissance de la pratique numérique comme moteur de recherche en art actuel et comme facteur d'éclosion multidisciplinaire.

Le Centre de diffusion SAGAMIE, espace d'exposition de 1 500 pi², favorise les projets intégrateurs de nouveaux discours en arts contemporains numériques.

SAGAMIE

Le Centre national de recherche et diffusion en arts contemporains numériques
The National Research and Exhibition Centre for the Contemporary Digital Art
50, rue Saint-Joseph, C.P. 93
Alma (Québec) G8B 5V6

T + F 418 662 7280
sagamie@cgocable.ca
www.sagamie.com

HEURES D'OUVERTURE
LUNDI » VENDREDI : 9 h à 17 h
et selon les besoins des artistes en résidence (prêt de clés)

DIRECTION
NICHOLAS PITRE
CHARGÉE DE PROJETS
KARINE CÔTÉ
ASSISTANTS À LA CRÉATION
ÉTIENNE FORTIN, ÉMILIE DUFOUR

SOUMISSION DE DOSSIERS
31 janvier

Founded in 1981, SAGAMIE is a centre for artistic enquiry and production which specializes in large-format digital printing and digital image manipulation in contemporary art. The centre's principal activity is providing artists' residencies, complemented by special dissemination, theoretical, training and publication activities. The centre thereby offers artists, curators and theorists conditions conducive to artistic enquiry and creation, theoretical reflection and the dissemination of uncommon works of art and texts which are situated in a continuum whose goal is to contribute in a significant way to new artistic discourses around the contemporary digital arts.

This ongoing laboratory takes form by supporting innovative projects which develop new ways of thinking about digital media, enquire into photography and pictorial issues or propose interfaces with other practices: installation, performance, outdoor interventions, relational art, photography, painting, the print, integration with architecture, the hybrid, transversal or emerging practices of a new generation of artists, etc.

SAGAMIE operates one of the largest artist in residence programs in Canada, receiving more than 50 artists each year from Quebec, the rest of Canada and abroad. These artists work for intensive periods of artistic creation and experimentation in an imposing computer laboratory at the cutting edge of technology, including three large-format archival ink digital printers (print size 60 inches), five Macintosh G4 and G5 work stations, graphics tablets, scanners and high-definition digital photography equipment. Particular attention is paid to supporting emerging artists with a promising topic of artistic enquiry.

Artists in residence redefine digital intervention and develop new languages and new forms of artistic creation, thereby making an essential contribution to contemporary debate around the image and to a recognition of digital practice as a motor for enquiry in contemporary art and as a factor in the growth of multidisciplinary approaches.

The Centre de diffusion SAGAMIE, a 1500 sq. ft. exhibition space, encourages projects which integrate new discourses in the contemporary digital arts.

SAGAMIE. GUY BLACKBURN, *TOUCHE*, 2005 ; PHOTO : KARINE CÔTÉ.

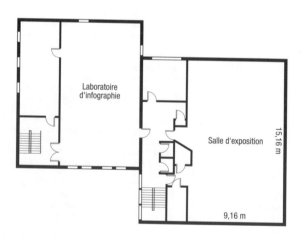

Laboratoire d'infographie

Salle d'exposition

15,16 m

9,16 m

SÉQUENCE
ARTS VISUELS ET MÉDIATIQUES

Fondée en 1983, la galerie Séquence est un centre de recherche, d'expérimentation, de production, de diffusion et de promotion en art actuel situé à Ville Saguenay, arrondissement de Chicoutimi, au Saguenay–Lac-Saint-Jean. Ses actions visent à soutenir les artistes dans l'exercice de leur métier et sa mission consiste à assurer un cadre propice de réflexion et d'action aux artistes et aux chercheurs qui contribuent, ici et ailleurs, par leur démarche, à l'avancement des arts visuels, des arts médiatiques et des nouveaux médias.

Afin d'édifier, au cœur de la cité, un lieu voué aux arts actuels et de s'approcher ainsi de la population, Séquence fit l'acquisition, en 1997, d'un bâtiment de trois étages, situé au centre-ville de Chicoutimi, et y a aménagé ses espaces de galerie au rez-de-chaussée offrant ainsi pignon sur rue aux exposants. Les œuvres installées dans les aires d'accueil recueillent ainsi le regard furtif des piétons qui déambulent. De plus, l'aménagement de la vitrine-écran, d'où sont projetées des œuvres et des programmes vidéo de la brunante à l'aurore – Fréquence radio 98,5 FM –, favorise notre objectif d'exposer l'art contemporain dans la rue et de le rendre plus accessible.

Au deuxième et troisième étages de l'immeuble sont aménagés les espaces administratifs, centre de documentation, postes de travail en infographie et en vidéographie, résidence d'hébergement, salle de réunion, bureaux et espaces d'entrepôt. Notre Centre de technologies de l'image, du son et de la vidéo est accessible aux artistes afin de les accompagner dans leur démarche de création et ainsi dynamiser le milieu en vue notamment de contrer l'exode des jeunes artistes. Séquence accompagne ses activités d'un ensemble de moyens de promotion: vernissages, visites guidées, publications, site Internet, circulation d'expositions, etc.

Les œuvres présentées à Séquence sont installatives, multimédias, musicales, photographiques, vidéographiques, cinématographiques ou issues des nouveaux médias. Outre sa mission sociale d'affirmer la place importante du citoyen artiste dans la société, Séquence veut développer au Saguenay–Lac-Saint-Jean une réflexion continue sur les arts actuels et mesurer leurs impacts culturels et sociaux.

154 * 155

[Séquence – Arts Visuels et Médiatiques]

132, rue Racine Est, C.P. 442
Chicoutimi (Québec) G7H 1R1
T 418 543 2744 F 418 543 6730
art@sequence.qc.ca
www.sequence.qc.ca

HEURES D'OUVERTURE
administration
LUNDI » VENDREDI : 9 h à 17 h
galerie
MARDI » VENDREDI : 12 h à 16 h 30
DIMANCHE : 13 h 30 à 16 h 30
+ sur rendez-vous

Horaire d'été
MARDI : 10 h à 17 h, MERCREDI »
VENDREDI : 10 h à 17 h + 18 h à 21 h,

SAMEDI : 18 h à 21 h, DIMANCHE :
13 h 30 à 16 h 30 + sur rendez-vous.

DIRECTION
GILLES SÉNÉCHAL
COORDONNATEUR
CLAUDE MARTEL

SOUMISSION DE DOSSIERS
En tout temps.

Founded in 1983, Séquence is devoted to artistic enquiry, experimentation, production, dissemination and promotion in contemporary art in the Chicoutimi district of Saguenay–Lac-St-Jean. Its work aims to support artists in the exercise of their profession and its mission consists in providing a framework conducive to reflection and action to artists and scholars here and abroad who contribute to the advancement of the visual and media arts and the new media.

In order to establish a site dedicated to contemporary art in the heart of the city and thereby to get closer to people's lives, Séquence purchased a three-storey building in downtown Chicoutimi in 1997. There, it established its gallery space on the ground floor, providing exhibiting artists with street-level visibility. Work exhibited in the entry area can fleetingly be seen by passing pedestrians. In addition, a screen in the storefront window projecting video works and programs from dusk to dawn—on radio frequency 98.5 FM—furthers our objective of disseminating contemporary art in the street and of making it more accessible.

The administrative offices, documentation centre, computer graphics and video work stations, lodgings for artists in residence, conference room, offices and storage space are found on the second and third floor of the building. Our Centre de technologies de l'image, du son et de la vidéo is accessible to artists to help them carry out their artistic projects and thereby bring life to the area, in particular by stemming the departure of young artists from the region. Séquence's activities are accompanied by a range of promotional activities: openings, guided tours, publications, web site, travelling exhibitions, etc.

The work exhibited at Séquence can be installations, multimedia, music, photographs, videos, films, or new media. Apart from its social mission of asserting the important role of the artist-citizen, Séquence seeks to develop in Saguenay–Lac-St-Jean sustained thinking about contemporary art and to gauge its cultural and social impact.

CINDY DUMAIS, *EXCÉDEZ*, 2004 ; PHOTO : **SÉQUENCE**.

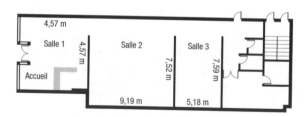

Le mandat de Skol est de présenter le travail d'artistes et de théoriciens en début de carrière, en favorisant ceux dont la recherche est soutenue par une réflexion critique.

Ses objectifs sont de privilégier les pratiques porteuses d'avenir; de mettre en place les conditions qui facilitent l'engagement des artistes en créant un espace de participation qui contribue au rayonnement du Centre; d'accorder une grande place aux initiatives spontanées et aux partenariats afin de mieux répondre aux besoins du milieu.

Le développement de l'organisme et de sa programmation reflète les tendances qui émergent des projets reçus dans le cadre de nos appels de dossiers et des collaborations initiées sur une base affinitaire. La création d'espaces de dialogue vise à accroître les liens entre les individus, à valoriser et à partager le savoir, les expériences et les compétences développées pour le milieu des arts visuels et adaptées à sa spécificité. À chaque exposition, l'artiste est invité à participer activement aux visites éducatives destinées tant aux étudiants en art qu'au grand public. L'interactivité et l'ouverture aux nouvelles pratiques, incluant celles qui chevauchent l'art et d'autres domaines, nous poussent à reconsidérer les modes de diffusion traditionnels. Les activités théoriques (conférences, publications imprimées et électroniques) reflètent la dimension critique de la programmation et mettent en lumière ses liens avec les courants sociaux et l'histoire de l'art tout en la situant dans le champ des pratiques actuelles.

156 ✱ 157

Centre des arts actuels Skol
SKOL

372, rue Sainte-Catherine Ouest,
espace 314
Montréal (Québec) H3B 1A2
T 514 398 9322 F 514 398 0767
skol@skol.qc.ca
www.skol.qc.ca

HEURES D'OUVERTURE
MARDI » SAMEDI : 12 h à 17 h

COORDINATION ARTISTIQUE
ANNE BERTRAND
COORDINATION ADMINISTRATIVE
LOUIS FORTIER

SOUMISSION DE DOSSIERS
Consulter le site Internet pour les dates et les détails des appels de dossiers.

Skol's mandate is to present the work of artists and theorists in the early stages of their careers, particularly those whose work is accompanied by critical thinking.

Its goal is to privilege the promising practices of the future; to establish the conditions for facilitating the involvement of artists by creating a participatory space which contributes to the centre's visibility; and to give greater space to spontaneous initiatives and to partnerships in order to better respond to the community's needs.

Skol's development and its programming reflect the trends which emerge from projects received in response to our calls for submissions and from collaborations we initiate on the basis of an affinity of outlook. By creating spaces for dialogue we seek to create connections between individuals and to valorize and share knowledge, experiences and skills developed for the visual arts milieu and adapted to its specificity. For each exhibition, the artist is invited to participate actively in educational visits geared both to students and the general public. Interactivity and openness to new practices, including those which overlap practices in other fields, force us to reconsider the traditional means of disseminating art. Theoretical activities (public talks, print and electronic publications) reflect the critical dimension of our programming and highlight its ties to social currents and art history at the same time as it situates it in the field of contemporary practice.

SKOL. CATHERINE BODMER, *LACS*, 2005 ; PHOTO : GUY L'HEUREUX.

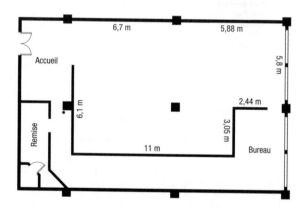

STUDIO XX

Studio XX est un centre d'artistes féministe engagé dans l'exploration, la création et la critique en arts médiatiques. Le mandat de l'organisme est de favoriser la création et la diffusion d'œuvres d'art réseau et Web, mais d'œuvres audio, vidéo et interactives conçues par des femmes. Il vise à initier de plus en plus de gens aux nouvelles technologies en offrant des ateliers de formation, en particulier avec des outils libres. Le Studio XX permet ainsi aux membres de façonner – à leur manière – l'espace numérique.

Parmi les activités du Studio XX, mentionnons les soirées Femmes br@nchées, où artistes, théoriciennes et activistes partagent leurs réflexions et créations devant un public invité à réagir; le Festival HTMlles, événement bisannuel international qui explore les multiples facettes de la technologie numérique et du Web comme médias de création et d'exposition; .dpi, la revue électronique du Studio XX, qui aborde les questions spécifiques aux femmes et à leur relation aux nouveaux médias et paysages technologiques contemporains.

Les résidences du Studio XX offrent une occasion aux artistes d'expérimenter de nouvelles méthodes dans un contexte de création d'œuvres. Nous favorisons les approches interdisciplinaires et accueillons des projets de collaboration avec d'autres professionnel(le)s. Le Studio XX cherche aussi à créer un réseau d'experts afin de répondre aux besoins des résidentes, tant au niveau technique que théorique.

Le Studio XX souhaite mettre entre les mains des femmes artistes les moyens technologiques nécessaires à la réalisation de leurs œuvres grâce à des ateliers de production : conception de sites Web, PHP et bases de données, audio en ligne, électronique audio, MAX/MSP et microcontrôleurs, fabrication de piles solaires, etc. Le laboratoire, dont l'accès est gratuit pour les membres, comprend six stations hybrides Mac / Linux avec connexion Internet haute vitesse et connexion sans fil.

STUDIO

338, terrasse Saint-Denis
Montréal (Québec) H2X 1E8
T 514 845 7934 F 514 845 4941
http://www.studioxx.org
info@studioxx.org

HEURES D'OUVERTURE
MARDI » VENDREDI : 10 h à 17 h

DIRECTION GÉNÉRALE
MARIE-CHRISTIANE MATHIEU
COORDINATION PAR INTÉRIM
DE LA PROGRAMMATION
SOPHIE LE-PHAT HO

SOUMISSION DE DOSSIERS
En tout temps, sélection en avril

Studio XX is a feminist artist-run centre involved in media art exploration, production and criticism.. The organization's mandate is to encourage the production and dissemination of network-based and Web art works as well as audio, video and interactive work conceived by women. It is devoted to introducing more and more people to new media by offering training workshops, particularly with open-source software. Studio XX thus allows members to shape–in their own way–the digital space.

Among the activities of Studio XX are its Femmes Br@nchées salons, where artists, theorists and activists share their thoughts and work with an audience invited to react; the HTMlles Festival, a biennial international event exploring the multiple facets of digital technology and the Web as production and exhibition media; .dpi, Studio XX's electronic publication, which approaches questions and issues specific to women and to their relationship to new media and to the contemporary technological landscape.

Studio XX's residencies offer artists the opportunity to experiment with new tools and methods in a context of artistic production. We are particularly interested in interdisciplinary approaches and welcome collaborative projects with other professionals. Studio XX also strives to develop a network of experts in order to respond to the needs of the resident artists on both technical and theoretical levels.

Studio XX wishes to provide women artists with the necessary technological means to create their own works by way of production workshops: website production, PHP and databases, on-line audio, electronic audio, MAX/MSP and microcontrollers, the fabrication of solar batteries, etc. The Lab, to which access is free for members, consists of six hybrid Mac/Linux stations with high-speed wireless Internet connection.

I8U, PERFORMANCE AU **STUDIO XX**, 2005

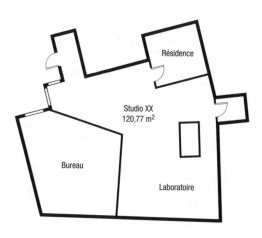

Résidence

Studio XX
120,77 m²

Bureau

Laboratoire

CENTRE D'ARTISTES VASTE ET VAGUE

Sis entre la mer et la montagne gaspésienne à Carleton-sur-Mer, Vaste et Vague est un centre d'artistes autogéré, seul lieu accrédité en arts visuels actuels et contemporains sur un territoire de 550 kilomètres de littoral. Il soutient la recherche et l'expérimentation artistiques professionnelles.

Son mandat consiste à regrouper les artistes sur son territoire, à promouvoir l'art visuel actuel et contemporain, à offrir un lieu d'échange et de confrontation d'idées, à soutenir la recherche et l'expérimentation de ses artistes membres, à sensibiliser le public à une pratique artistique émergente et à favoriser l'arrimage culture-éducation.

Vaste et Vague jouit d'un espace relativement neuf, d'une superficie de 38 mètres linéaires et de 130 m² de murs ainsi que de 122 m² de plancher. La hauteur de la salle est de 5 à 6,2 mètres. Le centre d'artistes est intégré au complexe culturel Le Quai des arts.

Vaste et Vague propose à ses visiteurs une programmation d'expositions multidisciplinaires. Nous mettons également sur pied des événements comme des symposiums de création *in situ*, des rencontres multidisciplinaires et des conférences. Notre programme de résidences favorise la rencontre des artistes avec le milieu étudiant et le public en général. Nous mettons à la disposition des membres, des étudiants et du public un centre de documentation sur l'art actuel.

Vaste et Vague est un véritable laboratoire de recherche et d'expérimentation. Nous mettons sur pied une série de formations et d'activités de perfectionnement dans plusieurs disciplines artistiques dont l'art performance, la gravure, la peinture à partir de matériaux bruts, les techniques de moulage, etc. Nos politiques de prêt et de location d'équipements favorisent leur juste utilisation au bénéfice des membres et des artistes qui fréquentent notre centre.

774, boul. Perron
Carleton-sur-Mer (Québec) G0C 1J0
T 418 364 3123 F 418 364 6826
cvaste@globetrotter.net

HEURES D'OUVERTURE
MARDI » SAMEDI : 13 h à 16 h
MARDI + JEUDI : 18 h 30 à 20 h 30

PRÉSIDENCE
FERNANDE FOREST
DIRECTION GÉNÉRALE
GUYLAINE LANGLOIS

SOUMISSION DE DOSSIERS
31 janvier de chaque année
pour la programmation régulière

Set between the sea and the mountains in Carleton-sur-Mer in the Gaspé region of Quebec, the artist-run centre Vaste et Vague is the only accredited contemporary arts centre in a 550-kilometre stretch of coastline. It supports professional artistic enquiry and experimentation.

Its mandate consists in bringing together artists of the region, promoting contemporary visual art, providing a place for the exchange and confrontation of ideas, supporting the artistic enquiry and experimentation of its member artists, raising awareness on the part of the public of emerging artistic practices and promoting the pairing of "culture and education".

Vaste et Vague has a relatively new space of approximately 38 linear metres, with 130 square metres of wall space and 122 square metres of floor space. The height of the gallery is from 5 to 6.2 metres. The centre is part of the cultural complex Le Quai des arts.

For its work of disseminating art, Vaste and Vague's programming offers its visitors multidisciplinary exhibitions. We also organize major events such as on-site creation symposia, multidisciplinary encounters and public talks. Our artist in residence program promotes encounters between artists and students and the general public. Our documentation centre for contemporary art is accessible to artists, students and the general public.

Vaste et Vague is a veritable laboratory for artistic enquiry and experimentation. We organize a series of workshops in numerous artistic disciplines including performance art, engraving, painting with rough materials, casting techniques and other disciplines. Our policies regarding equipment loan and rental promote the fair use of this equipment by our members and the artists who frequent our centre.

CENTRE D'ARTISTES VASTE ET VAGUE. FRANÇOIS MATHIEU, *PLUS TÔT QUE L'ÉCRASEMENT*, 2005 ; PHOTO : VÉRONIQUE LABELLE, DROITS RÉSERVÉS SODART.

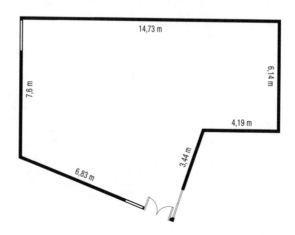

VIDÉOGRAPHE INC.

Vidéographe est un centre d'artistes voué à la création, à la diffusion et à la distribution d'œuvres d'art médiatiques indépendantes.

Vidéographe a pour mission d'encourager la production et la diffusion d'œuvres novatrices en arts médiatiques : vidéos d'art, documentaires, courts métrages, installations interactives, robotique et nouveaux médias. Il soutient tant les jeunes auteurs dans le cadre de la réalisation de leurs premières œuvres que les artistes professionnels dans la pratique et la reconnaissance de leur art. Cette mission comprend trois volets :

Vidéographe production : Le secteur production facilite l'accès à la production vidéo, à la création et à la recherche en arts médiatiques en offrant à ses membres et à la communauté artistique des programmes de création, des résidences d'artistes, des ateliers de formation, un service de location d'équipement de tournage et de montage vidéo ainsi que des outils de création numérique.

Vidéographe distribution : Le secteur de la distribution participe à la reconnaissance des œuvres et des artistes, en assurant notamment leur distribution et leur diffusion et en pratiquant une politique de juste paiement des droits d'auteur. Il comporte près de 1500 titres en distribution et accomplit un travail de diffusion de la vidéo d'auteur au Québec, au Canada et à l'étranger. De nombreuses bandes sont récompensées lors de festivals et événements internationaux. Des informations sur la collection complète sont disponibles sur le site web.

L'Espace Vidéographe : L'Espace Vidéographe favorise le développement de la discipline et l'intérêt de nouveaux publics par le biais d'activités multiples en programmation. Il propose une rencontre des arts médiatiques et des autres champs de la pratique artistique. Sur un mode nomade, l'Espace Vidéographe présente, hors les murs ou en galerie, des œuvres et des événements qui transgressent et font éclater leurs propres frontières.

460, rue Sainte-Catherine Ouest,
local 504
Montréal (Québec) H3B 1A7
T 514 866 4720 F 514 866 4725
info@videographe.qc.ca
www.videographe.qc.ca

SECTEUR PRODUCTION
4550, rue Garnier
Montréal (Québec) H2J 3S7
production@videographe.qc.ca

HEURES D'OUVERTURE
Distribution
LUNDI » VENDREDI : 9 h à 17 h
Production
LUNDI » VENDREDI : 9 h à 12 h 30
(fermé à l'heure du dîner) + 13 h 30 à 17 h

DIRECTION GÉNÉRALE
MARIE-DOMINIQUE BONMARIAGE
**COORDINATION SECTEUR
DISTRIBUTION**
BERNARD CLARET
**COORDINATION SECTEUR
PRODUCTION**
MARTIN MEUNIER

Vidéographe is an artist-run centre dedicated to the production, dissemination and distribution of independent media art works.

Vidéographe's mission is to encourage the production and dissemination of innovative media art works: video art, documentaries, shorts, interactive installations, robotic works and new media. It supports both young artists, for the production of their first works, and professional artists in their practice and for the recognition of their art. This mission has three components:

Videographe Production: The Production sector provides access to video production and to media art research and development by offering to its members and to the artistic community production seminars, special projects, artists' residencies, training workshops, a video production and post-production equipment rental service as well as digital production tools.

Videographe Distribution: The distribution sector serves the recognition of works and artists, notably by ensuring their distribution and dissemination and by its commitment to minimum copyright fee payment. There are over 1500 titles in distribution. Information on the complete collection can be found on our website. Vidéographe distributes and disseminates independent video in Quebec, the rest of Canada and abroad. Many works from the collection have received awards and mentions at international festivals around the world.

L'Espace Vidéographe: L'Espace Vidéographe strives to foster the development of the discipline and the interest of new audiences by way of multiple programming activities. It brings together the media arts with other artistic practices. L'Espace Vidéographe functions according to a nomadic modus operandi, presenting, off-site or in diverse spaces, works and events transgressing and expanding their own limits.

SOUMISSION DE DOSSIERS
DISTRIBUTION
en tout temps.
PRODUCTION
15 avril, 15 août
ESPACE VIDÉOGRAPHE
15 janvier

VIDÉOGRAPHE. PHOTO : PIERRE BRAULT

VOX,
CENTRE DE L'IMAGE CONTEMPORAINE

VOX est un centre de l'image contemporaine qui offre des conditions propices à la diffusion, à la recherche et à l'expérimentation en permettant à des artistes et commissaires, expérimentés ou émergents, de prendre part à un laboratoire continu de création et de réflexion sur les diverses pratiques de l'image. Sa programmation manifeste un souci d'ouverture disciplinaire.

Au printemps 1985 un collectif d'artistes inaugure Vox Populi, organisme sans but lucratif voué à la communication et aux pratiques multidisciplinaires de l'art. En 1987, l'organisme redéfinit son mandat en se consacrant exclusivement à la photographie. VOX organise le premier Mois de la Photo à Montréal en 1989. En 2002, après sept biennales, le Mois de la Photo à Montréal devient un organisme distinct. Le centre poursuit son développement en relocalisant en mai 2004 ses activités de diffusion dans le centre-ville de Montréal.

Le Fonds documentaire : depuis les années 90, VOX élabore des activités où se conjuguent la photographie et les technologies. Souhaitant contribuer à l'avancement des connaissances portant sur l'histoire et les enjeux de l'image contemporaine, le centre réalise en 2005 un important fonds iconographique et textuel sur la photographie québécoise. (http://www.voxphoto.com/fondsdocumentaire.html)

Les relations nationales et internationales : VOX a multiplié au fil des ans les collaborations avec les diffuseurs du Canada et de l'étranger. Le centre accorde beaucoup d'importance à la diffusion nationale et internationale des œuvres d'artistes canadiens. Il a ainsi réalisé plusieurs projets de circulation et de coproduction à l'étranger notamment en Belgique, au Luxembourg, aux Pays-Bas, en Espagne, au Mexique et en Allemagne.

L'espace d'exposition : VOX occupe un espace d'une superficie de 3400 pi² sur le boulevard Saint-Laurent en plein cœur du « Red Light », secteur mythique qui est appelé à devenir le Quartier des spectacles. L'espace d'exposition compte une grande galerie située au rez-de-chaussée et deux mezzanines dont l'une est principalement vouée au multimédia.

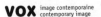

VOX image contemporaine
contemporary image

1211, boulevard Saint-Laurent
Montréal (Québec) H2X 2S6
T 514 390 0382 F 514 390 1293
vox@voxphoto.com
www.voxphoto.com

HEURES D'OUVERTURE
bureau
MARDI » VENDREDI : 9 h à 17 h
espace d'exposition
MARDI » SAMEDI : 11 h à 17 h

DIRECTION
MARIE-JOSÉE JEAN
COORDINATION GÉNÉRALE
CLAUDINE ROGER

SOUMISSION DE DOSSIERS
En tout temps

VOX is a centre for the contemporary image that provides experienced and emerging artists and curators with a venue for making their work available to the public and for carrying out artistic enquiry and experimentation within a permanent laboratory for thinking about and working within various image practices. Its programming demonstrates a desire to effect an opening up of disciplines.

In the spring of 1985, an artists' collective founded Vox Populi, a non-profit organization devoted to communication and multidisciplinary artistic practices. In 1987, the organization redefined its mandate to concentrate exclusively on photography. VOX organized the first edition of the Mois de la Photo à Montréal, an international biennial event, in 1989. In 2002, after having organized seven editions of the event, it decided to make the Mois de la Photo à Montréal a separate organization. In 2004, VOX pursued this goal by moving its exhibition facilities to downtown Montreal.

The Fonds documentaire: Since the 1990s VOX has been expanding its activities which join photography and new technologies. Wishing to contribute to knowledge of the history of the contemporary image and the issues it raises, in 2005 the centre created a major collection of images and texts on Quebec photography.

At Home and Abroad: VOX has increased its number of collaborations over the years with exhibition venues, in Canada and abroad. The centre attaches a great deal of importance to the national and international dissemination of works by Canadian artists. It has carried out numerous projects for touring work abroad and has entered into several co-production agreements, in particular in Belgium, France, Luxemburg, The Netherlands, Spain, Portugal, Mexico and Germany.

Our Exhibition Space: VOX occupies a 3,400 sq. ft. space with a display window on Saint-Laurent Boulevard in the heart of Montreal's mythical "red light" district, which will soon become the "Quartier des spectacles". This exhibition space has a large gallery and office space on the ground floor and two mezzanines, one of which is devoted for the most part to multimedia installations.

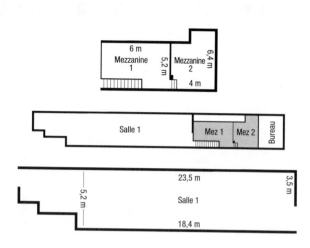

VOX, CENTRE DE L'IMAGE CONTEMPORAINE. ANGELA GRAUERHOLZ, *SALLE DE LECTURE DE L'ARTISTE AU TRAVAIL*, 2006 ; PHOTO : MICHEL BRUNELLE.

VU, CENTRE DE DIFFUSION ET DE PRODUCTION DE LA PHOTOGRAPHIE

VU est un centre d'artistes qui se consacre à la promotion et au développement de la photographie contemporaine. Le centre présente chaque année une douzaine d'expositions individuelles d'artistes du Québec, du Canada et de l'étranger. VU a organisé plusieurs événements spéciaux de diffusion et fait circuler des expositions sur la scène internationale, dont *Mirabile Visu* (1989), *Le Réel et ses simulacres* (1991-1995), *Trois fois Trois Paysages* (1997-1999), *Le Vertige de l'évidence* (2001), *La Disparition* (2002-2004) et *Habiter* (2006). Le centre soutient les pratiques émergentes et propose une programmation qui fait une place importante à la relève, qui interroge les nouvelles technologies de l'image et qui se veut représentative des tendances les plus novatrices de la photographie actuelle. VU est un des membres de la coopérative Méduse, qui regroupe dix organismes œuvrant en arts visuels, médiatiques et multidisciplinaires.

Laboratoires : VU offre aux artistes de toutes disciplines un accès privilégié à une vaste gamme d'équipements de production et de services professionnels en photographie argentique et en impression numérique (studio de création, chambres noires individuelles, processeur couleur, stations informatiques et imprimante à jet d'encre grand format). Ces installations uniques au Québec, animées par des techniciens de haut niveau, constituent des espaces de recherche et d'échange au service de la création artistique. Le centre reçoit chaque année de nombreux artistes en résidence afin d'encourager la réalisation de travaux inédits dans un contexte propice à l'expérimentation.

Publications : VU contribue au développement de la réflexion critique sur les principaux enjeux de la photographie et de l'art actuel. VU et les Éditions J'ai VU ont publié une trentaine de livres sur l'art photographique ainsi que plus de 150 feuillets d'artistes accompagnant les expositions inscrites à la programmation du centre. Fondées en 1999, les Éditions J'ai VU ont créé trois collections – *Livres d'artistes*, *L'image amie* et *L'opposite* – qui font dialoguer photographie, création littéraire et perspectives pluridisciplinaires.

VU
PHOTO

523, rue de Saint-Vallier Est
Québec (Québec) G1K 3P9
bureau T 418 640 2585
laboratoire T 418 640 2558
F 418 640 2586
vuphoto@meduse.org
www.meduse.org/vuphoto

HEURES D'OUVERTURE
galeries
MERCREDI » DIMANCHE : 12 h à 17 h
labos
LUNDI » VENDREDI : 9 h à 17 h
SAMEDI : 12 h à 17 h

DIRECTION
ANDRÉ GILBERT

PROGRAMMATION
ÈVE CADIEUX
LABORATOIRES
ANDRÉ BARRETTE
ÉDITION ET COMMUNICATIONS
RODRIGUE BÉLANGER

SOUMISSION DE DOSSIERS
15 janvier et 15 septembre

VU is an artist-run centre devoted to the promotion and development of contemporary photography. Each year the centre presents a dozen solo shows of artists from Quebec, the rest of Canada and abroad. VU has organized numerous special events for the dissemination of photography and toured its exhibitions abroad, including *Mirabile Visu* (1989), *Le Réel et ses simulacres* (1991-95), *Trois fois Trois Paysages* (1997-99), *Le Vertige de l'évidence* (2001), *La Disparition* (2002-04) and *Habiter* (2006). The centre supports emerging practices and presents programs which give a major place to young artists, enquire into new image technologies and are representative of the most innovative practices in contemporary photography. VU is a member of the Méduse cooperative, a group of ten visual arts, media and multidisciplinary organizations.

Laboratories: VU offers artists in every discipline privileged access to a vast range of production equipment and professional services in silver print and digital photography (production studio, individual darkrooms, colour processor, computer stations and a large-format ink jet printer). This equipment, which is unique in Quebec and facilitated by highly qualified technicians, makes up a space of artistic enquiry and exchange in the service of artistic creation. Each year, the centre welcomes several artists in residence in order to encourage the creation of uncommon work in a setting conducive to experimentation.

Publications: VU contributes to the development of critical thinking about the principal issues in photography and contemporary art. VU and Les Éditions J'ai VU have published some thirty books on photographic art as well as more than 150 brochures accompanying artists' exhibitions at the centre. Founded in 1999, Les Éditions J'ai VU has developed three series of publications, *Livres d'artistes*, *L'image amie* and *L'opposite*, which bring photography, literary creation and multidisciplinary perspectives into dialogue with one another.

VU. PHOTO © KARIM RHOLEM

8,25 m

8 m

L'espace
européen

10,75 m

8,75 m

L'espace
américain

7 m

8 m

Studio

Accueil

Laboratoire photo

Informatique

ZOCALO

Fondé en 1992 par Claire Lemay et Johanne Proulx, Zocalo est un centre spécialisé en recherche, production et diffusion de l'art imprimé. Les activités du centre visent la réactualisation des techniques d'impression traditionnelles et le développement des outils de traitement et d'impression numérique de l'image. Il questionne l'apport de celles-ci dans un contexte d'éclatement et de multidisciplinarité des pratiques en art actuel. Par notre *projet relève*, nous accordons une attention particulière aux jeunes artistes qui désirent nous soumettre un dossier. Zocalo a aussi créé un volet formation allant de l'initiation au perfectionnement en traitement numérique de l'image.

Zocalo offre six résidences par année en traitement et impression numérique de l'image. La durée de celles-ci varie de deux à quatre semaines, suivant l'importance et la complexité du projet. Elles fournissent un cachet d'artiste, des matériaux d'impression, un soutien technique et une aide au logement.

Zocalo recherche des artistes ayant des projets novateurs de livres d'artiste à tirage limité. Ceux-ci peuvent être réalisés dans le cadre de résidences spécifiques.

L'atelier de production en techniques traditionnelles permet l'impression selon différents procédés dont la gravure en relief (bois gravé, linogravure, monotype, photopolymère) et en creux (collagraphie, eau-forte au perchlorure de fer, photogravure, carborundum). L'atelier de traitement et d'impression numérique met à la disposition des artistes un environnement Macintosh comprenant quatre ordinateurs G4 et trois imprimantes de formats de 13 po, 24 po et 44 po de largeur sur une longueur maximale de 8 pi. Nous imprimons sur différents supports. Pour la vidéographie, nous disposons d'une station G5 pour le montage vidéo sur Final Cut Pro HD, l'animation sur Motion, le traitement sonore sur Soundtrack, la réalisation de documents DVD sur DVD Studio Pro et la modélisation tridimensionnelle sur Strata Studio Pro.

PLACE PUBLIQUE

80, rue Saint-Jean
Longueuil (Québec) J4H 2W9
T 450 679 5341 F 450 679 5341
info@zocaloweb.org
www.zocaloweb.org

HEURES D'OUVERTURE
bureau
9 h à 17 h
atelier
24 h pour les membres réguliers

COORDINATION
GILLES PRINCE
PRÉSIDENCE
CLAIRE LEMAY
**AGENTE DE DÉVELOPPEMENT,
PROGRAMME RELÈVE**
NATHALIE PARENT

SOUMISSION DE DOSSIERS
28 février

Founded in 1992 by Claire Lemay and Johanne Proulx, Zocalo is an artist-run centre specializing in artistic enquiry, production and dissemination in the field of the print. The centre's activities aim to bring traditional printing techniques up to date and to develop tools for digital image manipulation and printing. It enquires into the contribution of these techniques in a context in which contemporary artistic practice has become multidisciplinary and non-homogeneous. Our Young Artists project pays particular attention to the work of young artists who submit a project. Zocalo has also developed a skills acquisition program in digital image manipulation, ranging from beginner to advanced levels.

Zocalo offers six residencies per year in digital image manipulation and printing. These vary in length from two to four weeks, according to the scale and complexity of the project. Each residency carries a stipend, printing materials, technical assistance and housing assistance.

Zocalo seeks artists with innovative projects for limited-edition artists' books. These books can be created as part of an artist's residency.

The studio provides facilities for production using traditional techniques such as relief engraving (woodcut, linocut, monotype, photopolymer) and depth engraving (collagraphy, ferric chloride etching, photogravure, carborundum). The digital image manipulation and printing studio provides artists with a Macintosh environment with four G4 computers and three printers of 13, 24 and 44 inches in width with a maximum length of 8 feet. We print on a variety of media. For video work, we have a G5 station for digital editing in Final Cut Pro HD. For animation we use Motion, for sound mixing we use Soundtrack, for creating DVDs we use DVD Studio Pro and for three-dimensional modelling we use Strata Studio Pro.

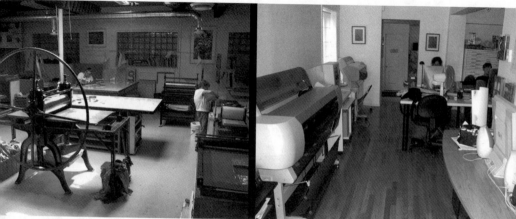

ZOCALO. PHOTO : GILLES PRINCE

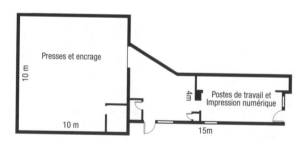

ASSOCIATIONS * ASSOCIATIONS

RCAAQ - Regroupement des centres d'artistes autogérés du Québec
3995, rue Berri
Montréal QC H2L 4H2
(514) 842-3984
info@rcaaq.org
www.rcaaq.org

AME ART : Artistes du Mile-End
5345, avenue du Parc
Montréal QC H2V 4G9
(514) 271-3383
info@ame-art.com
www.ame-art.com

ARPRIM - Regroupement pour la promotion de l'art imprimé
7111, rue des Érables, 3e étage
Montréal QC H2E 2R1
(514) 525-2621
info@arprim.org
www.arprim.org

Association des galeries d'art contemporain - AGAC
372, rue Sainte-Catherine Ouest,
bureau 521
Montréal QC H3B 1A2
(514) 798-5010
info@agac.qc.ca
www.agac.qc.ca

Association des illustrateurs et des illustratrices du Québec
372, rue Sainte-Catherine Ouest,
espace 123
Montréal QC H3B 1A2
(514) 522-2040
info@aiiq.qc.ca
www.aiiq.qc.ca

Association lavalloise pour les arts plastiques
5475, boul. Saint-Martin Ouest
Laval QC H7T 2X7
(450) 688-6558
info@alpap.org
www.alpap.org

Association québécoise des éducatrices et éducateurs spécialisés en arts plastiques
675, rue Samuel-de-Champlain
Boucherville
Longueuil QC J4B 6C4
(450) 655-2435
louise.filion@enter-net.com
www.aqesap.org

Centre des artistes en arts visuels de l'Abitibi-Témiscamingue (CAAVAT)
C.P. 2273
Rouyn-Noranda QC J9X 5A9
(819) 797-8738
www.lecart.org

Conseil québécois des arts médiatiques
3680, rue Jeanne-Mance, bureau 430
Montréal QC H2X 2K4
(514) 527-5116
info@cqam.org
www.cqam.org

ELAN - English-Language Arts Networks
120, av. Atwater, bureau 3
Montréal QC H3Z 1X4
(514) 935-3312
info@quebec-elan,org
www.quebec-elan.org

Les Arts et la Ville
870, avenue de Salaberry, bureau 302
Québec QC GIR 2T9
(418) 691-7480
info@arts-ville.org
www.arts-ville.org

Regroupement des artistes en arts visuels du Québec - RAAV
460, rue Sainte-Catherine Ouest,
bureau 913
Montréal QC H3B 1A7
(514) 866-7101
raav@raav.org
www.raav.org

Regroupement des arts interdisciplinaires du Québec - RAIQ
372, rue Sainte-Catherine Ouest,
studio 303
Montréal QC H3B 1A2
(514) 380-3093
raiq@studio303.ca

Société de développement des périodiques culturels québécois (SODEP)
460, rue Sainte-Catherine Ouest,
bureau 716
Montréal QC H3B 1A7
(514) 397-8669
info@sodep.qc.ca
www.sodep.qc.ca

Société de gestion collective de droits d'auteur en arts visuels - SODART
460, rue Sainte-Catherine Ouest,
bureau 913
Montréal QC H3B 1A7
(514) 906-0230
sodart@sodart.org
www.sodart.org

Société des arts indisciplinés (SAI)
C.P. St-André, B.P. 32032
Montréal QC H2L 4Y5
(514) 987-3000, poste 2601
sai@sai.qc.ca
www.sai.qc.ca

Société des musées québécois - SMQ
C.P. 8888,
succursale centre-ville UQAM
Montréal QC H3C 3P8
(514) 987-3264
info@smq.uqam.ca
www.smq.qc.ca

Société du droit de reproduction des auteurs, compositeurs et éditeurs au Canada (Sodrac) inc.
759, carré Victoria, bureau 420
Montréal QC H2Y 2J7
(514) 845-3268
arts@sodrac.com
www.sodrac.com

Voir à l'Est
a/s Hélène Sarrazin
283, Seigneur-Côté
L'Isle-Verte Ouest QC G0L 1L0
(418) 898-2117

CONSEILS DES ARTS ET MINISTÈRES * ART COUNCILS AND CULTURE DEPARTMENTS

Agence Québec Wallonie Bruxelles pour la jeunesse
300, rue du Saint-Sacrement, bureau 320
Montréal QC H2Y 1X4
(514) 873-4355
www.aqwbj.org

Commission de reconnaissance des associations d'artistes et des associations de producteurs
425, boul. de Maisonneuve Ouest, bureau 750
Montréal QC H3A 3G5
(514) 873-6012
www.mcc.gouv.qc.ca/orgasoc/orgaso02.htm

Conseil des arts de Montréal - CAM
3450, rue Saint-Urbain
Montréal QC H2X 2N5
(514) 280-3580
info-cam@cum.qc.ca
www.artsmontreal.com/

Conseil des arts de Ville de Saguenay
6166, rue Notre-Dame
Laterrière QC G7N 1A1
(418) 678-2216 p. 221

Conseil des arts et des lettres du Québec – Bureau de Montréal
500, Place d'Armes, 15e étage
Montréal QC H2Y 2W2
(514) 864-3350
www.calq.gouv.qc.ca

Conseil des arts et des lettres du Québec – Bureau de Québec
79, boul. René-Lévesque Est, 3e étage
Québec QC G1R 5N5
(418) 643-1707
www.calq.gouv.qc.ca

Ministère de la Culture et des Communications
Direction de la Gaspésie—Îles-de-la-Madeleine
146, avenue de Grand-Pré
Bonaventure QC G0C 1E0
(418) 534-4431
drgim@mcc.gouv.qc.ca
www.mcc.gouv.qc.ca

Ministère de la Culture et des Communications
Direction de la Côte-Nord
625, boul. Laflèche, bureau 1.806
Baie-Comeau QC G5C 1C5
(418) 295-4979
drcn@mcc.gouv.qc.ca
www.mcc.gouv.qc.ca

Ministère de la Culture et des Communications
Direction du Saguenay—Lac-Saint-Jean
202, rue Jacques-Cartier Est /
Chicoutimi
Saguenay QC G7H 6R8
(418) 698-3500
drslstj@mccq.gouv.qc.ca
www.mcc.gouv.qc.ca

Ministère de la Culture et des Communications
Direction de l'Abitibi-Témiscamingue et du Nord-du-Québec
19, rue Perreault Ouest, bureau 450
Rouyn-Noranda QC J9X 6N5
(819) 763-3517
dratnq@mcc.gouv.qc.ca
www.mcc.gouv.qc.ca

Ministère de la Culture et des Communications
Direction de la Mauricie et du Centre-du-Québec
100, rue Laviolette, 3e étage
Trois-Rivières QC G9A 5S9
(819) 371-6001
drmcq@mcc.gouv.qc.ca
www.mcc.gouv.qc.ca

Ministère de la Culture et des Communications
Direction de Laval et des Laurentides
300, rue Sicard, bureau 200
Sainte-Thérèse QC J7E 3X5
(450) 430-3737
drlll@mcc.gouv.qc.ca
www.mcc.gouv.qc.ca

Ministère de la Culture et des Communications
Direction de la Montérégie
2, boul. Desaulniers, bureau 500
Longueuil QC J4P 1L2
(450) 671-1231
jean-yves.bastarache@mcc.gouv.qc.ca
www.mcc.gouv.qc.ca

Ministère de la Culture et des Communications
Direction de Montréal
480, boul. Saint-Laurent, bureau 600
Montréal QC H2Y 3Y7
(514) 872-2255
dm@mcc.gouv.qc.ca
www.mcc.gouv.qc.ca

Ministère de la Culture et des Communications
Direction du Bas-Saint-Laurent
337, rue Moreault
Rimouski QC G5L 1P4
(418) 727-3650
drbsl@mcc.gouv.qc.ca
www.mcc.gouv.qc.ca

Ministère de la Culture et des Communications
Direction de Chaudière-Appalaches
6210, rue Saint-Laurent
Lévis QC G6V 3P4
(418) 838-9886
drca@mcc.gouv.qc.ca
www.mcc.gouv.qc.ca

Ministère de la Culture et des Communications
Direction de l'Estrie
225, rue Frontenac, bureau 410
Sherbrooke QC J1H 1K1
(819) 820-3007
dre@mcc.gouv.qc.ca
www.mcc.gouv.qc.ca

Ministère de la Culture et des Communications
Direction de la Capitale-Nationale
225, rue Grande-Allée Est, rez-de-chaussée, bloc C
Québec QC G1R 5G5
(418) 380-2346
dcn@mcc.gouv.qc.ca
www.mcc.gouv.qc.ca

Ministère de la Culture et des Communications
Direction de l'Outaouais
170, rue de l'Hôtel-de-ville, 4e étage, bureau 4.140
Gatineau QC J8X 4C2
(819) 772-3002
dro@mcc.gouv.qc.ca
www.mcc.gouv.qc.ca

Ministère des Relations internationales du Québec
525, boul. René-Lévesque Est, 2e étage
Québec QC G1R 5R9
(418) 649-2300
www.mri.gouv.qc.ca

Ministère du Patrimoine canadien – Bureau de Montréal
Complexe Guy-Favreau, tour Ouest, 6e étage
200, boul. René-Lévesque Ouest
Montréal QC H2Z 1X4
(514) 283-2332
pch-qc@pch.gc.ca
www.pch.gc.ca

Ministère du Patrimoine canadien – Bureau de Québec
3, Passage du Chien d'Or
Case postale 6060, Haute-Ville
Québec QC G1R 4V7
(418) 648-5054
www.pch.gc.ca

Observatoire de la culture
et des communications
Institut de la statistique du Québec
200, chemin Sainte-Foy, 3e étage
Québec QC G1R 5T4
1 800 691-4090
observatoire@stat.gouv.qc.ca
www.stat.gouv.qc.ca/observatoire

Office Québec-Amériques
pour la jeunesse
265, rue de la Couronne, bureau 200
Québec QC G1K 6E1
(418) 644-2750
info@oqaj.gouv.qc.ca
www.oqaj.gouv.qc.ca

Service de la culture
de la Ville de Québec
275, rue de l'Église
Québec QC G1K 6G7
(418) 641-6181
culture@ville.quebec.qc.ca
www.ville.quebec.qc.ca

Société de développement des arts
et de la culture de Longueuil - SODAC
340, rue Saint-Charles Ouest
Longueuil QC J4H 1E8
(450) 463-0004
sodac@qc.aira.com

Société de développement des
entreprises culturelles - SODEC
215, rue Saint-Jacques, bureau 800
Montréal QC H2Y 1M6
(514) 841-2200
cinematv@sodec.gouv.qc.ca
www.sodec.gouv.qc.ca

CONSEILS RÉGIONAUX DE LA CULTURE * REGIONAL CULTURE COUNCILS

Conseil de la culture de
l'Abitibi-Témiscamingue
150, avenue du Lac
Rouyn-Noranda QC J9X 4N5
(819) 764-9511
info@crcat.qc.ca
www.crcat.qc.ca

Conseil de la culture de l'Estrie
17, rue Belvédère Nord
Sherbrooke QC J1H 4A7
(819) 563-2744
crce@videotron.ca
www.cultureestrie.org

Conseil de la culture de la Gaspésie
193 B, av. Grand-Pré
Bonaventure QC G0C 1E0
(418) 534-4139
culture@zonegaspesie.qc.ca
wwwzonegaspesie.qc.ca

Conseil de la culture de Lanaudière
20, rue Saint-Charles-Borromée Sud
C.P. 1005
Joliette QC J6E 4T1
(450) 753-7444
ccl@citenet.net
www.ccl-lanaudiere.qc.ca

Conseil de la culture
des Laurentides
233, rue Saint-Georges, bureau 400
Saint-Jérôme QC J7Z 5A1
(450) 432-2425
ccl@culturelaurentides.com
www.culturelaurentides.com

Conseil de la culture des régions de
Québec et de Chaudière-Appalaches
310, boul. Langelier, bureau 120
Québec QC G1K 5N3
(418) 523-1333
ccr@culture-quebec.qc.ca
www.culture-quebec.qc.ca

Conseil de la culture du
Bas-Saint-Laurent
88, rue Saint-Germain Ouest,
case postale 873
Rimouski QC G5L 7C9
(418) 722-6246
info@crcbsl.org
www.crcbst.org

Conseil de la Culture et des
Communications de la Mauricie
118, rue Radisson, bureau 500
Trois-Rivières QC G9A 2C4
(819) 374-3242
info@culturemauricie.ca
www.culturemauricie.ca

Conseil montérégien de la culture
et des communications
305, rue Saint-Jean
Longueuil QC J4H 2X4
(450) 651-0694
info@culturemonteregie.qc.ca
www.culturemonteregie.qc.ca

Conseil régional de la culture
de l'Outaouais
432, boul. Alexandre-Taché / Hull
Gatineau QC J9A 1M7
(819) 595-2601
www.crco.org

Conseil régional de la culture
du Saguenay-Lac-Saint-Jean
414, rue Collard Ouest, suite 101
Alma QC G8B 1N2
(418) 662-6623
crc-sl@al.cgocable.ca
www.ccr-sl.qc.ca

Conseil régional de la culture et des
communications de la Côte-Nord
625, boul. Laflèche, bureau 204-A
Baie-Comeau QC G5C 1C5
(418) 589-6744
crcccn@cgocable.ca
www.crcc-cote-nord.org

Culture Montréal
3680, rue Jeanne-Mance, bureau 317
Montréal QC H2X 2K5
(514) 845-0303
info@culturemontreal.ca
www.culturemontreal.ca

FONDATIONS * FOUNDATIONS

Fondation Daniel Langlois pour l'art,
la science et la technologie
3530, boul. Saint-Laurent
Montréal QC H2X 2V1
(514) 987-7177
info@fondation-langlois.org
www.fondation-langlois.org

**Agence culturelle du Québec
en Italie**
Via Flaminia 21, Interno 12A
00196 Rome, Italie
(39) 06 3212 0001
qc.rome@mri.gouv.qc.ca
www.mri.gouv.qc.ca

Agent d'affaires du Québec à Lima
Av. Trinidad Moran 1268
Lima 14, Pérou
(511) 221-6130
qc.lima@mri.gouv.qc.ca
www.mri.gouv.qc.ca

Agent d'affaires du Québec à Hanoi
Khu Trung hoa – Nhan chinh
18T2 #1110 Kuan Thanh Nuan
Hanoi, Viêt-Nam
(84) 4 251-0619
qc.hanoi@mri.gouv.qc.ca
www.mri.gouv.qc.ca

Antenne de Vancouver
789, rue Pender Ouest, bureau 780
Vancouver BC V6C 1H2
(604) 682-3500
vancouver@mce.gouv.qc.ca
www.saic.gouv.qc.ca

Antenne du Québec à Atlanta
1170 Peachtree Street N.E., Suite 250
Atlanta, GA 30309 USA
(404) 815-4979
qc.atlanta@mri.gouv.qc.ca
www.quebec-altanta.org

Antenne du Québec à Santiago
Édifice du Commerce international
Nueva Tajamar 481
Torre Norte, Oficina 904
Santiago (Las Condes) Chili
(56-2) 350-4255
qc.santiago@mri.gouv.qc.ca
www.mri.gouv.qc.ca

Antenne du Québec à Séoul
Leema Building, 502 146-1
Soosong-Dong Chongro-KV
Séoul 110-140, Corée
82-2-739-0927
qc.seoul@mri.gouv.qc.ca
www.mri.gouv.qc.ca

Antenne du Québec à Taipei
13F, 365 Fu-Hsing North Road
Taipei 105, Taïwan
886-2-2547-3000 poste 3375
qc.taipei@mri.gouv.qc.ca
www.mri.gouv.qc.ca

British Council, Montréal
1000, rue de La Gauchetière Ouest,
bureau 4200
Montréal QC H3B 4W5
(514) 866-5863 poste 2223
education.enquiries@ca.britishcouncil.org
www.ca.britishcouncil.org

Bureau du Québec à Barcelone
Avinguda Diagonal, 420, 3er 1^e
08037 Barcelone, Espagne
(34) 93 476 42 58
qc.barcelone@mri.gouv.qc.ca
www.gouv.qc.ca

Bureau du Québec à Beijing
19 Dongzhimenuai Dajie,
District de Chaosyang
Beijing 100600, Chine
(86-10) 6532-3536 poste 3600
qc.beijing@mri.gouv.qc.ca
www.gouv.qc.ca

Bureau du Québec à Miami
801 Brickell Avenue, Bureau 1500
Miami, FL 33131 USA
(305) 358-3397
qc.miami@mri.gouv.qc.ca
www.quebec-miami.org

Bureau du Québec à Munich
Dienerstrasse 20
D-80331 Munich, Allemagne
(49) 89 2420 870
qc.munich@mri.gouv.qc.ca
www.quebec-info.de

Bureau du Québec à Ottawa
81, rue Metcalfe, 3e étage, bureau 300
Ottawa ON K1P 6K7
(613) 238-5322
bqottawa@mce.gouv.qc.ca
www.saic.gouv.qc.ca

Bureau du Québec à Shanghai
Suite 604. Four Shanghai Centre 1376
Nanjing Xi Road
Shanghai 200040, Chine
(86-21) 6279-8943
gabriel.gaudette@international.qc.ca
www.mrigouv.qc.ca

Bureau du Québec à Toronto
20, rue Queen Ouest, bureau 1504,
Case postale 13
Toronto ON M5H 3S3
(416) 977-6713
bqtoronto@mce.gouv.qc.ca
www.saic.gouv.qc.ca

**Bureau du Québec dans
les provinces atlantiques**
777, rue Main, 5e étage, bureau 510
Moncton NB E1C 1E9
(506) 857-9851
bqmoncto@mce.gouv.qc.ca
www.saic.gouv.qc.ca

**Bureau touristique du Québec
à Washington**
1101 - 17th Street N.W., Bureau 1006
Washington DC 20036-4704, USA
(202) 659-8990
qc.washington@mri.gouv.qc.ca
www.quebec-washington.org

Délégation du Québec à Boston
One Boston Place, 201, Washington
Street, bureau 1920
Boston, MA 02108 USA
(617) 482-1193
qc.boston@mri.gouv.qc.ca
www.quebec-boston.org

**Délégation du Québec
à Buenos Aires**
Édifice Laminar Plaza, Ing. Butty 240,
3e étage
C1001AFB Buenos Aires, Argentine
54- 11- 4343-2033
qc.buenosaires@mri.gouv.qc.ca
www.mri.gouv.qc.ca

Délégation du Québec à Chicago
444 North Michigan Avenue,
Bureau 1900
Chicago, IL 60611-3977 USA
(312) 645-0392
qc.chicago@mri.gouv.qc.ca
www.quebec-chicago.org

Délégation du Québec à Los Angeles
10940 Wilshire Avenue, Bureau 720
Los Angeles, CA 90024 USA
(310) 824-4173
qc.losangeles@mri.gouv.qc.ca
www.Quebec-LosAngeles.org

**Délégation générale du Québec
à Bruxelles**
Avenue des Arts 46, 7e étage
Bruxelles 1000, Belgique
(32) 2 512 00 36
qc.bruxelles@mri.gouv.qc.ca
www.quebec-europe.be

**Délégation générale du Québec
à Londres**
59 Pall Mall
Londres SWIY 5JH, Royaume-Uni
(44) 207 766-5900
qc.londres@mri.gouv.qc.ca
www.quebec.org.uk

Délégation générale du Québec
à Mexico
Avenida Taine 411,
Colonia Bosques de Chapultepec
Mexico 11580 D.F. Mexique
(525 55) 250-8222
qc.mexico@mri.gouv.qc.ca
www.mri.gouv.qc.ca/mexico

Délégation générale du Québec
à New York
One Rockefeller Plaza, 26th Floor
New York NY 10020-2102 USA
(212) 397-0200
qc.newyork@mri.gouv.qc.ca
www.quebecusa.org

Délégation générale du Québec
à Paris
66, rue Pergolèse
75116 Paris, France
33 (0) 1 40 67 85 00
qc.paris@mri.gouv.qc.ca
www.quebec.fr

Délégation générale du Québec
à Tokyo
Shiroyama JT Trust Tower 32ᵉ étage,
4-3-1 Toranomon Minato-ku
Tokyo 105-6032, Japon
011-81-3-5733-4001
qc.tokyo@mri.gouv.qc.ca
www.mri.gouv.qc.ca/tokyo

Goethe-Institut Québec
418, rue Sherbrooke Est
Montréal QC H2L 1J6
(514) 499-0159
info@montreal.goethe.org
www.goethe.de/montreal

Institut culturel italien de Montréal
1200, av. Dr Penfield
Montréal QC H3A 1A9
(514) 849-3473
ici@italcultur-qc.org
www.italcultur-qc.org

Services culturels du Québec
Pariser Platz 6A
10117 Berlin, Allemagne
(49) 30 5900 6460
qc.berlin@mri.gouv.qc.ca
www.mri.gouv.qc.ca

LIEUX DE DIFFUSION • EXHIBITION SPACES

Arts Sutton
7, rue Académie
Sutton QC J0E 2K0
(450) 538-2563
info@artssutton.com
www.artssutton.com

Bibliothèque Eleanor London
5851, boul. Cavendish
Côte-Saint-Luc QC H4W 2X8
(514) 485-6900
mturner@eleanorlondonlibrary.org
www.ville.montreal.qc.ca/maisons

Bibliothèque et Archives nationales du Québec (BAnQ)
475, boul. de Maisonneuve Est
Montréal QC H2L 5C4
(514) 873-1101
exposition@bnquebec,ca
www.banq.qc.ca

Centre canadien d'architecture - CCA
1920, rue Baile
Montréal QC H3H 2S6
(514) 939-7026
www.cca.qc.ca

Centre culturel Yvonne L. Bombardier
1002, avenue J.-A. Bombardier
Valcourt QC J0E 2L0
(450) 532-3033
ccylb@fjab.qc.ca
www.centreculturelbombardier.com

Centre d'art Amherst
1000, rue Amherst, espace 103
Montréal QC H2L 3K5
(514) 852-5338
contact@centredartamherst.com
www.centredartamherst.com

Centre d'art Rotary
195, rue Principale
La Sarre QC J9Z 1Y3
(819) 333-2294 poste 236
llafreniere@ville.lasarre.qc.ca
www.ville.lasarre.qc.ca/Loisir/
Centre_art.htm

Centre d'exposition Art-Image
855, boul. de la Gappe
Gatineau QC J8T 8H9
(819) 243-2345
art_image@ville.gatineau.qc.ca
www.ville.gatineau.qc.ca/artimage

Centre d'exposition d'Amos
222, 1ʳᵉ Avenue Est
Amos QC J9T 1H3
(819) 732-6070
exposition@ville.amos.qc.ca
www.ville.amos.qc.ca/culture_loisir/
centre

Centre d'exposition de Baie-Saint-Paul
23, rue Ambroise-Fafard
Baie-Saint-Paul QC G3Z 2J2
(418) 435-3681
cartbsp@bellnet.ca
www.centredart-bsp.qc.ca

Centre d'exposition de l'Université de Montréal
2940, chemin de la Côte-Sainte-Catherine, local 0056
Montréal QC H3C 3J7
(514) 343-6111 poste 4800
andree.lemieux@umontreal.ca
www.expo.umontreal.ca

Centre d'exposition de la Bibliothèque Gabrielle-Roy
350, rue Saint-Joseph Est
Québec QC G1K 3B2
(418) 641-6789
courrier@icqbdq.qc.ca
www.bibliothequedequebec.qc.ca

Centre d'exposition de Mont-Laurier
385, rue du Pont, case postale 323
Mont-Laurier QC J9L 3N7
(819) 623-2441
ceml@lino.sympatico.ca

Centre d'exposition de Rouyn-Noranda
425, boul. du Collège, C. P. 415
Rouyn-Noranda QC J9X 5C4
(819) 762-6600
cern@sympatico.ca
www.cern.ca

Centre d'exposition de Val-d'Or
600, 7ᵉ Rue
Val-d'Or QC J9P 3P3
(819) 825-0942
expovd@ville.valdor.qc.ca
www.ville.valdor.qc.ca/culturel/
exposition

Centre d'exposition de Val-David
2495, rue de l'Église
Val-David QC J0T 2N0
(819) 322-7474
centre@culture.val-david.qc.ca
www.culture.val-david.qc.ca

Centre d'exposition du Centre
des arts de Shawinigan
2100, boul. des Hêtres
Shawinigan QC G9N 8R8
(819) 539-1888
corporationculturelle@shawinigan.ca
www.cultureshawinigan.ca

Centre d'exposition L'Imagier
9, rue Front - Aylmer
Gatineau QC J9H 4W8
(819) 684-1445
info@limagier.qc.ca
www.limagier.qc.ca

Centre d'histoire de Montréal
355, place d'Youville
Montréal QC H2Y 2P5
(514) 872-3207
chm@ville.montreal.qc.ca
www.ville.montreal.qc.ca/maisons

Centre de créativité -
Les Salles du Gesù
1200, rue de Bleury
Montréal QC H3B 3J3
(514) 861-4378
info@gesu.net
www.gesu.net

Centre de design - Université
du Québec à Montréal
Case postale 8888,
succursale Centre-ville
Montréal QC H3C 3P8
(514) 987-3395
centre.design@uqam.ca
www.centrededesign.uqam.ca

Centre de diffusion de la maîtrise en
arts visuels et médiatiques de l'UQÀM
Pavillon Judith-Jasmin,
405, rue Sainte-Catherine Est,
local JR-940 C.P. 8888,
Succ. Centre-ville
Montréal QC H3C 3P8
(514) 598-9429
bonnes.clara@courrier.uqam.ca
www.uqam.ca

Centre international d'exposition
de Larouche - CIEL
660, rue Gauthier
Larouche QC G0W 1Z0
(418) 547.8240

Centre national d'exposition
4160, rue du Vieux Pont,
case postale 605
Ville Saguenay, arrondissement
Jonquière QC G7X 7W4
(418) 546-2177
cne@videotron.ca
www.pages.infinit.net/cne/acc/cne

Centre régional d'art contemporain
de Montpellier
19, rue Principale
Montpellier QC J0V 1M0
(819) 423-6257
ch2o@sympatico.ca
www.cf.geocities.com/cracmontpellier/

Chapelle historique du Bon-Pasteur
100, rue Sherbrooke Est
Montréal QC H2X 1C3
(514) 872-5338
gsoucie@ville.montreal.qc.ca
www.ville.montreal.qc.ca/maisons

Cinémathèque québécoise
Musée du cinéma
335, boul. de Maisonneuve Est
Montréal QC H2X 1K1
(514) 842-9768
info@cinematheque.qc.ca
www.cinematheque.qc.ca

Creatio
Case postale 522
Magog QC J1X 4W3
(819) 843-8200
info@creatio.net
www.creatio.net/accueil.html

Expression, centre d'exposition
de Saint-Hyacinthe
495, rue Saint-Simon
Saint-Hyacinthe QC J2S 5C3
(450) 773-4209
expression@expression.qc.ca
www.expression.qc.ca

Fondation Derouin
1303, Montée-Gagnon
Val-David QC J0T 2N0
(819) 322-7167
info@fondationderouin.com
www.fondationderouin.com

Foreman Art Gallery
of Bishop's University
rue College Street
Lennoxville QC J1M 1Z7
(819) 822-9600, ext. 2260
gallery@ubishops.ca
www.ubishops.ca/ccc/cultural

Galerie d'art contemporain UQO
283, boul. Alexandre-Taché,
C.P. 1250, succ. Hull
Gatineau QC J8X 3X7
(819) 595-3900
www.uqo.ca/futurs-etudiants/
virtuel/uqo/b_ga

Galerie d'art d'Outremont
41, avenue Saint-Just
Outremont QC H2V 4T7
(514) 495-7419
galoutremont@yahoo.com
www.outremont.ville.montreal.qc.ca

Galerie d'art du Centre culturel
de l'Université de Sherbrooke
2500, boul. de l'Université
Sherbrooke QC J1K 2R1
(819) 821-7000
galerie@usherbrooke.ca
www.usherbrooke.ca/galerie

Galerie d'art du Parc -
Manoir de Tonnancour
864, rue des Ursulines,
case postale 871
Trois-Rivières QC G9A 5J9
(819) 374-2355
galerie@galeriedartduparc.qc.ca
www.galeriedartduparc.qc.ca

Galerie d'art L'Union-Vie
175, rue Ringuet
Drummondville QC J2C 2P7
(819) 477-5518
nblanchette@centre-culturel.qc.ca
www.centre-culturel.qc.ca/galerie

Galerie d'art Léonard et Bina Ellen -
Université Concordia
1400, boul. de Maisonneuve Ouest,
LB-165
Montréal QC H3G 1M8
(514) 848-2424, ext. 4750
ellengal@alcor.concordia.ca
www.ellengallery.com

Galerie d'art Stewart Hall
176, chemin du Bord-du-Lac /
Pointe-Claire
Montréal QC H9S 4J7
(514) 630-1254
millarj@ville.pointe-claire.qc.ca
www.pointeclaire.ville.montreal.qc.ca

Galerie de l'UQAM
Pavillon Judith-Jasmin, 1400, rue Berri,
salle J-R120
Montréal QC H3C 3P8
(514) 987-6150
galerie@uqam.ca
www.galerie.uqam.ca

Galerie des arts visuels -
Université Laval
Édifice La Fabrique, Université Laval
Québec QC G1K 7P4
(418) 656-7631
arv@arv.ulaval.ca
www.arv.ulaval.ca

Galerie L'œuvre de l'Autre
555, boul. de l'Université,
Pavillon des Arts / Chicoutimi
Saguenay QC G7H 2B1
(418) 545-5011 poste 4718
odeautre@uqac.ca
www.uqac.ca/administration_services/
dal/gal

Galerie Liane et Danny Taran
Centre des arts Saidye Bronfman
5170, chemin de la Côte-Sainte-Catherine
Montréal QC H3W 1M7
(514) 739-2301
galerie@saidyebronfman.org
www.saidyebronfman.org

Galerie McClure
350, avenue Victoria / Westmount
Montréal QC H3Z 2N4
(514) 488-9558
galeriemcclure@centredesartsvisuels.ca
www.visualartscentre.ca

Galerie Montcalm
25, rue Laurier C.P. 1970,
succursale Hull
Gatineau QC J8X 3Y9
(819) 595-7488
galeriemontcalm@ville.hull.qc.ca
www.ville.gatineau.qc.ca/galerie-montcalm

Galerie Port-Maurice
8420, boul. Lacordaire,
Arrondissement de Saint-Léonard
Montréal QC H1R 3G5
(514) 328-8514
www.ville.montreal.qc.ca/maisons

Galerie R3
Université du Québec à Trois-Rivières
3351, boul. des Forges, C.P. 500
Trois-Rivières QC G9A 5H7
(819) 376-5136
arts@uqtr.ca
www.uqtr.ca/arts/galerieR3

Galerie Trompe-L'œil
Cégep de Sainte-Foy,
2410, chemin Sainte-Foy
Sainte-Foy QC G1V 1T3
(418) 659-6600 poste 4230
pgenest@cegep-ste-foy.qc.ca
www.cegep-ste-foy.qc.ca

La Galerie d'art contemporain UQO
101, rue Saint-Jean Bosco /
local A-0114
Gatineau QC J8X 3X5
(819) 595-3900 poste 1608
www.uqah.ca

La Pulperie
300, rue Dubuc
Saguenay QC G7J 4M1
(418) 698-3100
info@pulperie.com
www.pulperie.com

Le Musée des beaux-arts du Canada à Shawinigan
La Cité de l'Énergie
1882, rue Cascade
Shawinigan QC G9N 8S1
(819) 537-5300
www.citedelenergie.com

Le Tordeur
283, Seigneur-Côté
L'Isle-Verte Ouest QC G0L 1L0
(418) 898-2117

Maison culturelle et communautaire de Montréal-Nord
12004, boul. Roland
Montréal-Nord QC H1G 3W1

Maison de la culture Ahuntsic-Cartierville
10300, rue Lajeunesse, 1er étage
Montréal QC H3L 2E5
(514) 872-8749
liette_gauthier@ville.montreal.qc.ca
www.ville.montreal.qc.ca/maisons

Maison de la culture Côte-des-Neiges
5290, chemin de la Côte-des-Neiges
Montréal QC H3T 1T2
(514) 872-6889
lbotella@ville.montreal.qc.ca
www.ville.montreal.qc.ca/maisons

Maison de la culture de La Sarre
195, rue Principale
La Sarre QC J9Z 1Y3
(819) 333-2294 poste 233
info@ville.lasarre.qc.ca
www.ville.lasarre.qc.ca

Maison de la culture de Trois-Rivières
1425, place de l'Hôtel-de-ville,
case postale 368
Trois-Rivières QC G9A 5H3
(819) 372-4614
cdctr@v3r.net
www.v3r.net

Maison de la culture Frontenac
2550, rue Ontario Est
Montréal QC H2K 1W7
(514) 872-7882
lmatte@ville.montreal.qc.ca
www.ville.montreal.qc.ca/maisons

Maison de la culture Maisonneuve
2929, rue Jeanne D'Arc, 2e étage
Montréal QC H1W 3W2
(514) 872-2200
plariviere@ville.montreal.qc.ca
www.ville.montreal.qc.ca/maisons

Maison de la culture Marie-Uguay
6052, boul. Monk
Montréal QC H4E 3H6
(514) 872-2044
martin-philippe_cote@ville.montreal.qc.ca
www.ville.montreal.qc.ca/maisons

Maison de la culture Mercier
8105, rue Hochelaga
Montréal QC H1L 2K9
(514) 872-8755
juliegauthier@ville.montreal.qc.ca
www.ville.montreal.qc.ca/maisons

Maison de la culture Notre-Dame-de-Grâce
3755, rue Botrel
Montréal QC H4A 3G8
(514) 872-2157
lukcote@ville.montreal.qc.ca
www.ville.montreal.qc.ca/maisons

Maison de la culture Plateau-Mont-Royal
465, avenue du Mont-Royal Est
Montréal QC H2J 1W3
(514) 872-2266
jgermain@ville.montreal.qc.ca
www.ville.montreal.qc.ca/maisons

Maison de la culture Pointe-aux-Trembles
14001, rue Notre-Dame Est
Montréal QC H1A 1T9
(514) 872-2240
cperras@ville.montreal.qc.ca
www.ville.montreal.qc.ca/maisons

Maison de la culture Rivière-des-Prairies
8000, boul. Gouin Est
Montréal QC H1E 1B5
(514) 872-9814
mhurtubise@ville.montreal.qc.ca
www.ville.montreal.qc.ca/maisons

Maison de la culture Rosemont-La Petite-Patrie
6707, avenue De Lorimier
Montréal QC H2G 2P8
(514) 872-1730
monique_garneau@ville.montreal.qc.ca
www.ville.montreal.qc.ca/maisons

Maison de la culture Villeray - Saint-Michel - Parc Extension
911, rue Jean-Talon Est, bureau 229
Montréal QC H2R 1V5
(514) 872-6131
claudemorissette@ville.montreal.qc.ca
www.ville.montreal.qc.ca/maisons

Maison des arts de Laval
1395, boul. de la Concorde Ouest
Laval QC H7N 5W1
(450) 662-4440
maisondesarts@ville.laval.qc.ca
www.ville.laval.qc.ca

Maison Hamel-Bruneau
2608, chemin Saint-Louis, case postale
218 / Sainte-Foy
Québec QC G1V 4E1
(418) 641-6280
www.ville.quebec.qc.ca

Monopoli, galerie d'architecture
181, rue Saint-Antoine Ouest
Montréal QC H2Z 1H2
(514) 868-6691
gironnay@videotron.ca

Montréal Arts Interculturels - MAI
3680, rue Jeanne-Mance, bureau 103
Montréal QC H2X 2K5
(514) 982-1812
info@m-a-i.qc.ca
www.m-a-i.qc.ca

**Musée d'art contemporain
de Montréal**
185, rue Sainte-Catherine Ouest
Montréal QC H2X 3X5
(514) 847-6226
www.macm.org

**Musée d'art contemporain
des Laurentides**
101, place du Curé-Labelle
Saint-Jérôme QC J7Z 1X6
(450) 432-7171
musee@museelaurentide.ca
www.museelaurentides.ca

Musée d'art de Joliette
145, rue Wilfrid-Corbeil
Joliette QC J6E 4T4
(450) 756-0311
musee.joliette@citenet.net
www.musee.joliette.org

Musée de la civilisation du Québec
85, rue Dalhousie, case postale 155,
succursale B
Québec QC G1K 7A6
(418) 643-2158
mcqweb@mcq.org
www.mcq.org

Musée de la Ville de Lachine
1, chemin du Musée
Lachine QC H8S 4L9
(514) 634-3471 poste 346
museedelachine@lachine.qc.ca
www.lachine.ville.montreal.qc.ca/musee/

Musée des beaux-arts de Montréal
1379, rue Sherbrooke Ouest,
case postale 3000, succursale H
Montréal QC H3G 2T9
(514) 285-2000
webmaster@mbamtl.org
www.mbam.qc.ca

**Musée des beaux-arts
de Sherbrooke**
241, rue Dufferin
Sherbrooke QC J1H 4M3
(819) 821-2115
mbas@interlinx.qc.ca
www.mba.ville.sherbrooke.qc.ca

**Musée des maîtres et artisans
de Saint-Laurent**
615, avenue Sainte-Croix /
Saint-Laurent
Montréal QC H4L 3X6
(514) 747-7367
info@museedartdesaint-laurent.qc.ca
www.cegep-st-laurent.qc.ca

Musée du Bas-Saint-Laurent
300, rue Saint-Pierre
Rivière-du-Loup QC G5R 3V3
(418) 862-7547
mbsl@qc.aira.com
www.mbsl.qc.ca

**Musée du costume et du textile
du Québec**
349, rue Riverside
Saint-Lambert QC J4P 1A8
(450) 923-6601
info@mctq.org
www.museemarsil.org

**Musée national des beaux-arts
du Québec**
Parc des Champs de bataille
Québec QC G1R 5H3
(418) 643-2150
webmdq@mdq.org
www.mnba.qc.ca

Musée Pointe-à-Callière
350, place Royale
Montréal QC H2Y 3Y5
(514) 872-9150
info@pacmusee.qc.ca
www.pacmusee.qc.ca

Musée régional de la Côte-Nord
500, boul. Laure
Sept-Îles QC G4R 1X7
(418) 968-2070
mrcn@mrcn.qc.ca
www.mrcn.qc.ca

Musée régional de Rimouski
35, rue Saint-Germain Ouest
Rimouski QC G5L 4B4
(418) 724-2272
mrdr@globetrotter.net
www.museerimouski.qc.ca

**Plein sud, centre d'exposition
en art actuel à Longueuil**
150, rue de Gentilly Est, Local D-0626
Longueuil QC J4H 4A9
(450) 679-2966
plein-sud@plein-sud.org
www.plein-sud.org

Quartier Ephémère
745, rue Ottawa
Montréal QC H3C 1R8
(514) 392-1554
info@quartierephemere.org
www.quartierephemere.org

Salle Augustin-Chénier
42, rue Sainte-Anne
Ville-Marie QC J9V 2B7
(819) 622-1362
salleag@tlb.sympatico.ca
www.temiscamingue.net/
salleaugustinchenier

**Société des arts technologiques -
SAT**
1195, boul. Saint-Laurent, C.P.1083
succ. Desjardins
Montréal QC H5B 1C2
(514) 844-2033
info@sat.qc.ca
www.sat.qc.ca

Studio 303 Danse et arts connexes
372, rue Sainte-Catherine Ouest,
bureau 303
Montréal QC H3B 1A2
(514) 393-3771
info@studio303.ca
www.studio303.ca

Usine C
1345, rue Lalonde
Montréal QC H2L 5A9
(514) 521-4198
info@usine_c.com
www.usine_c.com

GALERIES PRIVÉES • COMMERCIAL GALLERIES

Art Mûr
5826, rue Saint-Hubert
Montréal QC H2S 2L7
(514) 933-0711
artmur@videotron.ca
www.artmur.com

Galerie de Bellefeuille
1367, avenue Greene
Westmount QC H3Z 2A8
(514) 933-4406
art@debellefeuille.com
www.debellefeuille.com

Galerie Elena Lee
1460-A, rue Sherbrooke Ouest
Montréal QC H3G 1K4
(514) 844-6009
info@galerieelenalee.com
www.galerieelenalee.com/

Galerie Eric Devlin
1407, rue Saint-Alexandre
Montréal QC H3A 2G3
(514) 866-6272
artcontemporain@galerieericdevlin.com
www.galerieericdevlin.com

Galerie Estampe Plus
49, rue Saint-Pierre
Québec QC G1K 3Z7
(418) 694-1303
estampe@globetrotter.net
www.agac.qc.ca/

Galerie Graff
963, rue Rachel Est
Montréal QC H2J 2J4
(514) 526-2616
graff@videotron.ca
www.graff.ca

Galerie Joyce Yahouda
372, rue Sainte-Catherine Ouest,
esp. 516
Montréal QC H3B 1A2
(514) 875-2323
info@joyceyahoudagallery.com
www.joyceyahoudagallery.com

Galerie Lacerte art contemporain
1, côte Dinan
Québec QC G1K 3V5
(418) 692-1566
info@galerielacerte.com

Galerie Lieu Ouest
372, rue Sainte-Catherine Ouest,
bureau 523
Montréal QC H3B 1A2
(514) 393-7255

Galerie Lilian Rodriguez
372, rue Sainte-Catherine Ouest,
bureau 405
Montréal QC H3B 1A2
(514) 395-2245

Galerie Orange
81, rue Saint-Paul Est
Montréal QC H2Y 3R1
(514) 396-6670
info@galerieorange.com
www.galerieorange.com

Galerie René Blouin
372, rue Sainte-Catherine Ouest,
bureau 501
Montréal QC H3B 1A2
(514) 393-9969
g.rb@videotron.ca

Galerie Roger Bellemare
372, rue Sainte-Catherine Ouest,
espace 502
Montréal QC H3B 1A2
(514) 871-0319
galerieb@qc.aira.com

Galerie (sas)
372, rue Sainte-Catherine Ouest,
espace 416
Montréal QC H3B 1A2
(514) 878-3409
info@galeriesas.com
www.galeriesas.com

Galerie Simon Blais
5420, boul. Saint-Laurent, bureau 100
Montréal QC H2T 1S1
(514) 849-1165
info@galeriesimonblais.com
www.galeriesimonblais.com

Galerie Thérèse Dion
372, rue Sainte-Catherine Ouest,
bureau 527
Montréal QC H3B 1A2
(514) 398-9204
therese@theresedion.com
www.theresedion.com

Galerie Trois Points
372, rue Sainte-Catherine Ouest,
bureau 520
Montréal QC H3B 1A2
(514) 866-8006
j.aumont@galerietroispoints.qc.ca
www.galerietroispoints.qc.ca

Parisian Laundry
3550, rue Saint-Antoine Ouest
Montréal QC H4C 1A9
(514) 989-1056
infopl@parisianlaundry.com
www.parisianlaundry.com

Pierre-François Ouellette
Art Contemporain
372, rue Sainte-Catherine Ouest,
bureau 216
Montréal QC H3B 1A2
(514) 395-6032
info@pfoac.com
www.pfoac.com

Poirier Schweitzer - Art moderne
et contemporain
1545, avenue Dr Penfield, bureau 503
case postale 336,
succursale Westmount
Montréal QC H3G 1C7
(514) 939-9855

Rouje - arts et événements
228, rue Saint-Joseph Est
Québec QC G1K 3A9
(418) 688-4777
info@rouje.ca
www.rouje.net

Zeke's Gallery
3955, boul. Saint-Laurent
Montréal QC H2W 1Y4
(514) 288-2233
info@zeke.com
www.zekesgallery.blogspot.com

FESTIVALS ET ÉVÉNEMENTS · FESTIVALS AND EVENTS

Ateliers ouverts inc.
371, rue du Pont
Québec QC G1K 2M5
(418) 529-4242
quebec@ateliersouverts.com
www.ateliersouverts.com

Biennale de Montréal - CIAC
Case postale 760,
succursale Place du Parc
Montréal QC H2X 4A6
(514) 288-0811
ciac@ciac.ca
www.ciac.ca

Biennale des Couvertes
345, rue du Pont
Québec QC G1K 6M4
(418) 529-9680
infos@inter-lelieu.org
www.inter-lelieu.org

**Biennale internationale
d'art miniature**
42, rue Sainte-Anne
Ville-Marie QC J9V 2B7
(819) 622-1362
salleag@tlb.sympatico.ca
www.temiscamingue.net/biam

**Biennale internationale d'estampe
contemporaine de Trois-Rivières**
1425, place de l'Hôtel-de-ville
Trois-Rivières QC G9A 5H3
(819) 370-1117
biec@v3r.net
www.sites.rapidus.net/biennale.
trois-rivieres

**Biennale nationale de
sculpture contemporaine**
864, rue des Ursulines,
case postale 1596
Trois-Rivières QC G9A 5L9
(819) 691-0829
sculpture@galeriedartduparc.qc.ca
www.galeriedartduparc.qc.ca/biennale/

Champ Libre
1050, boul. René-Lévesque Est,
espace 105
Montréal QC H2L 2L6
(514) 393-3937
champ@champlibre.com
www.champlibre.com

Edgy Women / Femmes au-delà
372, rue Sainte-Catherine Ouest,
bureau 303
Montréal QC H3B 1A2
(514) 393-3771
info@studio303.ca
www.studio303.ca

Femmes br@nchées
338, terrasse Saint-Denis
Montréal QC H2X 1E8
(514) 845-7934
grrls@studioXX.org
www.studioxx.org

**Festival international des jardins -
Jardins de Métis**
200, route 132
Grand-Métis QC G0J 1Z0
(418) 775-2221
festival@jardinsmetis.com
www.jardinsmetis.com

**Festival international du film sur l'art
- FIFA**
640, rue Saint-Paul Ouest, bureau 406
Montréal QC H3C 1L9
(514) 874-1637
info@artfifa.com
www.artfifa.com

Journées de la culture
4750, rue Henri-Julien, bureau R-600
Montréal QC H2T 2C8
(514) 873-2641
info@journeesdelaculture.qc.ca
www.journeesdelaculture.qc.ca

**La Biennale d'art performatif
de Rouyn-Noranda**
167, rue Murdoch, C.P. 2273
Rouyn-Noranda QC J9X 5A9
(819) 797-8738
ecart@cablevision.qc.ca
www.cablevision.qc.ca/ecart/

Le mois de la performance
La Centrale Galerie Powerhouse
4296, boul. Saint-Laurent
Montréal QC H2W 1Z3
(514) 871-0268
galerie@lacentrale.org
www.lacentrale.org

Le Mois de la Photo à Montréal
661, rue Rose-de-Lima, local 203
Montréal QC H4C 2L7
514-390-0383
chuck.samuels@moisdelaphoto.com
www.moisdelaphoto.com

Le Mois Multi
650, côte d'Abraham
Québec QC G1R 1A1
(418) 524-7553
recto-verso@meduse.org
www.meduse.org/recto-verso/moismulti/

Les HTMlles festival de cyberart
338, terrasse Saint-Denis
Montréal QC H2X 1E8
(514) 845-7934
grrls@studioXX.org
www.studioxx.org

Les Femmeuses
Pratt & Whitney Canada
1000, boul. Marie-Victorin
Longueuil QC J4G 1A1
(450) 647-3929
www.pwc.ca

**Manifestation internationale
d'art de Québec**
160, rue Saint-Joseph Est
Québec QC G1K 3A7
(418) 524-1917
info@manifdart.org
www.manifdart.org

Mutek
745, rue Ottawa
Montréal QC H3C 1R8
(514) 392-9251
info@mutek.ca
web@mutek.ca

**Projet MOBILIVRE /
BOOKMOBILE Project**
C. P. 42062
Montréal QC H2W 2T3
(514) 490-1917
renseignements@mobilivre.org
www.mobilivre.org

**Rencontre internationale d'art
performance de Québec**
345, rue du Pont
Québec QC G1K 6M4
(418) 529-9680
infos@inter-lelieu.org
www.inter-lelieu.org

**Symposium international d'art
contemporain de Baie-Saint-Paul**
23, rue Ambroise-Fafard
Baie-Saint-Paul QC G3Z 2J2
(418) 435-3681
cartbstp@bellnet.ca
www.centredart-bsp.qc.ca

Trafic'art
132, rue Racine Est, C. P. 442
Saguenay QC G7H 1R1
(418) 543-2744
art@sequence.qc.ca
www.sequence.qc.ca

Vasistas
3700, rue Saint-Dominique
Montréal QC H2X 2X7
(514) 843-7738
www.lachapelle.org

Wagon - art itinérant
119, rue Saint-François Ouest
Québec QC G1K 1J3
info@wagon-art-itinerant.org
www.wagon-art-itinerant.org

REVUES • MAGAZINES

Art Le Sabord
167, rue Laviolette, C. P. 1925
Trois-Rivières QC G9A 5M6
(819) 375-6223
art@lesabord.qc.ca
www.lesabord.qc.ca

CV photo
661, rue Rose-de-Lima, bur. 204
Montréal QC H4C 2L7
(514) 390-1193
info@cielvariable.ca
www.cvphoto.ca

Espace sculpture magazine
4888, rue Saint-Denis
180 • 181 Montréal QC H2J 2L6
(514) 844-9858
espace@espace-sculpture.com
www.espace-sculpture.com

ESSE - Arts + opinions
C.P. 56, succ. de Lorimier
Montréal QC H2H 2N6
(514) 521-8597
revue@esse.ca
www.esse.ca

ETC Montréal
1435, rue Saint-Alexandre, bureau 250
Montréal QC H3A 2G4
(514) 848-1125
etcmtl@dsuper.net
www.dsuper.net/%7Eetcmtl/etc%
202.html

Inter, Art Actuel
345, rue du Pont
Québec QC G1K 6M4
(418) 529-9680
infos@inter-lelieu.org
www.inter-lelieu.org

Parachute
4060, boul. Saint-Laurent, bureau 501
Montréal QC H2W 1Y9
(514) 842-9805
info@parachute.ca
www.parachute.ca

Possibles
5070, rue de Lanaudière
Montréal QC H2J 3R1
(514) 529-1316
www.possibles.cam.org

Spirale
6742, rue Saint-Denis
Montréal QC H2S 2S2
(514) 934-5651
spiralemagazine@yahoo.com

Vie des Arts
486, rue Sainte-Catherine Ouest,
bureau 400
Montréal QC H3B 1A6
(514) 282-0205
arts@qc.aira.com
www.viedesarts.com

RECHERCHE ET DOCUMENTATION • RESEARCH AND DOCUMENTATION

Artexte
460, rue Sainte-Catherine Ouest,
espace 508
Montréal QC H3B 1A7
(514) 874-0049
info@artexte.ca
www.artexte.ca

**Bibliothèque des Arts de l'UQAM -
Université du Québec à Montréal**
Pavillon Hubert-Aquin, local A-1200,
400, rue Sainte-Catherine Est,
C. P. 8888, succ. Centre-ville
Montréal QC H3C 3P3
(514) 987-6134
www.bibliotheques.uqam.ca

**Bibliothèque et Archives
nationales du Québec**
2275, rue Holt
Montréal QC H2G 3H1
(514) 873-1111
collectionspéciale@bnquebec.ca
www.biblinat.gouv.qc.ca

**Centre de recherche et de
documentation de la Fondation
Daniel Langlois**
3530, boul. Saint-Laurent, bureau 402
Montréal QC H2X 2V1
(514) 987-7177
info@fondation-langlois.org
www.fondation-langlois.org

**Centre de recherche urbaine
de Montréal – CRUM**
crum1@sympatico.ca
www3.sympatico.ca/scholes/crum/CRU
M_home.html

Le Fonds documentaire
1211, boul. Saint-Laurent
Montréal QC H2X 2S6
(514) 390-0382
vox@voxphoto.com
www.voxphoto.com/fd

**Librairie du Centre canadien
d'architecture - CCA**
1920, rue Baile
Montréal QC H3H 2S6
(514) 939-7028
livres@cca.qc.ca
www.cca.qc.ca

**Librairie Olivieri du Musée d'art
contemporain de Montréal**
185, rue Sainte-Catherine Ouest
Montréal QC H2X 3X5
(514) 847-6903
www.macm.org

**Médiathèque / Musée d'art
contemporain de Montréal**
185, rue Sainte-Catherine Ouest
Montréal QC H2X 3X5
(514) 847-6906
www.media.macm.org/

DISTRIBUTION • DISTRIBUTION

ABC Livres d'art Canada
372, rue Sainte-Catherine Ouest,
bureau 229
Montréal QC H3B 1A2
(514) 871-0606
info@abcartbookscanada.com
www.abcartbookscanada.com

Canopée Diffusion - Distribution
109, chemin du Sphinx
Saint-Armand QC J0J 1T0
(450) 248-9084
lacanopee@primus.ca

PRODUCTION • PRODUCTION

**ATSA - Action terroriste
socialement acceptable**
4430, rue Drolet
Montréal QC H2W 2L8
(514) 844-9830
info@atsa.qc.ca
www.atsa.qc.ca

**Centre de l'image et de l'estampe
de Mirabel**
8106, chemin de Belle-Rivière
Mirabel QC J7N 2W5
(450) 258-0979
www.ciem.ca

**Centre des arts contemporains
du Québec à Montréal**
4247, rue Saint-Dominique
Montréal QC H2W 2A9
(514) 842-4300
cacqm@bellnet.ca
www.cacqm.com

Coop vidéo de Montréal
1124, rue Marie-Anne Est, bureau 21
Montréal QC H2J 3B7
(514) 521-5541
info@coopvideo.ca

**Farine Orpheline cherche
Ailleurs Meilleur**
2025, rue Parthenais, local 3050 C
Montréal QC H2K 3T2
(514) 523-2243
code306@farineorpheline.qc.ca
www.farineorpheline.qc.ca

Les Films de L'Autre
460, rue Sainte-Catherine Ouest,
bureau 302
Montréal QC H3B 1A7
(514) 396-2651
fda@qc.aira.com
www.lesfilmsdelautre.com

Folie Culture
281, rue de Saint-Vallier Est
Québec QC G1K 3P5
(418) 649-0999
fc@folieculture.org
www.folieculture.org

**Groupe intervention vidéo
de Montréal inc. - GIV**
4001, rue Berri, espace 105
Montréal QC H2L 4H2
(514) 271-5506
giv@videotron.ca
www.givideo.org

Guilde Graphique
9, rue Saint-Paul Ouest
Montréal QC H2Y 1Y6
(514) 844-3438
guildegraphique@sprint.ca
www.guildegraphique.com

Main Film
4067, boul. Saint-Laurent, bureau 303
Montréal QC H2W 1Y7
(514) 845-7442
info@mainfilm.qc.ca
www.mainfilm.qc.ca

**Prim (Productions, réalisations
indépendantes de Montréal)**
2180, rue Fullum
Montréal QC H2K 3N9
(514) 524-2421
info@primcentre.org
www.primcentre.org

**Spirafilm, coopérative de production
cinématographique**
541, rue de Saint-Vallier Est,
bureau 461, case postale 1
Québec QC G1K 3P9
(418) 523-1275
spirafilm@meduse.org
www.meduse.org/spirafilm

Vidéo Femmes
291, rue de Saint-Vallier Est,
bureau 104
Québec QC G1K 3P5
(418) 529-9188
info@videofemmes.org
www.videofemmes.org

ONTARIO

A SPACE GALLERY

A Space began as an alternative commercial gallery three years before the centre's not-for-profit incorporation in January of 1971. Known from its early days as an innovative space dedicated to exploring current ideas in art, A Space was the place for alternative music, poetry, dance, video and performance throughout the seventies; in the eighties, it became established as a site to explore and organize around issues of race, gender, class, sexual orientation and censorship. A Space's mandate is to facilitate access to contemporary art practice based on our understanding of access and representation in contemporary culture. Access to art is inherent in Article 27 of the 1948 UN Declaration of Human Rights.

From its beginnings, the agent of change and development at A Space has been our membership. Artists, curators, writers, cultural workers and activists may participate in all activities such as the selection process, development of A Space-generated projects and curatorial initiatives. Historically, members voice their opinions on program direction and policy at regular members' meetings and by electing—from amongst themselves—a board of directors at the Annual General Meeting. Board members serve two year terms.

Located in the Fashion District of downtown Toronto, the gallery is situated well within the larger art community. Audiences, members and artists come to A Space from different countries, diverse cultural backgrounds, different disciplines and various communities of interest. A Space has maintained policies for access and representation by diverse communities since these were established and implemented in the mid-eighties. The gallery maintains the objectives of introducing issue-based, politically engaged, and technically innovative work. We develop programming to support emerging artists, new artistic practices and work that is informed by culturally specific aesthetics. Our main objective is to continue to enrich contemporary artistic discourse through curatorial practices as well as outreach and education.

110 - 401 Richmond Street West
Toronto (Ontario) M5V 3A8
T 416 979 9633 F 416 979 9683
info@aspacegallery.org
www.aspacegallery.org

OPENING HOURS
TUESDAY » FRIDAY: 11am-6pm
SATURDAY: 12pm-5pm

**ADMINISTRATIVE/
PLANNING COORDINATOR**
REBECCA MCGOWEN
**PROGRAMMING/
EXHIBITIONS COORDINATOR**
PAM EDMONDS

SUBMISSION DEADLINES
January 31
July 31

Galerie commerciale parallèle à l'origine, A Space s'enregistrait en janvier 1971 à titre d'organisme sans but lucratif. Reconnu dès ses débuts comme un espace novateur ouvert à l'exploration des pratiques artistiques actuelles, A Space était dans les années 70 le lieu par excellence consacré à la diffusion de musique alternative, de poésie, de danse, de vidéo et de performance; les années 80 ont amené à l'avant plan différents enjeux, dont ceux reliés à la race, aux classes sociales, à la sexualité et à la censure. A Space a pour mandat de faciliter l'accès à la pratique artistique contemporaine, en s'appuyant sur la compréhension de ce qu'est la représentation dans la culture contemporaine. En effet, l'accès à l'art est un élément essentiel de l'article 27 de la Déclaration des droits de l'homme de l'ONU de 1948.

Depuis la fondation d'A Space, les membres constituent les principaux agents de changement et de développement du centre. Artistes, commissaires, auteurs, travailleurs du secteur culturel et activistes participent à toutes les activités du centre, qu'il s'agisse de la mise au point du processus de sélection de projets élaborés par A Space ou d'initiatives de conservation. Lors des réunions régulières, les membres s'expriment sur diverses questions se rapportant à la programmation et à la politique du centre, en plus d'élire chaque année – parmi les membres – un conseil d'administration. Ce conseil remplit un mandat de deux ans.

Située dans le quartier de la mode du centre-ville de Toronto, la galerie occupe une place privilégiée au sein de la communauté artistique. Les visiteurs, membres et artistes qui la fréquentent proviennent de pays, de communautés culturelles, de domaines et de groupes d'intérêt différents. Par ailleurs, A Space dispose, depuis le milieu des années 80, de politiques d'accès et de représentation des diverses communautés. La galerie poursuit ses objectifs de présentation de pratiques axées sur différents enjeux, politiquement engagées et qui innovent techniquement. Notre programmation vise à encourager les artistes de la relève, les pratiques artistiques nouvelles et celles qui se nourrissent d'esthétiques issues de cultures particulières. Notre objectif principal est de contribuer à l'enrichissement du discours artistique contemporain, tant par les pratiques des commissaires que par la diffusion et l'éducation.

A SPACE GALLERY. PHOTO: COURTESY OF A SPACE

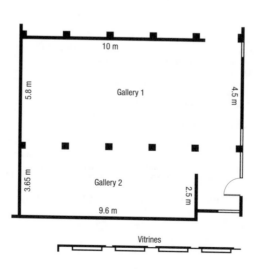

10 m

5.8 m

Gallery 1

4.5 m

3.65 m

Gallery 2

2.5 m

9.6 m

Vitrines

ARTCITE INC.

Founded in 1982, Artcite Inc. is an incorporated, registered charitable, non-profit artist-run centre, founded, directed and managed by practising professional artists of various disciplines. Dedicated exclusively to the presentation and promotion of contemporary art forms, Artcite maintains a balanced and diverse program of activities, including the presentation of 10+ gallery and off-site local, regional, national and international visual art exhibitions, guest artist lectures, workshops and residencies, film and video screenings (including Media City, an international Festival of Experimental Film and Video Art, presented annually with Windsor's House of Toast Film and Video Collective), public readings by Canadian authors and poets, and multidisciplinary performances and special projects.

Artcite Inc. is located in a highly visible downtown Windsor storefront space, and we enjoy a large and diverse viewing public (which includes not only the local arts community but a high volume of uninitiated walk-by traffic, including U.S. tourists). Both our location and our diverse audience present us with a unique opportunity to showcase contemporary art activity in its many forms. Annual submission deadlines are every March 10 and October 10. Link to our website for gallery floorplan and comprehensive submissions info: www.artcite.ca

Artcite Inc

109 University Avenue West
Windsor (Ontario) N9A 5P4
T + F 519 977 6564
info@artcite.ca
www.artcite.ca
www.houseoftoast.ca

OPENING HOURS
Office hours
TUESDAY » SATURDAY: 12pm-5pm
Gallery hours
WEDNESDAY » SATURDAY: 12pm-5pm

ADMINISTRATIVE COORDINATOR
CHRISTINE BURCHNALL
xtine@artcite.ca

ARTISTIC COORDINATOR
LEESA BRINGAS
info@artcite.ca
MEDIA CITY PROGRAM COORDINATOR
DAVID DINNELL
OONA MOSNA
mediacity@artcite.ca

SUBMISSION DEADLINES
March 10 and October 10

Fondé en 1982, Artcite Inc. est géré et dirigé par des artistes pratiquant diverses disciplines. Centre d'artistes autogéré, incorporé et enregistré en tant qu'organisation charitable et sans but lucratif, il est voué exclusivement à la présentation et à la promotion de formes artistiques contemporaines. Artcite propose un programme varié d'activités qui comprend, notamment, la présentation de plus d'une dizaine d'événements en galerie et hors les murs, auxquels participent des artistes locaux, régionaux, canadiens et étrangers. Au nombre de ces événements figurent des expositions, conférences d'artistes invités, ateliers et résidences, visionnements de films et vidéos (citons le festival international Media City, consacré au film expérimental et à la vidéo d'art, qui est présenté chaque année en collaboration avec House of Toast, collectif de Windsor œuvrant dans le film et la vidéo), des lectures publiques par des auteurs et poètes canadiens, ainsi que des performances multidisciplinaires et des projets spéciaux.

Les locaux d'Artcite Inc., situés au centre-ville de Windsor, occupent un espace commercial jouissant d'une grande visibilité. Le public de la galerie, fort nombreux, est composé de membres de la communauté artistique locale et de visiteurs néophytes, parmi lesquels figurent un grand nombre de touristes venus des États-Unis. La situation géographique d'Artcite, tout comme la diversité de son public, favorise la mise en valeur de l'activité artistique contemporaine sous toutes ses formes. Les dates limites de réception des dossiers sont fixées au 10 mars et au 10 octobre. Pour obtenir le plan de la galerie et pour de plus amples renseignements au sujet des demandes, veuillez consulter le site Web suivant : www.artcite.ca

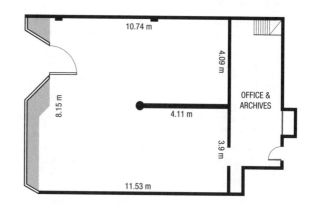

GEORGE RIZOK & SEAN BARRY, *WE TALKED ON THE PHONE*, 2001; PHOTO: LEESA BRINGAS. COURTESY OF **ARTCITE INC.**

ARTSPACE

Artspace is a multidisciplinary artist-run centre with non-profit charitable status committed to supporting the development of contemporary artists and related art practices in Peterborough and surrounding areas.

As the only centre for contemporary art in a region with many rural communities, Artspace supports the growth of professional artists, writers and curators by providing opportunities to extend a developed and mature dialogue on contemporary art through a regular programming of exhibitions, artist talks, lectures, discussions and workshops and open-format screenings. Artspace has a generative environment where artists at all levels of development engage in the production, presentation and dissemination of contemporary art and critical discourse. Artspace serves as a resource centre for local artists in areas of professional development and research.

Our integrated programming features local, national and international artists working in all media. Focus is on work that is critical in nature and reflective of current and arising issues in contemporary art that are relevant to this community.

Annual programming consists of six full exhibitions, with CARFAC fees paid, drawn from an open call for proposals and curatorial projects. To supplement this we present short exhibitions and experimental projects by local artists and welcome short-term residency proposals for time-based work from artists outside the region. Mounted between full exhibitions, these projects complement the direction and tenor of our programming activities.

Our new centre is located at ground level with large storefront windows running the length of the street entrance wall. We have cultivated on-site capability to screen digital video, film, web projects, sound and new media installations.

We review exhibition proposals from emerging and established artists, artist collectives and curators twice annually. Short-term residencies for time-based work and proposals for off-site projects are also considered. We welcome collaborations with other artist-run centres on specific projects and publications.

artspace
ARTIST-RUN CENTRE

378 Aylmer St. N.
P.O. Box 1748
Peterborough (Ontario) K9H 7X6
T 705 748 3883 F 705 748 3224
info@artspace-arc.org
www.artspace-arc.org

OPENING HOURS
TUESDAY » FRIDAY: 12pm-6pm
SATURDAY: 11am-3pm

DIRECTOR
IGA JANIK
ADMINISTRATIVE ASSISTANT
SEKOIAA LAKE
BOOKKEEPER
SUSAN NEWMAN

SUBMISSIONS DEADLINE
March 15 and September 15

Artspace est un centre d'artistes autogéré, pluridisciplinaire et sans but lucratif dont la mission est de soutenir le développement des artistes contemporains et de leurs pratiques à Peterborough et dans ses environs.

Unique centre d'art contemporain dans une région qui compte plusieurs communautés rurales, Artspace soutient les artistes, les auteurs et les commissaires professionnels en leur offrant des occasions d'enrichir leur réflexion sur l'art grâce à une programmation régulière d'expositions, de rencontres d'artistes, de conférences, de discussions, d'ateliers et de projections. Artspace offre un environnement stimulant où les artistes à tous les stades de leur développement peuvent s'employer à la production, à la présentation et à la diffusion de l'art contemporain et du discours critique qui s'y rattache. Artspace est aussi un centre de ressources pour les artistes de la région dans différents domaines de la recherche et du développement professionnel.

Le centre accueille dans sa programmation des artistes de la scène locale, nationale et internationale. Ouvert à toutes les disciplines, il privilégie les productions à caractère critique en lien avec les préoccupations qui traversent l'art contemporain aujourd'hui dans la mesure où ces productions présentent un intérêt pour la communauté locale.

La programmation annuelle se compose de six expositions principales sélectionnées parmi les projets qui ont été soumis. À cela viennent s'ajouter des expositions de courte durée et des projets expérimentaux d'artistes de la région. Artspace accueille également en résidence, mais pour de brefs séjours seulement, des artistes de l'extérieur désireux de créer des œuvres axées sur le temps. Montés entre deux expositions principales, ces projets viennent complémenter la programmation. Le cachet versé aux artistes correspond aux normes fixées par CARFAC.

Le centre vient d'emménager dans de nouveaux locaux situés au rez-de-chaussée et pourvus de grandes vitrines en façade. Il est doté de tout l'équipement nécessaire pour la projection de films, de projets Web et de vidéos numériques, de même que pour la présentation d'installations audio ou multimédias.

L'évaluation des projets d'expositions a lieu deux fois par année et les dossiers peuvent être soumis aussi bien par des artistes de la relève que par des artistes établis, des collectifs ou des commissaires d'exposition. Le centre accueille également les demandes de résidence et les projets hors galerie.

ARTSPACE. COCOSOL1DC1T1, *ROUNDING ERROR*, 2005; VIDEO STILL: *SCALE 1B* BY EMMA MCRAE AND PRIVATE BENJAMIN, 2002; PHOTO: BILL WILSON.

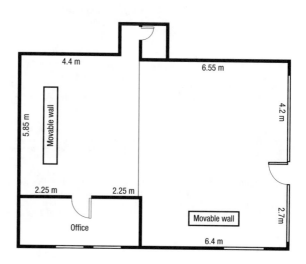

CHARLES STREET VIDEO

Charles Street Video (CSV) seeks to foster a rigorous media art practice by providing artists with affordable access to production/post-production tools and by offering creation opportunities including residencies, commissions and youth production programs. Our further goals are to contribute to the development of emerging artists through scholarships, to provide technical support and training sessions and to help foster the exhibition of the media arts.

CSV's equipment configuration features Avid and Final Cut Pro picture editing and Pro Tools audio editing work stations. On the production side, the facility has numerous Sony and Panasonic cameras, field audio gear and lighting and grip equipment. CSV is embarking on an ambitious plan to acquire High-Definition video equipment in 2006.

The facility has operated in downtown Toronto since 1976. Hundreds of works have been undertaken at the facility, including gallery installations, single channel video art pieces, audio art productions and both short and feature-length films. The facility works in collaboration with exhibition and diffusion organizations every year, including the Images, Inside Out and Planet in Focus film and video festivals, the Power Plant Gallery, New Adventures in Sound Art and the CBC.

65 Bellwoods Avenue
Toronto (Ontario) M6J 3N4
T 416 603 6564 F 416 603 6567
csv@charlesstreetvideo.com
www.charlesstreetvideo.com

OPENING HOURS
OPEN 24 HOURS/DAY, 7 DAYS/WEEK TO
MEMBERS WITH ACCESS PRIVILEGES
Office hours
MONDAY » FRIDAY: 10am-5pm

GENERAL MANAGER
ROSS TURNBULL
OPERATIONS MANAGER
GREG WOODBURY

IN-HOUSE EDITOR
ALEESA COHENE

SUBMISSION DEADLINE
Charles Street Video has a number of submission deadlines each year, depending on particular programs. Normally our primary video production residency deadline is in the fall. Consult our website and click on "Submission Calls" for current deadlines

Charles Street Video (CSV) cherche à stimuler une pratique rigoureuse de l'art médiatique en offrant aux artistes un accès à prix modique à de l'équipement de production et de postproduction et en favorisant la création par des résidences d'artistes, une aide à la production et des programmes destinés à la relève. Nous souhaitons, à l'avenir, contribuer à l'avancement d'artistes émergents en offrant des bourses d'études, de l'assistance technique et des cours de formation, de même qu'en encourageant la diffusion des arts médiatiques.

CSV dispose des logiciels de montage d'images Avid et Final Cut Pro et de deux stations de montage audio équipées du logiciel Pro Tools. Côté production, l'organisme possède plusieurs caméras Sony et Panasonic ainsi que de l'équipement d'éclairage, de prise de son et du matériel de machiniste. CSV projette d'acquérir du matériel vidéo haute définition en 2006.

Situé au centre-ville de Toronto, l'organisme est actif depuis 1976. Des centaines d'œuvres y ont vu le jour, dont des installations en galerie, des vidéos à canal unique, de l'art audio, ainsi que des courts et des longs métrages. CSV travaille régulièrement en collaboration avec des centres de diffusion et d'exposition parmi lesquels figurent les festivals de film et de vidéo Images, Inside Out et Planet in Focus, le Power Plant, New Adventures in Sound Art et CBC.

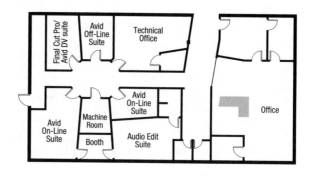

CHARLES STREET VIDEO. CSV MEMBER CHEUK KWAN IN THE CSV AVID ON-LINE EDITING ROOM WITH EDITOR NISHI DIAS; PHOTO: GREG WOODBURY.

DEFINITELY SUPERIOR ARTIST-RUN CENTRE + GALLERY

Definitely Superior Art Gallery is Northwestern Ontario's non-profit multidisciplinary artist-run centre for the contemporary arts. Incorporated in 1988 and working at the dynamic edge, our curatorial-centred exhibitions and activities exist to identify and encourage emerging and mid-career contemporary artists, regional, national, and international, working in all media and who present alternative cultural perspectives. Definitely Superior's mandate goes beyond presenting visual art exhibitions and extends into multi-disciplinary activities such as artist workshops and lectures, artists' film and video screenings, media arts installations, site specific/interventional art, interdisciplinary arts, performance art, experimental sound/audio, resource centre and music and literary events. We work to provide and increase opportunities for research, production, presentation, promotion and dissemination of work by regional/national/international artists, encouraging media cross-over and multi-media work. The purpose of this is to develop new and more varied forms of expression in artists, to broaden the scope of their work, and to encourage development of new skills. Definitely Superior's artistic endeavours are focused at the very nexus of creating new and experimental works, which are by their nature research and development. This is the role that we share with all artist-run-centres in Canada; to develop artists and the essential seeding of new and exciting contemporary art that reflects both a regional and national level of discourse and diversity. Definitely Superior utilizes three multi-functional gallery spaces (2,000 sq.ft) to facilitate three distinct forms of programming in order to make the gallery more accessible to artists and the community at large, 1-Main Programming (CARFAC fees paid), 2-Open Space Projekts, 3-Arts Education and a unique series (six/year) of offsite performative art outreach events. N-gage art!

P.O. Box 24012
250 Park Avenue, Suite 101
Thunder Bay (Ontario) P7A 8A9
T 807 344 3814 F 807 344 3814
defsup@tbaytel.net
www.definitelysuperior.com

OPENING HOURS
TUESDAY » SATURDAY: 12pm-6pm

DIRECTOR
DAVID KARASIEWICZ

SUBMISSION DEADLINE
October 1, however submissions are accepted on an ongoing basis

Definitely Superior Art Gallery est le centre d'artistes autogéré multidisciplinaire sans but lucratif desservant le Nord-Ouest de l'Ontario, incorporé en 1988 et œuvrant à la fine pointe de l'art contemporain. Nos expositions et activités centrées sur le commissariat ont pour but de faire connaître et apprécier les artistes en début et à mi-carrière, tant de la scène régionale et nationale qu'internationale, de toutes disciplines, et qui proposent des perspectives culturelles alternatives. Le mandat de Definitely Superior dépasse la seule présentation d'expositions d'arts visuels et comprend des activités multidisciplinaires telles que : ateliers et conférences d'artistes, visionnements de films et de vidéos d'art, installations en arts médiatiques, art *in situ* et art d'intervention, arts interdisciplinaires, performances, recherches sonores, centre de ressources, événements de musique et de littérature. Nous travaillons à offrir aux artistes des possibilités toujours plus nombreuses en recherche, production, présentation, promotion et diffusion des œuvres ; nous favorisons les croisements entre les disciplines, ainsi que les œuvres multimédias, dans le but de développer chez les artistes de nouvelles formes d'expression, d'élargir la portée de leur travail et de faciliter la maîtrise de nouvelles compétences qui reflètent les niveaux de discours et la diversité des œuvres. Definitely Superior propose trois espaces d'exposition multifonctionnels (totalisant 2 000 pi²) permettant la présentation de trois formes distinctes de programmation, de manière à rendre la galerie plus accessible aux artistes et à la communauté dans son ensemble, soit : 1- la programmation principale (avec cachets d'exposition selon les normes de CARFAC), 2 - « Open Space Projekts », 3 – des activités éducatives et une série unique d'événements performatifs hors galerie, ouverts sur la communauté (à raison de six activités par année). Engagez-vous par l'art !

DEFINITELY SUPERIOR ARTIST-RUN CENTRE + GALLERY. THE 25TH ANNIVERSARY INTERNATIONAL LAKEHEAD UNIVERSITY ALUMNI ART EXHIBITION INCLUDED 50 ARTISTS, 2005. PHOTO: DAVID KARASIEWICZ

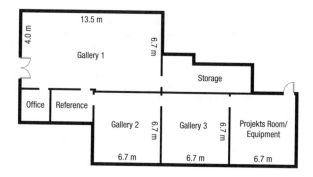

Ed Video Media Arts Centre is a non-profit, artist-run centre providing high-quality video and audio production facilities, media arts training and a public exhibition program. The centre supports the creation, exhibition and appreciation of contemporary video and media arts.

In 1975 the Educational Video Creative Community Television project (Ed Video) was initiated by graduates of the University of Guelph Fine Arts program. They aimed to provide artists with access to equipment, as well as to catalyze creative activity in the community. They recognized that most people, especially artists and community groups, had little or no access to the video medium. Ed Video remains the only media arts centre serving artists, independent producers and the general public in Southwestern Ontario.

Ed Video is committed to presenting artistically challenging and thematically relevant media arts programming to its membership, the regional community and the national artistic community. Programming reflects upon and contributes to current critical discourse, as well as being responsive to the needs of our members and the larger community.

Our annual programming season is developed by the Programming Selection Committee made up of the Executive Director, Artistic Director, members at large and a community arts representative.

PO Box 1629
16A Wyndham St North
Guelph (Ontario) N1H 6R7
T 519 836 9811 F 519 836 0504
info@edvideo.org
www.edvideo.org

Le centre d'artistes sans but lucratif Ed Video Media Arts Centre dispose de matériel de production audio et vidéo de haute qualité. Il offre des cours de formation en arts médiatiques et un programme d'expositions ouvertes au public. Ed Video soutient la création, la diffusion et la reconnaissance des arts médiatiques et de la vidéo contemporaine.

Educational Video Creative Community Television project (Ed Video) a été mis sur pied en 1975 par un groupe de diplômés de l'university de Guelph (Beaux-Arts). Ces derniers avaient pour but d'offrir aux artistes un accès à de l'équipement et de catalyser l'activité créatrice au sein de la communauté. Force était de constater que la majorité de la population, et particulièrement les artistes et les groupes communautaires, avaient alors peu ou pas d'accès à la vidéo. Ed Video demeure aujourd'hui le seul centre d'arts médiatiques au service des artistes, des producteurs indépendants et du grand public dans le Sud-Ouest de l'Ontario.

Le centre s'efforce d'offrir à ses membres, à la population régionale et à la communauté artistique nationale une programmation stimulante sur les plans artistique et thématique. Nous cherchons à favoriser la réflexion et à contribuer au discours critique actuel tout en répondant aux besoins de nos membres et à ceux de l'ensemble de la communauté.

Notre programmation annuelle est élaborée par un comité formé du directeur général, du directeur artistique, de membres et d'un représentant de la communauté artistique.

12 m

Upper Gallery

7 m

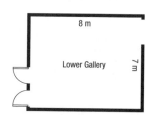

8 m

Lower Gallery

7 m

PHOTO: COURTESY **ED VIDEO MEDIA ARTS CENTRE**

FADO PERFORMANCE INC.

Fado is an artist-run centre for performance art. Initiated in 1993 as a programming collective and incorporated as a non-profit organization in 2001, Fado operates without a space, securing appropriate venues on a project-by-project basis. We present site-specific and conceptual performance works that claim various public and private locations as sites for artistic exchange and experimentation. Presentation activities also include artist talks, festivals, residencies, exchanges and workshops, as well as publishing in a variety of text and digital formats. Fado publishes a free monthly E-list that provides information and calls for submission for performance art and related practices. We are a dynamic organization with strong ties to both an international performance art network and the local Toronto arts community.

Fado views performance art as a practice with multiple histories encompassing various regional, cultural, political and aesthetic differences. Our programming explores performance in relation to the root elements of the medium — time, space, the performer's body and the relationship between performer and audience. We are most interested in works that are innovative in their use of one or more of these elements, including those that are multi-disciplinary. We showcase a diverse range of Canadian and international performance artists at all stages of their careers within carefully considered curatorial contexts. We collaborate regularly with various other organizations, including artist-run centres and collectives, public galleries, post-secondary institutions and private businesses. We offer audiences fresh approaches to experiencing and participating in performance art events, linking individual projects through thematic series that often take place over several years. Our most ambitious publication project to date is the *Canadian Performance Art Legends* series, an ongoing set of text/DVD publications featuring senior Canadian performance artists.

F | a
d | 0

273-B Carlton St.
Toronto (Ontario) M5A 2L4
T 416 822 3219
info@performanceart.ca
http://www.performanceart.ca

PERFORMANCE ART CURATOR
PAUL COUILLARD

SUBMISSION DEADLINE
Fado accepts submissions at any time,
and posts calls for specific curatorial
projects periodically throughout the year

Fado est un centre d'artistes autogéré qui se consacre à l'art de la performance. Fondé en 1993 à titre de collectif de programmation, puis incorporé en tant qu'organisation sans but lucratif en 2001, Fado ne dispose pas de salle, choisissant pour chaque projet le lieu particulier qui convient. Fado présente des œuvres de performance conceptuelles élaborées en rapport avec divers sites publics et privés, que le centre transforme en lieux d'échange et d'exploration artistiques. Il offre aussi des conférences d'artistes, festivals, résidences, échanges et ateliers. Fado publie également divers textes et documents numériques, ainsi qu'un bulletin électronique mensuel gratuit contenant des informations sur les appels de dossiers destinés aux artistes de la performance et des disciplines connexes. Notre communauté, fort dynamique, entretient des liens serrés avec le réseau international des artistes de la performance, ainsi qu'avec la communauté artistique locale de Toronto.

Fado conçoit la performance comme une pratique artistique dont les multiples origines reflètent les différences régionales, culturelles, politiques et esthétiques. Notre programmation explore la performance en considérant ses éléments de base, soit le temps, l'espace, le corps de l'artiste et la relation entre lui et le public. Nous sommes surtout intéressés par les œuvres qui innovent par leur utilisation de l'un ou de l'autre de ces éléments, notamment quand y intervient une démarche multidisciplinaire. Nous présentons le travail d'artistes canadiens et étrangers dont la carrière est plus ou moins avancée, et le faisons au regard de considérations commissariales bien précises. Nous collaborons régulièrement avec différentes organisations, parmi lesquelles des centres d'artistes autogérés et des collectifs, des galeries publiques, des institutions postsecondaires et des entreprises privées. Nous proposons au public de nouvelles approches de la performance et de participation aux événements performatifs, en reliant les projets individuels à des programmes thématiques qui, souvent, s'échelonnent sur plusieurs années. À ce jour, *Canadian Performance Art Legends* constitue notre projet de publication le plus ambitieux. Il s'agit d'une série de publications texte et DVD mettant en vedette plusieurs artistes importants de la performance au Canada.

FADO PERFORMANCE INC. NAUFUS RAMIREZ-FIGUEROA, *THE SUN IS CROOKED IN THE SKY; MY FATHER IS THROWN OVER MY SHOULDERS*, PERFORMANCE, 2005; PHOTO: MIKLOS LEGRADY.

FOREST CITY GALLERY

The Forest City Gallery was established in 1973 by a nationally recognized group of artists, including Ron Benner, Bob Bozak, Greg Curnoe, Murray Favro, Robert Fones, Kerry Ferris, David Gordon, Jamelie Hassan and Ron Martin. Founded on the principles of artistic autonomy and a celebration of its regional context, FCG is rethinking and reanimating these formative ideas for an evolving culture in which new technologies have redefined both the balance of power in communication and the boundaries of regionalism. Some of the principal events of recent years included a celebration of the 30th anniversary of Forest City Gallery with the No Music Festival (including Sam Shalabi, Michael Snow, Nobuo Kubota, and the Nihilist Spasm Band, among others) and Future_Feed_Forward, a media/performance festival of emerging and established artists in performance, media art, music, and literature.

FCG is committed to continued excellence in programming, exhibitions and events that both reflect and challenge contemporary developments in local, regional and national cultural production. As an artist-run centre, and the only one of its kind in the region, FCG fulfills the crucial role of supporting experimental and emergent practices. Since our move to a central downtown location, FCG is fast becoming a main hub for cultural activity in the community. We are frequently approached by local artists, collectives, writers, and musicians as an alternative venue for exhibitions, readings and musical events. We are able to accommodate these important community-based initiatives through fundraising activities, collaborations with local organizations and volunteer labour. In the past six months especially, FCG has been home to new and varied audiences of alternative communities largely on account of our support of these local initiatives.

352-356 Talbot Street
London (Ontario) N6A 2R6
T 519 434 5875
fcg@lonet.ca
www.forestcitygallery.ca

OPENING HOURS
TUESDAY » SATURDAY: 12pm-5pm

DIRECTOR
JASON HALLOWS

SUBMISSION DEADLINE
As of October 1, 2006 we will be accepting submissions on an ongoing basis

Forest City Gallery a été créé en 1973 par un groupe d'artistes reconnus sur la scène nationale, parmi lesquels figurent Ron Benner, Bob Bozak, Greg Curnoe, Murray Favro, Robert Fones, Kerry Ferris, David Gordon, Jamelie Hassan et Ron Martin. Fondé sur les principes d'autonomie artistique et de valorisation du milieu régional, FCG repense et réactive aujourd'hui ces concepts déterminants dans le contexte d'une culture en transformation où les nouvelles technologies redéfinissent à la fois l'équilibre des pouvoirs en matière de communication et les limites du régionalisme. Parmi les principales manifestations qui s'y sont tenues au cours des dernières années, mentionnons le 30e anniversaire de la galerie, le No Music Festival (avec entre autres Sam Shalabi, Michael Snow, Nobuo Kubota, le Nihilist Spasm Band) et Future_Feed_Forward, festival présentant le travail d'artistes de la performance, des arts médiatiques, de la musique et de la littérature, tant émergents qu'établis.

FCG travaille de manière soutenue à offrir une programmation de haute qualité qui reflète et stimule à la fois la création contemporaine locale, régionale et nationale. En tant que centre d'artistes autogéré, le seul en son genre dans la région, FCG joue un rôle essentiel de soutien aux pratiques émergentes et expérimentales. Depuis son emménagement au centre-ville, l'organisation devient une des principales plaques tournantes de l'activité culturelle au sein de la communauté. Nous sommes fréquemment sollicités par des artistes locaux, des collectifs, des auteurs et des musiciens qui souhaitent présenter des expositions, des lectures et des événements musicaux. Nous pouvons leur servir de lieu d'accueil grâce à des campagnes de financement, à des collaborations avec des organismes locaux et à l'aide de bénévoles. Ainsi, en raison de l'aide qu'il a apportée aux initiatives locales notamment, FCG a accueilli au cours des six derniers mois de nouveaux publics provenant de communautés alternatives.

FOREST CITY GALLERY. NADIA SCHWARTZENTRUBER, *UNTITLED*, 2005; PHOTO: J. HALLOWS.

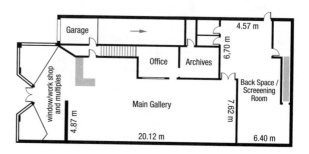

GALERIE DU NOUVEL-ONTARIO, CENTRE D'ARTISTE

Seul centre d'artistes autogéré en Ontario français, la Galerie du Nouvel-Ontario (GNO) réunit les artistes visuels francophones œuvrant en art actuel en Ontario, et ce, depuis les principaux centres d'Ottawa, de Toronto, de Sudbury et du Nord. Elle se veut à l'écoute de ses membres dans le but de favoriser les échanges entre eux, d'appuyer le développement du milieu des arts visuels et de stimuler les formes d'expression en art actuel.

La GNO propose un lieu d'expositions, elle initie des projets de réflexion critique, de création et d'animation qui offrent aux artistes membres des occasions d'échange ainsi qu'une visibilité importante à leurs œuvres.

La programmation artistique de la GNO consiste en la présentation d'expositions reflétant la mouvance des recherches en art actuel au Canada. Elle coordonne annuellement un projet d'envergure provincial que ce soit un projet d'exposition ou de résidence avec commissaire. La GNO s'intéresse aussi au projet de collaboration et d'échanges avec d'autres centres d'artistes.

gNo

174, rue Elgin, C.P. 242, succursale B
Sudbury (Ontario) P3E 4N5
T 705 673 4927 F 705 673 9485
gno@isys.ca
www.gn-o.org

HEURES D'OUVERTURE
MARDI » SAMEDI : 12 h à 17 h

DIRECTRICE
DANIELLE TREMBLAY
ADJOINTE À LA DIRECTION
NICOLE POULIN

SOUMISSION DE DOSSIERS
31 juillet

As the only artist-run centre in French-speaking Ontario, La Galerie du Nouvel-Ontario (GNO) brings together francophone visual artists working in contemporary art forms. Members hail from Ottawa, Toronto, Sudbury and various localities in Northern Ontario. The GNO serves its membership by initiating exchanges, promoting the development of the visual arts and stimulating research and production of contemporary art.

The GNO offers a site for exhibitions and initiates projects of critical thinking about art, artistic creation and public activities which provide member artists with opportunities to exchange ideas as well as considerable visibility for their work.

The GNO's artistic programming consists of exhibitions which reflect current trends in contemporary art in Canada. It organizes a province-wide event each year, which can be an exhibition project or a residency with a curator. The GNO is also interested in collaborative projects and exchanges with other artist-run centres.

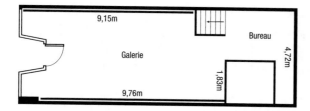

GALERIE DU NOUVEL-ONTARIO. MARTINE DOLBEC, *BÂTONS*, 2005; PHOTO : NICOLE POULIN.

GALERIE SAW GALLERY

Galerie SAW Gallery was founded in 1973. Today, with its strong focus on outreach and community development, the centre boasts an annual audience of over 30,000 people. The centre's risk-taking exhibition program presents the work of many artists who are not often considered by other Canadian art institutions. An evolving space comprised of Galerie SAW Gallery, Club SAW and the SAW outdoor courtyard, the centre is an ideal venue for the presentation of performance, media art and new artistic practices. In the 1980s, the gallery founded a video production centre called SAW Video, which now thrives as a separate entity. Located in the National Capital region, Galerie SAW Gallery actively participates in political discourse around cultural diversity, the rights of artists and freedom of expression.

Galerie SAW Gallery promotes contemporary Canadian and international artists, emerging and established, from diverse cultural backgrounds; presents a contemporary art program with a strong focus on Canadian performance and media art, with bilingual interpretative material produced for each exhibition; adapts to the changing nature of the contemporary arts by maintaining an evolving interdisciplinary presentation space comprised of SAW Gallery, Club SAW and the SAW outdoor courtyard; serves the needs of diverse communities through audience development initiatives; engages in collaborations with other arts organizations to increase opportunities for exhibiting artists and to outreach to new audiences and commits to paying artists' fees above CARFAC recommendations.

202 * 203

GALERIE SAW GALLERY

67 Nicholas Street
Ottawa (Ontario) K1N 7B9
T 613 236 6181 F 613 238 4617
sawgallery@artengine.ca
www.galeriesawgallery.com

OPENING HOURS
TUESDAY » SATURDAY: 11am-6pm

DIRECTOR
TAM-CA VO-VAN
CURATOR
STEFAN ST-LAURENT
COMMUNICATIONS OFFICER
ERIN KELLY

SUBMISSION DEADLINE
Submissions are accepted on an ongoing basis. The annual deadline for submissions is June 15. Galerie SAW Gallery welcomes submissions in both English and French

Galerie SAW Gallery a été fondée en 1973. Aujourd'hui, fortement axé sur la diffusion et le développement communautaire, le centre accueille plus de trente mille visiteurs par année. Le programme de SAW, qui dénote un certain goût pour la prise de risques, présente les œuvres de nombreux artistes qui, souvent, ne sont pas considérés par les autres institutions artistiques canadiennes. Formé de la galerie SAW, du Club SAW et de la cour extérieure, le centre constitue le lieu idéal pour présenter des performances, des œuvres médiatiques et de nouvelles pratiques artistiques. Dans les années 1980, la galerie a fondé un centre de production vidéo appelé SAW Video, désormais entité distincte qui connaît un grand succès. Située dans la capitale canadienne, Galerie SAW Gallery participe activement au discours politique qui entoure la diversité culturelle, les droits des artistes et la liberté d'expression.

La Galerie SAW Gallery apporte son appui à des artistes canadiens et internationaux, jeunes et chevronnés, provenant de milieux culturels divers; présente un programme d'art contemporain axé sur la performance et les arts médiatiques canadiens, soutenu par du matériel didactique bilingue produit pour chaque exposition; s'adapte à la nature changeante des arts contemporains en assurant le maintien et le développement d'un espace de présentation interdisciplinaire formé de la Galerie SAW, du Club SAW et de la cour extérieure de SAW; collabore avec d'autres organismes artistiques afin de multiplier les perspectives d'avenir pour les artistes et d'atteindre de nouveaux publics; subvient aux besoins de communautés diverses par des initiatives visant le développement des publics; s'engage à payer des cachets d'artistes supérieurs aux recommandations de CARFAC.

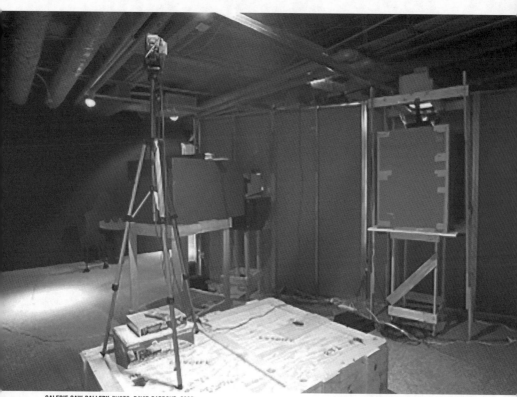

GALERIE SAW GALLERY. PHOTO: DAVID BARBOUR, 2005.

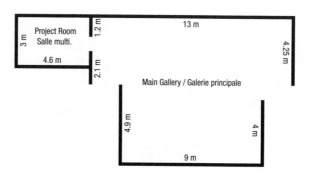

GALLERY 101 - GALERIE 101

Founded in 1979, Gallery 101 was originally housed at 101 - 4th Avenue, Ottawa. In December 2, 1981, the gallery was incorporated as the Artists' Centre d'Artistes (Gallery 101) Inc. As a multidisciplinary artist-run centre, G-101 is committed to the professional presentation, dissemination and promotion of contemporary visual arts from a broad range of backgrounds and aesthetics. We provide an inclusive perspective of contemporary cultural practices in our community by establishing a dialogue between artists, arts professionals and the public. Commitment to artists is our first priority. Aside from providing professional support to exhibiting artists, we offer professional development opportunities and promotional services. Membership is $25 per annum (with discounts for students, seniors, and unemployed); currently we have 146 voting members, with 80% artists and 20% educators, writers, curators, art administrators and art related participants. Gallery 101 publishes bilingual monographs and publications. Our aim is to establish national and international networks through exhibition exchanges within Canada and abroad. Our image as an accessible and inclusive contemporary art space is reinforced by our strong aboriginal, Franco-Ontarian and culturally diverse programming.

G-101°

236, rue Nepean Street
Ottawa (Ontario) K2P 0B8
T 613 230 2799 F 613 230 3253
info@gallery101.org
www.gallery101.org

OPENING HOURS
TUESDAY » SATURDAY: 10am-5pm

SUBMISSION DEADLINE
Open call every April 15

Fondée en 1979, Gallery 101 occupait à l'origine le 101, 4ᵉ Avenue, à Ottawa. Le 2 décembre 1981, la galerie s'incorporait sous le nom Artists' Centre d'Artistes (Gallery 101) Inc. En tant que centre d'artistes autogéré multidisciplinaire, G-101 se voue à la présentation dans un contexte professionnel, à la diffusion et à la promotion d'œuvres actuelles issues de milieux et d'esthétiques très variés. Nous proposons une perspective inclusive des pratiques culturelles contemporaines dans notre communauté, qui favorise le dialogue entre les artistes, les professionnels de l'art et le public. Mais nous demeurons avant tout engagés envers les artistes. En plus de l'appui professionnel que nous fournissons aux exposants, nous offrons d'importantes occasions de développement professionnel, ainsi que des services promotionnels. Les frais d'adhésion au centre sont de 25 $ par année (moins pour les étudiants, les aînés et les personnes sans emploi); nous comptons actuellement 146 membres votants, dont 80 % sont des artistes et 20 % des éducateurs, écrivains, commissaires, administrateurs de l'art et personnes impliquées de près ou de loin dans le milieu artistique. Par ailleurs, Gallery 101 publie des monographies et des ouvrages bilingues. Nous visons également à établir des réseaux nationaux et internationaux d'échange d'expositions au Canada et à l'étranger. Enfin, la présence dans notre programmation des œuvres de nombreux artistes issus de cultures diverses, notamment des Premières Nations et Franco-Ontariens, confirme notre image de centre d'art contemporain accessible et inclusif.

GALLERY 101. ALTHEA THAUBERGER, *JEAN*, A PUBLIC ART INSTALLATION IN COLLABORATION WITH JEAN AUGUSTINE, JUNE 16, 2005 TO JUNE 16, 2007.

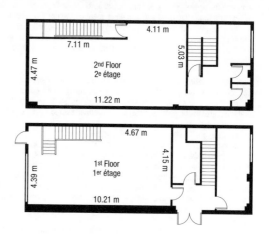

GALLERY 1313

Gallery 1313 opened its doors in January, 1998 in a historic building that was formerly a police station. Artscape manages the building as well nine live/work artists' studios. Gallery 1313 is an artist-run centre operated by the Parkdale Village Arts Collective — a ninety-member, non-profit organization with charitable status that has an elected board of directors, a programming committee and a hired gallery director. The gallery is a member of the Museums Association of Canada, the Artist Run Centres and Collectives of Ontario, The Ontario Association of Art Galleries and the Queen West Gallery District.

Gallery 1313 is committed to the recognition of excellence in various cultural and artistic expressions. Gallery 1313's embracing of equality, inclusion and celebration of diversity is affirmed through its broad representation of its membership, affiliations, programming and executive body. Gallery 1313 supports vital contemporary art practices by recognizing the work of emerging and established artists in a variety of media.

The gallery hosts 22 exhibitions a year in the main space, including curated shows, rentals and funded exhibitions. There are three exhibition spaces at Gallery 1313: the Main Gallery, the Cell Gallery for PVAC members, and the Process Gallery which is predominantly used for showing videos and smaller installation works. There is also a window exhibition space. The gallery has approximately 9,000 visitors a year and climbing. Gallery 1313 serves as an ongoing public forum, hosting artists' talks, panels, workshops and community outreach initiatives. In 1995, Gallery 1313 began publishing *Artery*, a bi-annual arts newsletter with a print run of 2,000 copies. *Artery* is usually twenty-four or more pages and features articles about local artists.

Gallery 1313 receives funding from the Ontario Trillium Foundation, the Parkdale/Liberty Economic Development Corporation and project funding from the Toronto Arts Council and the Ontario Arts Council.

1313 Queen St. West
Toronto (Ontario) M6K 1L8
T 416 536 6778 F 416 536 6778
director@g1313.org
www.g1313.org

OPENING HOURS
WEDNESDAY » SUNDAY: 1pm-6pm

GALLERY DIRECTOR
PHIL ANDERSON

SUBMISSION DEADLINES
Submissions for rentals as well as for membership are accepted on an on going basis.
Work is selected by the Parkdale Village Arts Collective programming committee and the gallery director. Gallery 1313 pays artists' fees for selected exhibitions. Digital submissions are accepted; however, hard copies are preferred

Gallery 1313 a ouvert ses portes en janvier 1998 dans un bâtiment historique ayant déjà abrité un poste de police. Artscape assure la gestion de l'immeuble, ainsi que celle de neuf studios habitables destinés aux artistes. Le Parkdale Village Arts Collective assure le fonctionnement de Gallery 1313, centre d'artistes autogéré sans but lucratif qui compte quatre-vingt-dix membres et est enregistré en tant qu'organisation charitable. Le centre est doté d'un conseil d'administration élu et d'un comité de programmation, en plus d'employer un directeur de galerie. La galerie est membre de l'Association des musées canadiens, de l'Artist-Run Centres and Collectives of Ontario, de l'Ontario Association of Art Galleries et de Queen West Gallery District.

L'objectif de Gallery 1313 est de reconnaître l'excellence dans les diverses formes d'expression culturelle et artistique. Le parti pris de Gallery 1313 en faveur de l'égalité des chances sans discrimination sociale et de la diversité s'affirme par la pluralité de son membership, ses affiliations, sa programmation et son fonctionnement. Gallery 1313 appuie les pratiques artistiques contemporaines en reconnaissant le travail d'artistes de la relève et de créateurs établis.

La galerie accueille vingt-deux expositions par année dans son espace principal, parmi lesquelles figurent des projets de commissaires, des locations et des expositions subventionnées. Gallery 1313 compte trois espaces d'exposition dont la galerie principale, Cell Gallery réservée aux membres du PVAC, et Process Gallery, surtout prévue pour la diffusion de vidéos et la présentation de petites installations. La galerie dispose également d'un espace d'exposition en vitrine. Près de 9 000 personnes visitent la galerie chaque année, nombre qui ne cesse de croître. Gallery 1313 sert de forum public, en présentant des conférences d'artistes, des discussions de groupe et des ateliers, ainsi qu'en appuyant diverses initiatives de diffusion communautaire. En 1995, Gallery 1313 commençait la publication de *Artery*, bulletin semestriel de 24 pages tiré à deux mille exemplaires dont les articles portent sur les artistes de la scène locale.

Gallery 1313 reçoit des fonds de Ontario Trillium Foundation, de Parkdale/Liberty Economic Development Corporation et un financement de projets de la part de Toronto Arts Council et de Ontario Arts Council.

PHOTO : COURTESY **GALLERY 1313**

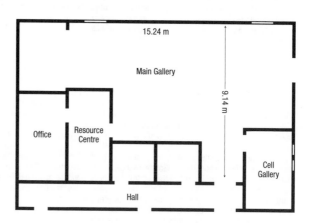

GALLERY 44 CENTRE FOR CONTEMPORARY PHOTOGRAPHY

Gallery 44 is a non-profit, artist-run centre committed to the advancement of contemporary photographic art. Gallery 44 exists to expand the understanding and appreciation of photography as an artistic medium. As the definition of photographic practice continues to change, Gallery 44's artistic program presents a wide variety of lens-based art by contemporary Canadian and international artists. We aim to present high calibre work engaging in current critical, artistic and social issues.

The exhibition selection committee is made up of four artist members, two artist/curators from the larger community, and Gallery 44's director and exhibition coordinator. Our programming is selected from proposals solicited by our exhibition selection committee and by submissions. Giving priority to emerging and mid-career Canadian artists, we publish critical essays contextualizing artists' work in a brochure that also serves as an invitation. In 1998, Gallery 44 began publishing exhibition catalogues. In 2005, Gallery 44 and YYZ Books co-published *Image and Inscription: An Anthology of Contemporary Canadian Photography*, edited by Robert Bean.

Education is a significant facet of our programming. We are constantly investigating new partnerships and ways to increase access, trying to remove barriers, and broadening our outreach. Our educational programming includes artist talks, panel discussions, gallery tours, student exhibitions, photography workshops for youth and specialized technique courses for artists. To facilitate these workshops and provide an affordable centre for artistic creation, the gallery houses a production floor. Our facility includes two wet darkrooms, a teaching area, print finishing room, kitchenette, and a wet-processing area.

Gallery 44's publicly accessible resource centre houses our Members' Gallery, a small non-juried exhibition space, and a collection of slide files, books, periodicals, and catalogues on contemporary Canadian and international photographers. Digital scanning capabilities are also available for members' use. Our website provides valuable information about all facets of our programs and membership.

401 Richmond Street West, suite 120
Toronto (Ontario) M5V 3A8
T 416.979.3941 F 416.979.1695
info@gallery44.org
www.gallery44.org

OPENING HOURS
TUESDAY » SATURDAY: 11am-5pm

DIRECTOR
JENNIFER LONG
EXHIBITION COORDINATOR &
MANAGING EDITOR
KATY MCCORMICK

SUBMISSION DEADLINES
September 30, All levels of artists
and curators
March 1, All levels of artists
and curators
November 1, Emerging Canadian artists

Gallery 44 est un centre d'artistes autogéré sans but lucratif dédié à la promotion de l'art photographique contemporain. Le centre vise à mieux faire connaître et apprécier la photographie en tant que forme d'art. Alors que la définition de la pratique photographique se transforme sans cesse, le programme artistique de Gallery 44 propose un large éventail d'œuvres photographiques d'artistes canadiens et étrangers. Nous visons ainsi à présenter des productions de haut calibre qui abordent différents enjeux d'ordre critique, artistique et social.

Le comité de sélection des expositions du centre est composé de quatre membres artistes, de deux artistes commissaires issus de la communauté, du directeur du centre et du coordonnateur des expositions. Notre programmation s'élabore au moyen de propositions sollicitées par le comité de sélection et de soumissions. Accordant la priorité aux artistes canadiens de la relève et à mi-carrière, nous publions des essais critiques dans une brochure qui fait également office de carton d'invitation, afin de mettre en contexte l'œuvre des artistes présentés. Gallery 44 publiait ses premiers catalogues d'exposition en 1998. En 2005, Gallery 44 et YYZ Books ont publié conjointement *Image and Inscription: An Anthology of Contemporary Canadian Photography*, édité par Robert Bean.

L'éducation représente une part importante de notre programmation. Nous recherchons continuellement de nouveaux partenariats et de nouvelles façons d'améliorer l'accessibilité du centre, afin de faire tomber les barrières et d'étendre la portée de nos efforts. Notre programmation éducative est faite de conférences d'artistes, discussions, visites de galeries, expositions d'étudiants, ateliers de photographie destinés aux jeunes et cours techniques spécialisés pour artistes. Dans le but de faciliter les activités et d'offrir un lieu ouvert à la création artistique, la galerie abrite un espace de production. Nos installations comprennent deux chambres noires, une aire réservée à l'enseignement, une salle de finition des épreuves, une cuisinette et une salle à développement humide.

GALLERY 44. JEFF THOMAS, *A STUDY OF INDIAN-NESS*, 2004

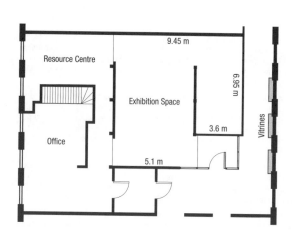

GALLERY TPW
(TORONTO PHOTOGRAPHERS WORKSHOP)

Gallery TPW is a leading artist-run centre that presents the best in Canadian and international photo-based art. For over 25 years, Gallery TPW has provided a venue for the exhibition and critical investigation of contemporary photography. Our expanded mandate addresses the vital role that images play in contemporary culture and explores the integration of photography with new technologies and time-based media.

Exhibitions feature local, national and international artists in all stages of their careers. A commissioned essay, distributed in the gallery and published on-line, accompanies each exhibition. TPW's award-winning website photobasedart.ca includes on-line publications, a comprehensive exhibition archive and *Scans*–a guide to photo-based exhibitions and events in Toronto and beyond. New web-based programming initiatives include the launch of an on-line exhibition produced for the Virtual Museum of Canada.

Public events and public art projects provide additional opportunities for the appreciation of contemporary art practice. Collaborative partnerships have included organizations such as the Toronto Alternative Art Fair International and *Planet IndigenUs*. TPW produces feature exhibitions for CONTACT Festival of Photography and received consecutive awards in 2004 and 2005 for Best New Media Installation at the Images Festival of Independent Film and Video.

Toronto Photographers Workshop was founded in 1976 by a group of artists supporting photography as an art form. An ongoing exhibition program began in 1980 with the opening of the Photography Gallery at Harbourfront Centre, and in 1986 Gallery TPW was established at our current location. A move to a new facility is planned for the fall of 2006.

Now in its 20th year, Photorama is a successful annual fundraising event that benefits artists and encourages new collectors. In 2005 TPW initiated *Silver Editions*, a limited-edition portfolio featuring acclaimed Canadian artists. Gallery TPW welcomes new members and offers a program of benefits available by joining on-line.

210 * 211

Gallery TPW   photobasedart.ca

80 Spadina Avenue, Suite 310
Toronto (Ontario) M5V 2J3
T 416 504 4242 F 416 504 6510
gallerytpw@photobasedart.ca
www.photobasedart.ca

OPENING HOURS
TUESDAY » SATURDAY: 12pm-5pm

EXECUTIVE DIRECTOR
GARY HALL
DIRECTOR OF PROGRAMMING
KIM SIMON

SUBMISSION DEADLINE
Current deadlines and information are available on-line

Gallery TPW est un centre d'artistes autogéré de premier plan qui se consacre à la diffusion d'œuvres photographiques (et des médiums qui en découlent) d'artistes canadiens et internationaux. Depuis plus de 25 ans, Gallery TPW agit comme lieu d'exposition et de recherche entourant la photographie contemporaine. Son mandat consiste à rendre compte de la fonction critique de l'image dans la culture contemporaine et à étudier l'intégration de la photographie aux nouvelles technologies ou aux médias qui composent avec le facteur temps.

Le centre présente des artistes locaux, nationaux et internationaux, qu'ils soient de la relève ou bien établis. Chaque exposition est accompagnée d'un essai distribué en galerie et diffusé en ligne. Le site Web (photobasedart.ca), qui a été primé, comprend des publications en ligne, les archives complètes des expositions du centre et un guide, appelé *Scans*, fournissant des renseignements sur les expositions et les manifestations d'art photographique à Toronto et ailleurs. Parmi nos initiatives d'intervention sur le Web, mentionnons l'inauguration récente d'une exposition en ligne réalisée pour le Musée virtuel du Canada.

Les événements et les projets d'art public sont aussi des occasions de susciter de l'intérêt pour l'art contemporain. Parmi les organisations avec lesquelles nous travaillons en partenariat, mentionnons Toronto Alternative Art Fair International et *Planet IndigenUs*. TPW produit également des expositions pour CONTACT Festival of Photography. En 2004 et 2005, le centre s'est vu décerner le prix Best New Media Installation au Images Festival of Independent Film & Video.

Fondé en 1976 par un groupe d'artistes revendiquant la valeur artistique de la photographie, Toronto Photographers Workshop (TPW) a commencé à présenter régulièrement des expositions en 1980, avec l'ouverture de la Photography Gallery au Harbourfront Centre. En 1986, Gallery TPW a emménagé dans son emplacement actuel. Un nouveau déménagement est prévu pour l'automne 2006.

Photorama, aujourd'hui à sa vingtième année, est une activité annuelle de financement réputée qui vient en aide aux artistes et attire de nouveaux collectionneurs. En 2005, TPW a créé *Silver Editions*, portfolio à édition limitée dans lequel figurent des artistes canadiens renommés. La galerie accueille de nouveaux membres et offre un ensemble d'avantages dont peuvent bénéficier les personnes s'inscrivant en ligne.

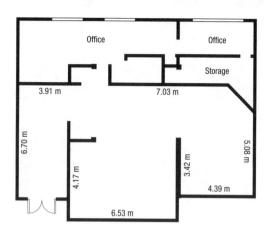

GALLERY TPW. DOYON-RIVEST, *THANKS FOR BEING THERE*, 2005

THE INDEPENDENT FILMMAKERS CO-OPERATIVE OF OTTAWA (IFCO)

The Independent Filmmakers Co-operative of Ottawa (IFCO) is a centre for artists who express themselves using the medium of film. IFCO provides its services on a co-operative basis and has supported the creation of over 175 independent Super 8, 16mm or 35mm film productions by its members.

IFCO was incorporated on January 15, 1992. Since that time, IFCO has continuously developed its physical, technical and training resources to support the delivery of programs and services which offer a complete and varied range of filmmaking resources for both emerging and more experienced filmmakers. Production equipment has increased to the point where IFCO has twelve cameras, three complete sound kits, four lighting kits, five editing benches, a full sound studio, an Oxberry 16/35 animation stand and an optical printer.

IFCO provides access to training programs (both introductory and advanced), film production equipment rentals, screening opportunities, production challenge programs, on-site facilities, film history screenings, production grants (for both emerging and senior-level artists), visiting artist programs and more. IFCO also provides a weekly e-bulletin, a quarterly newsletter (*Sprockets*), and a newly updated and comprehensive website, so members can stay up-to-date on happenings at IFCO and in the larger Ottawa film community. IFCO encourages a critical discourse in and historical appreciation of film. It strives to develop and support an innovative and diverse Ottawa-based community of artists. Membership is currently $75 a year or $25 for full-time students; the co-op currently has over 200 members, and continues to occupy a prominent position within the Eastern Ontario arts community.

2 Daly Avenue, Suite 140
Ottawa (Ontario) K1N 6E2
T 613 569 1789 F 613 564 4428
info@ifco.ca www.ifco.ca

OPENING HOURS
MONDAY » FRIDAY: 10am-6pm

EXECUTIVE DIRECTOR
PETER MANN
TECHNICAL DIRECTOR
ROGER WILSON
MEMBERSHIP COORDINATOR
PATRICE JAMES

SUBMISSION DEADLINE
not applicable

Independent Filmmakers Co-operative of Ottawa (IFCO) est un organisme dédié aux artistes qui ont choisi le film comme moyen d'expression. IFCO offre des services sur une base coopérative et il a soutenu jusqu'à présent la création de plus de 175 films tournés en Super-8, en 16 et en 35 mm.

IFCO s'est incorporé le 15 janvier 1992. Depuis ce temps, IFCO a constamment accru ses ressources physiques, techniques et didactiques afin de soutenir un ensemble de programmes et de services à l'intention des cinéastes débutants et expérimentés. Les équipements de production se sont multipliés au cours des ans à tel point qu'IFCO dispose aujourd'hui de 12 caméras, 3 ensembles d'équipement pour le son et quatre pour l'éclairage, 5 postes de montage, un studio de son, un banc-titre 16/35 Oxberry et une tireuse optique.

IFCO donne accès à des programmes de formation (de base ou avancée), loue des équipements de tournage, présente et produit des films, rend disponibles ses installations, organise des projections sur l'histoire du cinéma, offre des bourses de production (pour les artistes émergents et établis), accueille des artistes invités et plus encore. IFCO produit également un bulletin électronique hebdomadaire, une publication trimestrielle et un site Internet pour ceux qui veulent savoir ce qui se passe à IFCO et dans le milieu cinématographique en général. IFCO veut stimuler une approche critique et une appréciation historique du cinéma. Le centre s'efforce de développer et de soutenir une communauté diversifiée d'artistes innovateurs à Ottawa. Le coût de l'adhésion s'élève à 75 $ par année pour le public en général et à 25 $ pour les étudiants à temps plein ; la coopérative compte actuellement 200 membres et joue toujours un rôle de premier plan au sein de la communauté artistique de l'Est de l'Ontario.

THE INDEPENDENT FILMMAKERS CO-OPERATIVE OF OTTAWA (IFCO). PHOTO: PETR MAUR

MERCER UNION, A CENTRE FOR CONTEMPORARY ART

Mercer Union, A Centre for Contemporary Art is an artist-run centre dedicated to the existence of contemporary art. We provide a forum for the production and exhibition of Canadian and international conceptually and aesthetically engaging art and related cultural practices. We pursue our primary concerns through critical activities that include exhibitions, lectures, screenings, performances, publications, events and special projects.

Established in 1979, Mercer Union is a not-for-profit Canadian charitable organization that began as an artist-run centre through the collective efforts of artists who believed in alternative art production and presentation. Throughout our twenty-six year history, we have maintained ambitious programming, exhibiting national and international artists and presenting cultural professionals both in formative and established stages of their careers.

Mercer Union accepts exhibition and curatorial submissions from artists and curators, which are reviewed by a submissions committee comprised of members of the board of directors.

The three main exhibition venues include the Front Gallery, Back Gallery, as well as Platform, to encourage curatorial and artistic experimentation. Concentrating on non-exhibition based or off-site projects, Platform is open to receiving submissions for video programmes, performance, music events, and any projects that do not fit in any particular category.

Mercer Union has two main exhibition spaces: the Front Gallery, which accommodates large-scale work and group shows (1139 sq. ft.); and the Back Gallery, a light-tight project room well suited to film, video and intimate installations (292 sq. ft.). All gallery walls are drywalled to 10 ft., and the ceiling height varies between 13 ft. to 15 ft. Mercer Union has ground-level street access and is wheelchair accessible.

Mercer Union hosts one artist residency each year in association with an exhibition. Residencies enable artists to produce new and/or site-specific work.

Mercer Union regularly publishes publications in the form of artists' books, CDs, and artist multiples. See www.mercerunion.org for details.

---

214 * 215

37 Lisgar Street
Toronto (Ontario) M6J 3T3
T 416 536 1519 F 416 536 2955
info@mercerunion.org
www.mercerunion.org

OPENING HOURS
TUESDAYS » SATURDAYS: 11am-6pm

CO-DIRECTOR
NATALIE DE VITO
DAVE DYMENT

SUBMISSIONS DEADLINE
FRONT AND BACK GALLERIES/PLATFORM
October 1 (check website for details)

Mercer Union est un centre d'artistes autogéré consacré à l'art contemporain. Le centre offre une vitrine pour les œuvres d'art canadiennes et étrangères stimulantes sur les plans conceptuel et esthétique et pour les pratiques culturelles connexes. Mercer Union poursuit ses objectifs par le biais d'activités critiques : expositions, conférences, projections, performances, publications, événements et projets spéciaux.

Établi en 1979, Mercer Union est un organisme sans but lucratif; il a débuté comme centre d'artistes autogéré grâce aux efforts collectifs d'artistes qui soutenaient la production et la présentation d'un art different des courants dominants. Au cours de ses vingt-six ans d'existence, le centre a maintenu une programmation de grande qualité, exposé des artistes nationaux et internationaux et présenté le travail de professionnel(le)s de la culture à diverses étapes de leur carrière.

Mercer Union accepte les soumissions de dossiers et les projets d'exposition d'artistes et de commissaires. Ces propositions sont analysées par un comité formé de membres du conseil d'administration.

Les deux principales salles d'exposition sont la Front Gallery et la Back Gallery; elles sont ouvertes à l'expérimentation dans les domaines de l'art et du commissariat. Réservée aux projets hors les murs ou non basés sur une exposition, Platform accueille les propositions en programmation vidéo, les performances, les événements musicaux et tout projet qui ne s'insère pas dans les catégories répertoriées.

La Front Gallery reçoit les œuvres de grande envergure et les expositions collectives (1139 pi²), et la Back Gallery, pièce sans fenêtres, convient bien à la présentation de films, de vidéos et d'installations plus intimes (292 pi²). Tous les murs sont couverts de gypse jusqu'à une hauteur de 10 pieds, et la hauteur des plafonds varie de 13 à 15 pieds. Mercer Union donne sur la rue et est facilement accessible aux personnes en fauteuil roulant.

Mercer Union accueille chaque année un(e) artiste en résidence, qui doit participer à une exposition. Les résidences ᵖᵉᵗtent aux artistes de produire de nouvelles œuvres et/ou du travail *in situ*.

ᵗⁱᵒn produit régulièrement des publications sous forme de livres d'artistes, de CD et de multiples. Consultez ⁿⁱon.org pour plus de détails.

MICHAEL MEREDITH, *BACKGROUND*, 2004; PHOTO: COURTESY OF **MERCER UNION.**

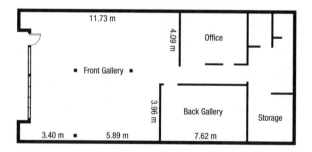

NIAGARA ARTISTS' CENTRE

Founded in 1969, NAC is one of the oldest and most respected artist collectives in Canada. It is best known for experiential, satirical, witty and socially provocative exhibitions and performances. In 2005, the company purchased a building in downtown St. Catharines and was re-named the Niagara Artists' Centre (NAC).

NAC is a community-oriented organization that is committed to the credo that *artists come first* in the company; is committed to equity through freedom of expression, creativity and adventure in contemporary art; is sustained by an open, democratic and accountable grassroots organizational structure; welcomes all artists, members and guests into the fold; offers a supportive and respectful response to artists and cultural concerns; actively works to be inclusive with regard to artistic media and content, artists and art patrons, cultures, genders and generations.

Facilities: Main space gallery area: 140.4 m² (1509 sq. ft.) (painted concrete floor). Members' Gallery area: 47.8 m² (510 sq. ft.) (hardwood floor). Three storefront window areas.

Selection Criteria: artistic merit, as determined by a panel of objective, professional NAC artists familiar with national standards and regional interests; community relevance, as defined by the ability of the work to resonate within the regional community and inspire grassroots artistic development; equitable representation by regional artists, national artists, and cross-cultural artists.

Qualities: Original and innovative; engaging and compelling; challenging to the intellect; stimulating to the imagination; transcending the academic; lacking in pretensions and artifice; multi-faceted in its ability to communicate; appropriate to the gallery space.

NAC has an ongoing submissions deadline, meets or exceeds CAR/FAC fee rates and covers all costs of the artist's travel and transportation of work.

354 St. Paul Street
St. Catharines (Ontario) L2R 3N2
T 905 641 0331 F 905 641 4970
artists@nac.org
www.nac.org

OPENING HOURS
WEDNESDAY » FRIDAY: 10am-5pm
SATURDAYS: 12pm-4pm,
or often by chance

Fondé en 1969, NAC est l'un des collectifs d'artistes les plus anciens et respectés du Canada. Le centre est reconnu pour ses expositions et performances pleines d'esprit, à caractère satirique et provocant. En 2005, l'association fait l'acquisition d'un édifice au centre-ville de St. Catharines et adopte le nom Niagara Artist's Centre (NAC).

NAC est un collectif axé sur la communauté qui demeure fidèle au credo *les artistes d'abord* et qui met en pratique le principe d'égalité à travers la liberté d'expression, la créativité et l'aventure en art contemporain. Il a une structure organisationnelle communautaire ouverte, démocratique et responsable et accueille tous les artistes, membres et invités au sein du groupe. NAC appuie et respecte les artistes et partage leurs préoccupations en matière de culture ; NAC s'attache à accepter une grande variété de propositions, notamment en ce qui a trait aux formes d'art et discours artistiques, aux artistes et mécènes, aux cultures, aux sexes et aux générations.

Espaces disponibles : Espace de galerie principal : 140,4 m² (1509 pi²) (plancher de béton peint). Espace de la Galerie des membres : 47,8 m² (510 pi²) (plancher de bois franc). Trois espaces contenus dans les fenêtres-vitrines.

Critères de sélection : la valeur artistique telle que déterminée par un comité d'artistes intègres et professionnels rattachés à NAC, au fait des standards nationaux et des enjeux régionaux ; un apport à la communauté régionale, défini par la capacité de l'œuvre à trouver écho au sein de cette communauté et à influer sur le développement artistique local ; la représentation équitable des artistes régionaux, nationaux et de ceux issus de communautés culturelles diverses.

Caractéristiques souhaitables des propositions : originales et novatrices ; attirantes et convaincantes ; stimulant l'esprit ; excitant l'imagination ; dépassant la théorie ; dépourvues de prétention et d'artifice ; communiquant par des modes divers ; appropriées, compte tenu de l'espace de galerie disponible.

...epte les projets tout au long de l'année. Le centre satisfait ou surpasse les exigences du CARFAC en matière de ...rtistes et paie tous les frais liés au déplacement de l'artiste et au transport de ses œuvres.

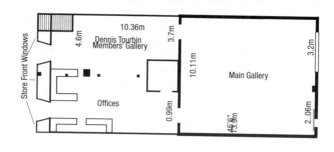

Store Front Windows

10.36m

4.6m

Dennis Tourbin
Members' Gallery

3.7m

3.2m

10.11m

Main Gallery

Offices

0.99m

45'6"
13.9m

2..06m

TOMLINSON

{ONTARIO}

PROPELLER CENTRE FOR VISUAL ARTS

Propeller Centre for the Visual arts is a visual arts collective supporting vital contemporary art practices and initiatives by emerging artists.

Propeller's mandate is to provide a professional venue for exhibitions, along with technical support and promotional assistance. Propeller was incorporated as a non-profit organization in August 1996 in order to give visual artists commercial power over their creations. It is also a community where artists discuss their concepts, exchange information and experiences, and come up with innovative ideas. The collective encourages innovation among artists of all visual media and approaches, giving the artists full curatorial control over their own exhibitions.

Propeller Gallery is run on the basis of volunteer work and financed by membership fees and donations. The dynamic structure of Propeller is a one-year duration of renewable membership contracts allowing the constant fluctuation of members. Each member has equal status and opportunity.

Propeller Centre is located in the heart of Toronto's main gallery district. The main gallery is 1000 sq. ft. The north gallery is approximately 360 sq. ft. Attractive features of the galleries are continuous wall space, twelve-foot-high ceilings, high visibility and public accessibility. Gallery space rental to non-member artists, curators or artists groups is done through the selection committee.

984 Queen St. West
Toronto (Ontario) M6J 1H1
T 416 504 7142 F 416 504 7142
gallery@propellerctr.com
www.propellerctr.com

OPENING HOURS
WEDNESDAY » SATURDAY: 12pm-6pm
SUNDAY: 12pm-5pm

**GALLERY ADMINISTRATOR/
CURATORIAL ASSISTANT**
RUTH TAIT

SUBMISSION DEADLINE
ongoing

Propeller Centre for the Visual Arts, centre d'artistes autogéré, présente et diffuse principalement les pratiques expérimentales d'artistes en début de carrière.

Le mandat de Propeller est de procurer aux artistes un lieu professionnellement équipé et géré de façon à presenter et promouvoir des expositions. Propeller a été incorporé en août 1996 en tant qu'organisme sans but lucratif afin de donner aux artistes visuels le contrôle sur la vente de leurs œuvres. Il est aussi un collectif où les artistes peuvent échanger des renseignements et partager leurs idées et leurs expériences. Le collectif encourage l'innovation chez des artistes qui utilisent différentes formes d'art et approches en leur confiant le commissariat de leurs expositions.

La galerie Propeller fonctionne grâce au bénévolat et est financée par les frais d'adhésion de ses membres et par des dons. L'adhésion est renouvelable chaque année, ce qui permet un roulement constant. Tous les membres ont des droits égaux.

Le centre Propeller est situé au cœur du quartier des galeries d'art de Toronto. La galerie principale fait 1000 pi^2; celle du nord, environ 360 pi^2. La galerie Propeller possède des murs ininterrompus et des plafonds hauts de douze pieds. Elle est très visible de la rue et facile d'accès. La location de la galerie par des artistes qui n'en sont pas membres, des commissaires ou des groupes d'artistes se fait en comité de sélection.

PROPELLER CENTRE FOR VISUAL ARTS. ARTISTS' WORK ON WALLS: (FRONT) BIRGIT RUFF; (BACK) J.K. MACLEAN FROM GROUP OF N, MONTREAL; PHOTO: RUTH TAIT.

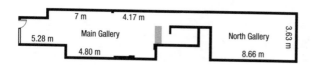

7 m   4.17 m

5.28 m   Main Gallery   North Gallery   3.63 m

4.80 m   8.66 m

SAVAC
(SOUTH ASIAN VISUAL ARTS COLLECTIVE)

SAVAC is a Toronto-based, non-profit organization dedicated to the development and presentation of contemporary visual art by artists of South Asian origin: people who can trace their ancestry back to countries of the Asian subcontinent: Bangladesh, Bhutan, India, Nepal, Pakistan and Sri Lanka. We provide a forum for South Asian visual artists and curators to exchange ideas and develop excellence in artistic/curatorial practice among peers who share their cultural experiences and histories.

SAVAC does not have a permanent gallery, but presents its exhibitions and programs in independent venues or through collaborations with artist-run centres, galleries, museums, academic institutions, and community organizations in Toronto and internationally.

SAVAC began as an informal group of artists, educators and curators organizing the visual art exhibitions for the Desh Pardesh Festival in Toronto in 1993. By 1997, SAVAC received government funding that allowed it to do programming beyond the Desh Pardesh Festival. On March 26, 2001 SAVAC incorporated as a non-profit organization with an executive director, board of directors and pro-gramming committee.

Critieria for selecting artists/projects: South Asian origin, or culturally diverse; merit of the artist's work in terms of concept and real-ization; new art practices such as site-specific interventions, new media, performance art and film and video; emerging curators and artists; senior artists and curators for mentorship opportunities; cross-cultural collaborations; local, regional, national and international representation and venues.

Membership workshops and events bring the community together to develop skills and networks. Publications preserve the his-torical discourse on contemporary visual art by South Asian artists. The international lecture series introduces outstanding artists, critics and curators from around the world to Canadian art community and public for the exchange of ideas affecting contemporary South Asian art. Referral Service: SAVAC provides access to a national and international network of South Asian visual artists, curators, institutions and audiences.

SAVAC

401 Richmond Street West, Suite 450
Toronto (Ontario) M5V 3A8
T 416 542 1661
info@savac.net
www.savac.net

OPERATION HOURS
MONDAY » FRIDAY: 11am-6pm

EXECUTIVE DIRECTOR
RACHEL KALPANA JAMES
PROGRAMMING COORDINATOR
NADIA KURD

SUBMISSION DEADLINE
Varies, please check website
Annual Membership Renewal
October 31, April 30

SAVAC est un organisme torontois sans but lucratif voué à la promotion et à la diffusion du travail d'artistes contempo-rains d'origine sud-asiatique, c'est-à-dire, qui peuvent retracer parmi leurs ancêtres une personne originaire d'un pays de ce continent, par exemple, le Bangladesh, le Bhoutan, l'Inde, le Népal, le Pakistan ou le Sri Lanka. Nous offrons aux artistes et aux commissaires sud-asiatiques un lieu propice à la discussion, aux échanges d'idées et au perfectionnement de leur pratique.

SAVAC n'a pas d'espace de diffusion permanent. Il présente ses expositions et réalise ses activités dans des lieux indépendants ou en collaboration avec des centres d'artistes autogérés, des galeries, des musées, des établissements universitaires et des organismes communautaires de Toronto et de la scène internationale.

SAVAC est né d'un regroupement informel d'artistes, d'éducateurs et de commissaires chargés de concevoir les expo-sitions d'art visuel du Desh Pardesh Festival de Toronto, en 1993. Dès 1997, il obtient des subventions gouvernementales lui permettant d'établir une programmation indépendante du Festival. Le 26 mars 2001, SAVAC est incorporé comme orga-nisme sans but lucratif et se dote d'un directeur général, d'un conseil d'administration et d'un comité de programmation.

Critères de sélection d'artistes/de projets : artistes d'origine sud-asiatique ou multiculturelle; qualité du travail artistique sur les plans conceptuel et technique; pratiques novatrices tels l'art contextuel, les nouveaux médias, la performance, le film et la vidéo; artistes et commissaires débutants; projets de mentorat par des artistes et des commissaires établis; collaborations interculturelles; pertinence du lieu de diffusion et représentation locale, nationale et internationale.

L'adhésion à SAVAC, les ateliers de formation et les événements unissent la communauté et favorisent le développement de compétences et le réseautage. Les publications entretiennent la réflexion historique sur la pratique d'artistes contempo-rains de l'Asie du Sud. Les conférences internationales portant sur des questions concernant l'art sud-asiatique permettent aux Canadiens de découvrir des artistes, des critiques et des commissaires remarquables de partout dans le monde. Service de références : SAVAC donne accès à un réseau national et international d'artistes, de commissaires, d'institutions et de publics sud-asiatiques.

SAVAC. *(GUARD)IAN*, PERFORMED BY SAVAC MEMBERS (L TO R) RACHEL KALPANA JAMES, AMIN REHMAN, RASHMI VARMA, FARHEEN HAQ, CYRUS IRANI AND RIAZ MEHMOOD, 2004; PHOTO: CAMERON BAILEY.

TRINITY SQUARE VIDEO

Trinity Square Video has been around for 35 years, supplying community organizations and artists from diverse backgrounds with support and tools to make videos and opportunities to hone their skills. TSV has video production and post-production equipment available to artists at affordable prices as well as a roster of exciting workshops covering technical and artistic topics. TSV is an accessible artist-run centre that welcomes anyone with a do-it-yourself attitude and a story to tell. Come to TSV to learn about the exciting medium of video, to meet and talk with other artists, and to make your own work.

Our members are both emerging and mid-career artists exploring many different approaches to the medium: from documentaries and dramas to experimental video and video installation. As a result, TSV's broad range of programming initiatives reflects this diversity. Twice a year we present our Themed Commission Programs, where five local artists are provided with the resources to make short videos based on a theme. The Gallery hosts innovative video installations and artist talks throughout the year by artists from across Canada and internationally.

Once a year, TSV also hosts an artist-in-residence program for an established artist to produce a new video installation. The artist gets the use of the gallery as their studio for the month of March, access to TSV equipment and resources, and the new work is premiered as part of Images Festival in April. TSV is not able to provide accommodation.

401 Richmond Street West, Suite 376
Toronto (Ontario) M5V 3A8
T 416 593 1332 F 416 593 0958
aubrey@trinitysquarevideo.com
www.trinitysquarevideo.com

OPENING HOURS
MONDAY » FRIDAY: 10am-6pm

EXECUTIVE DIRECTOR
ROY MITCHELL
PROGRAMMING DIRECTOR
AUBREY REEVES

SUBMISSION DEADLINES
REGULAR PROGRAMMING
on-going
ARTIST-IN-RESIDENCE PROGRAM
November 1

Depuis 35 ans, Trinity Square Video fournit un soutien et des équipements aux groupes communautaires et aux artistes de tous horizons afin qu'ils puissent réaliser leurs projets vidéo et se perfectionner. TSV met à leur disposition de l'équipement de réalisation et de post-production à prix modique, en plus de proposer un éventail d'ateliers de formation technique et artistique. TSV est un centre d'artistes autogéré ouvert, qui accueille celles et ceux qui font preuve de débrouillardise et qui ont quelque chose à exprimer. Venez chez TSV pour en apprendre davantage à propos de ce médium fascinant qu'est la vidéo, pour rencontrer d'autres artistes et discuter avec eux et pour réaliser vos propres projets.

Nous comptons parmi nos membres des artistes de la relève et des artistes à mi-carrière qui abordent la vidéo selon des angles bien différents qui vont du documentaire à la fiction, et de la vidéo expérimentale à l'installation vidéo. De là résulte la grande diversité de la programmation de TSV. Deux fois l'an, nous présentons des programmes thématiques, dans le cadre desquels cinq artistes locaux ont accès aux ressources nécessaires à la réalisation de courtes vidéos sur un thème donné. La galerie présente des installations vidéo innovantes et propose, tout au long de l'année, des conférences d'artistes canadiens et étrangers.

Une fois l'an, TSV offre un programme d'artiste en résidence, qui permet à un artiste reconnu de créer sur place une installation vidéo. L'artiste dispose de la galerie en guise d'atelier pour tout le mois de mars, a accès à l'équipement et aux ressources de TSV, et voit son œuvre inaugurée lors du *Images Festival* en avril. TSV n'est pas en mesure d'héberger les artistes.

TRINITY SQUARE VIDEO. ALLISON REES-CUMMINGS AND STEPHEN O'CONNELL, *SHE'S PERFECTLY WELL*, 2005; PHOTO: AUBREY REEVES.

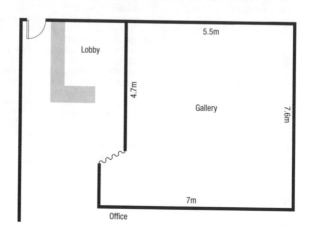

Lobby

5.5m

4.7m

Gallery

7.6m

7m

Office

YYZ Artists' Outlet is a vibrant artist-run forum for the presentation of local, national and international contemporary artist-initiated exhibition, for the publication of critical writings on topics in contemporary art, culture and society and for providing activities that bring artists and audiences into contact with each other in engaging and worthwhile ways. In 2004, YYZ celebrated its twenty-fifth anniversary as a participant in the cultural life of Toronto, Ontario and Canada. From its founding in 1979, YYZ has maintained its important place in local, provincial, national and international networks of contemporary cultural organizations by situating the work of local artists within global contexts. The role of the artist and the artist's initiative are central to YYZ's artistic direction and objectives. To this end, YYZ provides artists engaged in its program with the physical, financial and intellectual resources required to produce their respective exhibitions. YYZ develops and presents programs that reflect and define contemporary artistic practices in all disciplines through the rigorous consideration of the many high-quality proposals that YYZ receives and through the active development, solicitation and commissioning of projects by contemporary artists. YYZ also takes into consideration the relevance of projects to the development of a comprehensive program that represents cultural diversity and the equitable representation of diverse contemporary artistic practices. In 1988, YYZ established YYZBOOKS to provide a venue for the publication and distribution of important writings on contemporary art and artists. YYZBOOKS has produced over twenty publications and has earned its reputation as a highly regarded publisher of publications produced by a broad selection of contemporary artists and other cultural professionals. YYZ introduced the YYZINE in 2001 as an innovative means for the publication of commissioned artists' projects and the dissemination of critical writing to document and provide a context for YYZ exhibitions and programs.

YYZ

140, 401 Richmond Street W
Toronto (Ontario) M5V 3A8
T 416 598 4546 F 416 598 2282
yyz@yyzartistsoutlet.org
www.yyzartistsoutlet.org

OPENING HOURS
TUESDAY » SATURDAY: 11am-5pm

DIRECTOR
GREGORY ELGSTRAND
MANAGING EDITOR, YYZBOOKS
ROBERT LABOSSIERE

SUBMISSION DEADLINES
October 1 and April 1

Le centre d'artistes autogéré YYZ Artists' Outlet est le lieu par excellence pour présenter des expositions d'artistes contemporains sur la scène locale, nationale ou internationale, pour publier des textes critiques sur l'art contemporain, la culture et la société, et pour organiser des activités qui mettent les artistes en relation avec le public de manière intéressante et utile. En 2004, YYZ célébrait ses vingt-cinq ans de participation à la vie culturelle de Toronto, de l'Ontario et du Canada. Depuis sa création en 1979, YYZ a une place importante dans le réseau des organisations culturelles locales, provinciales, nationales et internationales, qui situe le travail des artistes locaux dans un contexte plus large. Le rôle de l'artiste et son projet sont au centre des préoccupations de YYZ. C'est pourquoi le centre fournit aux artistes inscrits à ses programmes les ressources matérielles, financières et théoriques dont ils ont besoin. YYZ conçoit et propose des programmes qui reflètent et caractérisent les pratiques artistiques contemporaines dans toutes les disciplines. Il y parvient en exerçant un choix rigueur parmi les nombreux projets qu'il reçoit et en offrant son soutien à d'autres projets qu'il sollicite. YYZ tient aussi compte de la pertinence des projets en regard de la mise en place d'un vaste programme d'intégration de la diversité culturelle, et s'efforce de refléter équitablement la diversité des pratiques. En 1988, YYZ créait YYBOOKS, dans le but de permettre la publication et la distribution de textes importants sur l'art et les artistes contemporains. YYBOOKS, qui a à son actif plus de vingt publications, est considéré comme un éditeur de premier plan d'œuvres réalisées par une large sélection d'artistes contemporains et de professionnels de la culture. En 2001, YYZ a mis sur le marché YYZINE, qui est une nouvelle façon de faire connaître les projets d'artistes retenus par le centre et de diffuser des textes critiques qui documentent et contextualisent les expositions et les programmes de YYZ.

PHOTO : COURTESY OF **YYZ ARTISTS' OUTLET**

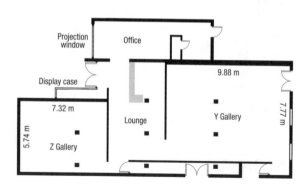

Projection window

Office

Display case

9.88 m

7.32 m

Lounge

Y Gallery

7.77 m

5.74 m

Z Gallery

ASSOCIATIONS • ASSOCIATIONS

ARCCO - Artist-Run Centres
and Collectives of Ontario
P.O. Box 44026,
Market Tower Lane Post Office
141 Dundas Street
London ON N6A 5S5
(519) 672-7898
www.arcco.ca

Bureau des regroupements
des artistes visuels de l'Ontario
1-405, rue Laurier Est
Ottawa ON K1N 6R4
(819) 457-2502
bravo@franco.ca
www.francoculture.ca/bravo

Canadian Bookbinders
and Book Artists Guild
176 John Street, Suite 309
Toronto ON M5T 1X5
(416) 581-1071
cbbag@web.net
www.cbbag.ca

CARFAC - Ontario (Canadian
Artists Representation / Le Front
des artistes canadiens - Ontario)
401 Richmond Street West, Suite 440
Toronto ON M5V 3A8
(416) 340-8850
carfacontario@carfacontario.ca
www.carfacontario.ca

Cultural Careers Council Ontario
27 Carlton Street, suite 303
Toronto ON M5B 1L2
(416) 340-0086
info@workinculture.on.ca
www.workinculture.on.ca

LIFT - Liaison of Independent
Filmmakers of Toronto
171 East Liberty Street, suite 301
Toronto ON M6K 3P6
(416) 588-6444
office@lift.on.ca
www.lift.on.ca

OAAG - Ontario Association
of Art Galleries
49 McCaul Street, Unit N2
Toronto ON M5T 2W7
(416) 598-0714
oaag@oaag.org
www.oaag.org

Visual Arts Ontario
1153-A Queen Street West
Toronto ON M6J 1J4
(416) 591-8883
info@vao.org
www.vao.org

CONSEILS DES ARTS ET MINISTÈRES • ART COUNCILS AND CULTURE DEPARTMENTS

Canadian Heritage /
Patrimoine canadien – Toronto
150 John Street, suite 400
Toronto ON M5V 3T6
(416) 973-5400
pch-ontario@pch.gc.ca
www.pch.gc.ca

Canadian Heritage /
Patrimoine canadien – Hamilton
55 Bay Street North, 8th floor
Hamilton ON L8R 3P7
(905) 572-2355
www.pch.gc.ca

Canadian Heritage /
Patrimoine canadien – Ottawa
350 Albert Street, suite 330
Ottawa ON K1A 0M5
(613) 996-5977
www.pch.gc.ca

Canadian Heritage /
Patrimoine canadien – Sudbury
10 Elm Street, suite 604
Sudbury ON P3C 5N3
(705) 670-5536
www.pch.gc.ca

Canadian Heritage /
Patrimoine canadien – Thunder Bay
214 Red River Raod, 3rd floor
Thunder Bay ON P7B 1A6
(807) 346-2900
www.pch.gc.ca

Canadian Heritage /
Patrimoine canadien – London
457 Richmond Street, Suite 102
London ON N6A 3E3
(519) 465-4659
www.pch.gc.ca

Council for the Arts in Ottawa
2 Daly Avenue
Ottawa ON K1N 6E2
(613) 569-1387
council@arts-ottawa.on.ca
www.arts-ottawa.on.ca

Ontario Arts Council /
Conseil des arts de l'Ontario
151 Bloor Street West, 5th floor
Toronto ON M5S 1T6
(416) 961-1660
info@arts.on.ca
www.arts.on.ca

Ontario Arts Foundation
151 Bloor Street West, 5th Floor
Toronto ON M5S 1T6
(416) 969-7413
info@arts.on.ca

Ontario Cultural Attractions Fund
151 Bloor Street West 5th Floor
Toronto ON M5S 1T6
(416) 969-7421
ksharpe@arts.on.ca

Ontario Ministry of Culture
900 Bay Street, 4th floor, Mowat
Toronto ON M7A 1C2
(416) 212-0644
general_info@mcl.gov.on.ca

Toronto Arts Council
141 Bathurst Street
Toronto ON M5V 2R2
(416) 392-6800
mail@torontoartscouncil.org
www.torontoartscouncil.org

FONDATIONS • FOUNDATIONS

Canadian Art Foundation
51 Front Street East, suite 210
Toronto ON M5E 1B3
(416) 368-8854
info@canadianart.ca
www.canadianart.ca

Centre for Cultural Management
Hagey Hall 143
Waterloo ON N2L 3G1
(519) 888-4567 poste 5058
ccm@watarts.uwaterloo.ca
www.ccm.uwaterloo.ca

Imagine Canada - Toronto
425 University Avenue, suite 900
Toronto ON M5G 1T6
(416) 597-2293
info@imaginecanada.ca
www.imaginecanada.ca

Ontario Heritage Foundation
10, rue Adelaide Est
Toronto ON M5C 1J3
(416) 325-5000
programs@heritagefdn.on.ca
www.heritagefdn.on.ca

Ontario Trillium Foundation
45 Charles Street East, 5th Floor
Toronto ON M4Y 1S2
(416) 963-4927
trillium@trilliumfoundation.org
www.trilliumfoundation.org

**Toronto Artscape and Citiscape
Development Corporation**
60 Atlantic Avenue, Suite 111
Toronto ON M6K 1X9
(416) 392-1038
info@torontoartscape.on.ca
www.torontoartscape.on.ca

LIEUX DE DIFFUSION • EXHIBITION SPACES

Agnes Etherington Art Centre
University Avenue & Queen's Crescent
Kingston ON K7L 3N6
(613) 533-2190
www.aeac.ca

Art Gallery of Algoma
10 East St.
Sault Ste. Marie ON P6A 3C3
(705) 949-9067
aga@shaw.ca
www.artgalleryofalgoma.on.ca

Art Gallery of Hamilton
123 King Street West
Hamilton ON L8P 4S8
(905) 527-6610
info@artgalleryofhamilton.com
www.artgalleryofhamilton.on.ca

Art Gallery of Mississauga
300 City Centre Drive
Mississauga ON L5B 3C1
(905) 896-5088
www5.mississauga.ca/agm

Art Gallery of Northumberland
55 King Street West
Cobourg ON K9A 2M2
(905) 372-0333
agn@eagle.ca
www.artgalleryofnorthumberland.com

Art Gallery of Ontario - AGO
317 Dundas Street West
Toronto ON M5T 1G4
(416) 979-6648
info@ago.net
www.ago.net

Art Gallery of Peel
9 Wellington Street East
Brampton ON L6W 1Y1
(905) 791-4055
peelheritageprograms@peelregion.ca
www.region.peel.on.ca/heritage/
art-gallery/index.htm

Art Gallery of Peterborough
250 Crescent Street
Peterborough ON K9J 2G1
(705) 743-9179
gallery@agp.on.ca
www.agp.on.ca

Art Gallery of Sudbury
251 John Street
Sudbury ON P3E 1P9
(705) 675-4871
gallery@artsudbury.org
www.artsudbury.org

Art Gallery of Windsor - AGW
401 Riverside Drive West
Windsor ON N9A 7J1
(519) 977-0013
email@agw.ca
www.artgalleryofwindsor.com

Art Gallery of York University
N145 Ross Building, York University
4700 Keele Street
Toronto ON M3J 1P3
(416) 736-5169
agyu@yorku.ca
www.yorku.ca/agyu/

Art Gallery - University of Waterloo
200 University Avenue West
Waterloo ON N2L 3G1
(519) 888-4567 poste 3575
cpodedwo@uwaterloo.ca
www.artgallery.uwaterloo.ca

Artengine
P.O. Box 20538, 390 Rideau
Ottawa ON K1N 1A3
(613) 562-7923
administrator@artengine.ca
www.artengine.ca

Blackwood Gallery
3359 Mississauga Road N.
Mississauga ON L5L 1C6
(905) 569-4262
www.erin.utoronto.ca/services/gallery

Burlington Art Centre
1333 Lakeshore Road
Burlington ON L7S 1A9
(905) 632-7796
info@BurlingtonArtCentre.on.ca
www.burlingtonartcentre.on.ca

Cambridge Galleries
1 North Square
Cambridge ON N1S 2K6
(519) 621-0460
galleriesinfo@cambridgegalleries.ca
www.cambridge.on.ca

Campus Gallery
1 Georgian Drive
Barrie ON L4M 3X9
(705) 728-1968 poste 1281
www.georgianc.on.ca/depts.dva

Canadian Sculpture Centre
64 Merton Street
Toronto ON M4S 1A1
(416) 214-0389
gallery@cansculpt.org
www.cansculpt.org

Carleton University Art Gallery
1125 Colonel By Drive
Ottawa ON K1S 5B6
(613) 520-2120
www.carleton.ca/gallery

Design Exchange
234 Bay Street
Toronto ON M5K 1B2
(416) 363-6121
info@dx.org
www.dx.org

Doris McCarthy Gallery
1265 Military Trail
Toronto ON M1C 1A4
(416) 287-7007
dmg@utsc.utoronto.ca
www.utsc.utoronto.ca/~dmg/

Eastern Front Artists' Centre
750A Queen Street East
Toronto ON M4M 1H4
(416) 465-2620
info@easternfrontgallery.com
www.easternfrontgallery.com

**Galerie d'art d'Ottawa –
Ottawa Art Gallery**
2, avenue Daly
Ottawa ON K1N 6E2
(613) 233-8699
info@ottawaartgallery.ca
www.ottawaartgallery.ca

Galerie Glendon Gallery
2275 Bayview Ave.
Toronto ON M4N 3M6
(416) 487-6859
www.glendon.yorku.ca/QuickPlace/gallery

228 * 229

Gallery 96
270 Water Street P.O Box 21108
Stratford ON N5A 7V4
(519) 595-2157
gallery96@orc.ca
www.gallery96.org

Gallery Lambton
150 Christina Street North
Sarnia ON N7T 7W5
(519) 336-8127
www.lambtononline.ca/gallery_lambton

Glenhyrst Art Gallery of Brant
20 Ava Road
Brantford ON N3T 5G9
(519) 756-5932
info@glenhyrstartgallery.ca
www.glenhyrst.ca

Globe Studios
141 Whitney Place, P.O. Box 1122
Kitchener ON N2G 4G1
(519) 576-3338
isabella.stefanescu@sympatico.ca

Grimsby Public Art Gallery
18 Carnegie Lane
Grimsby ON L3M 1Y1
(905) 945-3246
www.town.grimsby.on.ca

Hamilton Artists Inc
3 Colbourne Street, P.O. 37047
Jamesville
Hamilton ON L8R 3P1
(905) 529-3355
staff@hamiltonartistisinc.on.ca
www.hamiltonartistsinc.on.ca

Hart House
7 Hart House Circle
University of Toronto
Toronto ON M5S 3H3
(416) 978-8398
www.utoronto.ca/gallery

**Institute of Contemporary
Culture Royal Ontario Museum**
100 Queen's Park
Toronto ON M5S 2C6
(416) 586-5524
icc@rom.on.ca
www.rom.on.ca/about/icc

Interaccess
9 Ossington Avenue
Toronto ON M6J 2Y8
(416) 599-7206
office@interaccess.org
www.interaccess.org

**Kingston Artists' Association Inc.
& Modern Fuel Gallery**
21A Queen Street
Kingston ON K7K 1A1
(613) 548-4883
info@modernfuel.org
www.modernfuel.org

Kitchener-Waterloo Art Gallery
101 Queen Street North
Kitchener ON N2H 6P7
(519) 579-5860
mail@kwag.on.ca
www.kwag.on.ca

Koffler Gallery
4588 Bathurst Street
Toronto ON M2R 1W6
(416) 636-1880
kofflergallery@bjcc.ca
www.kofflercentre.com

Macdonald Stewart Art Centre
358 Gordon Street
Guelph ON N1G 1Y1
(519) 837-0010
info@msac.ca
www.msac.uoguelph.ca/

McIntosh Gallery
University of Western Ontario
London ON N6A 3K7
(519) 661-3181
www.mcintoshgallery.ca

McMaster Museum of Art
Alvin A. Lee Building, University Avenue,
1280 Main Street West
Hamilton ON L8S 4L6
(905) 525-9140 poste 23081
museum@mcmaster.ca
www.mcmaster.ca

McMichael Canadian Art Collection
10365 Islington Avenue
Kleinburg ON L0J 1C0
(905) 893-1121
info@mcmichael.on.ca
www.mcmichael.com

**Museum of Contemporary
Canadian Art - MOCCA**
952 Queen Street West
Toronto ON M6J 1G8
(416) 395-7430
mocca@toronto.ca
www.mocca.toronto.on.ca

Native Women in the Arts
401 Richmond Street West, Suite 420
Toronto ON M5V 3A8
(416) 598-4078
info@nativewomeninthearts.com
www.nativewomeninthearts.com

Oakville Galleries
1306, Legshore Road East
Oakville ON L6J 1L6
(905) 844-4402 poste 25
info@oakvillegalleries.com
www.oakvillegalleries.com

Ontario College of Art and Design
100 McCaul Street
Toronto ON M5T 1W1
(416) 977-6000
general@ocad.on.ca
www.ocad.on.ca

Open Studio
401, Richmond Street West, Suite 104
Toronto ON M5V 3A8
(416) 504-8238
office@openstudio.on.ca
www.openstudio.on.ca

**Organization of Kingston
Women Artists**
P.O. Box 581
Kingston ON K7L 4X1
(613) 544-4253

Ottawa Arts Court Foundation
2 Daly Avenue
Ottawa ON K1N 6E2
(613) 569-4821
info@artscourt.ca
www.artscourt.ca

**Power Plant Contemporary
Art Gallery**
Harbourfront Centre,
231 Queens Quay West
Toronto ON M5J 2G8
(416) 973-4949
thepowerplant@harbourfront.on.ca
www.thepowerplant.org

Queens University
Ontario Hall
Kingston ON K7L 3N6
(613) 533-6166
art@post.queensu.ca
www.queensu.ca

Robert McLaughlin Gallery
72 Queen Street, Civic Centre
Oshawa ON L1H 3Z3
(905) 576-3000
communications@rmg.on.ca
www.rmg.on.ca/

Rodman Hall Arts Centre
109 St. Paul Crescent
St. Catharines ON L1H 3Z3
905 684 2925
rodmanhall@brocku.ca
www.brocku.ca/rodmanhall

Ryerson University
122 Bond Street
Toronto ON M5B 2K3
(416) 979-5000 ext 6856
inquire@ryerson.ca
www.imagearts.ryerson.ca

Textile Museum of Canada
55 Centre Avenue
Toronto ON M5G 2H5
(416) 599-5321
info@textilemuseum.ca
www.textilemuseum.ca

The Tree Museum, An Outdoor Art Gallery of Site Specific Installations
Ryde Lake Road
Muskoka (Ontario)
www.thetreemuseum.ca

Thunder Bay Art Gallery
P.O. Box 10193
1080 Keewatin Street
Thunder Bay ON P7B 6T7
(807) 577-6427
info@tbag.ca
www.tbag.ca

Tom Thomson Memorial Art Gallery
840 First Avenue West
Owen Sound ON N4K 4K4
(519) 376-1932
ttmag@e-owensound.com
www.tomthomson.org/

Toronto Sculpture Garden
115 King Street East
Toronto ON M5C 1G9
(416) 515-9658
info@torontosculpturegarden.com
www.torontosculpturegarden.com

University of Toronto Art Centre
15 King's College Circle,
University of Toronto
Toronto ON M5S 3H7
(416) 978-1838
www.utoronto.ca/artcentre

V Tape
401 Richmond Street West,
Suite 452
Toronto ON M5V 3A8
(416) 351-1317
kimt@vtape.org
www.vtape.org

Visual Arts Centre of Clarington
143 Simpson Avenue, P.O. Box 52
Bowmanville ON L1C 3K8
(905) 623-5831
visual@vac.ca
www.vac.ca

White Water Gallery
147 Worthington Street East, P.O. 1491
North Bay ON P1B 8K6
(705) 476-2444
info@whitewatergallery.com
www.whitewatergallery.com

Women's Art Resource Centre (WARC)
401 Richmond Street West, Suite 122
Toronto ON M5V 3A8
(416) 977-0097
warc@warc.net
www.warc.net

Woodland Cultural Centre
184 Mohawk Street, P.O. Box 1506
Brantford ON N3S 2X2
(519) 759-8912
woodlandcentre@execulink.com
www.woodland-centre.on.ca

Ydessa Hendales Art Foundation
778 King Street West
Toronto ON M4Y 2N6
(416) 413-9400
ydessa@yhaf.org

Year01 Forum
Toronto ON
curator@year01.com
www.year01.com

York University
Joan & Martin Goldfarb Centre
for Fine Arts York University
4700 Keele Street
Toronto ON M3J 1P3
(416) 736-5135
finearts@yorku.ca
www.yorku.ca/finearts

Xspace
303 Augusta Ave
Toronto ON M5T 2M2
(416) 849-2864

GALERIES PRIVÉES • COMMERCIAL GALLERIES

AWOL Gallery
78 Ossington Avenue
Toronto ON M6J 2Y7
(416) 535-5637
awol@awolgallery.com
www.awolgallery.com

Bau-Xi Gallery
340 Dundas Street West
Toronto ON M6T 1G5
(416) 977-0600
toronto@bau-xi.com
www.bau-xi.com

Canadian Clay & Glass Gallery
25 Caroline St. N.
Waterloo ON N2L 2Y5
www.canadianclayandglass.ca

Christopher Cutts Gallery
21 Morrow Avenue
Toronto ON M6R 2H9
(416) 532-5566
cutts@icuttsgallery.com
www.cuttsgallery.com

Corkin Shopland Gallery
55 Mill St, Bldg. 61
Toronto ON M5A 3C4
(416) 979-1980
info@corkinshopland.com
www.corkinshopland.com

DeLeon White Gallery
1096 Queen Street West
Toronto ON M6J 1H9
(416) 597-9466
white@eco-art.com
www.eco-art.com

Drabinsky Gallery
122 Scollard Street
Toronto ON M5R 1G2
(416) 324-5766
info@drabinskygallery.com
www.drabinskygallery.com

Galerie d'art Jean-Claude Bergeron
150, rue Saint-Patrick
Ottawa ON K1N 5J8
(613) 562-7836
galbergeron@rogers.com
www.galeriejeanclaudebergeron.ca

Galerie St-Laurent + Hill
333, rue Cumberland
Ottawa ON K1N 7J3
(613) 789-7145
info@galeriestlaurentplushill.com
www.galeriestlaurentplushill.com

Gallery one
121 Scollard Street
Toronto ON M5R 1G4
(416) 929-3103
info@galleryone.ca
www.galleryone.ca

Jessica Bradley Art + Projects
1450 Dundas Street West
Toronto ON M6J 1Y6
(416) 537-3125
info@jessicabradleyartprojects.com
www.jessicabradleyartprojects.com

Leo Kamen Gallery
80 Spadina Avenue, Suite 406
Toronto ON M5V 2J4
(416) 504-9515
info@leokamengallery.com
www.leokamengallery.com

Mira Godard Gallery
22 Hazelton Avenue
Toronto ON M5R 2E2
(416) 964-8197
godard@godardgallery.com
www.godardgallery.com

Monte Clark Gallery
55 Mill St. Building / 2
Toronto ON M5A 3C4
(416) 703-1700
toronto@monteclarkgallery.com
www.monteclarkgallery.com

Moore Gallery
80 Spadina Avenue, Suite 404
Toronto ON M5V 2J3
(416) 504-3914
mooregallery@bellnet.ca
www.mooregallery.com

Olga Korper Gallery
17 Morrow Avenue
Toronto ON M6R 2H9
(416) 538-8220
info@olgakorpergallery.com
www.olgakorpergallery.com

Paul Petro Contemporary Art
980 Queen Street West
Toronto ON M6J 1H1
(416) 979-7874
info@paulpetro.com
www.paulpetro.com

Paul Petro Multiples & Small Works
962 Queen Street West
Toronto ON M6J 1G8
(416) 979-7874
andrew@paulpetro.com
www.paulpetro.com

Red Head Gallery
401 Richmond Street West
Toronto ON M5V 3A8
(416) 504-5654
art@redheadgallery.org
www.redheadgallery.org/

Stephen Bulger Gallery
1026 Queen Street West
Toronto ON M6J 1H6
(416) 504-0575
info@bulgergallery.com
www.bulgergallery.com

The Music Gallery
197 John St.
Toronto ON M5T 1X6
(416) 204-9986
staff@musicgallery.org
www.musicgallery.org

The Robert McLaughlin Gallery
72 Queen St., Civic Centre
Oshawa ON L1H 3Z3
(905) 576-3000
www.rmg.on.ca

Wynick / Tuck Gallery
401 Richmond Street West, Suite 128
Toronto ON M5V 3A8
(416) 504-8716
wtg@wynicktuckgallery.ca
www.wynicktuckgallery.ca

FESTIVALS ET ÉVÉNEMENTS * FESTIVALS AND EVENTS

**aluCine Toronto Latin@
Media Festival**
90 Oxford Street – suite #8
Toronto ON M5T 1P3
(416) 966-4989
info@alucinefestival.com
www.alucinefestival.com

**CAFKA / Contemporary Art
Forum Kitchener and Area**
141 Whitney Place, P.O. Box 1122
Kitchener ON N2G 1G4
(519) 744-5123
cafka@contemporaryartforum.ca
www.contemporaryartforum.ca

**CONTACT Toronto
Photography Festival**
258 Wallace Avenue, Suite 204
Toronto ON M6P 3M9
(416) 539-9595
info@contactphoto.com
www.contactphoto.com

**Images Festival of Independant Film
and Video**
401 Richmond Street West, Suite 408
Toronto ON M5V 3A8
(416) 971-8405
info@imagesfestival.com
www.imagesfestival.com/

MediaCity
109 University Ave W.
Windsor ON N9A 5P4
(529) 977 6564
mediacity@artcite.ca

**Toronto Alternative Art Fair
International**
Drake Hotel & Gladstone Hotel
Toronto ON
(416) 537-3814
www.taafi.org

REVUES * MAGAZINES

Akimbo e-Broadcasts
P.O. Box 278, Station P
Toronto ON M5S 2S8
akimbo@ca.inter.net
www.akimbo.biz

C Magazine
P.O. Box 5, Station B
Toronto ON M5T 2T2
(416) 539-9495
general@cmagazine.com
www.cmagazine.com

Canadian Art Magazine
51, Front Street East, suite 210
Toronto ON M5E 1B3
(416) 368-8854
info@canadianart.ca
www.canadianart.ca

FUSE Magazine
401 Richmond Street West, Suite 454
Toronto ON M5V 3A8
(416) 340-8026
info@fusemagazine.org
www.fusemagazine.org

Instant Coffee
us@instantcoffee.org
www.instantcoffee.org

**Mix - Independent art
and culture magazine**
401 Richmond Street West, Suite 446
Toronto ON M5V 3A8
(416) 506-1012
info@mixmagazine.com
www.mixmagazine.com

MUSE Magazine
280, rue Metcalfe, bureau 400
Ottawa ON K2P 1R7
(613) 567-0099
info@musees.ca
www.musees.ca

Prefix Photo
401 Richmond Street West,
Box 117, Suite 124
Toronto ON M5V 3A8
(416) 591-0357
info@prefix.ca
www.prefix.ca

RECHERCHE ET DOCUMENTATION * RESEARCH AND DOCUMENTATION

Art Metropole Inc.
788 King Street West
Toronto ON M5V 1N6
(416) 703-4400
info@artmetropole.com
www.artmetropole.com

MANITOBA

aceartinc. is an artist-run centre dedicated to the development, exhibition and dissemination of contemporary art by cultural producers. aceartinc. maintains a commitment to emerging artists and recognizes its role in placing contemporary artists in a larger cultural context. aceartinc. is dedicated to cultural diversity in its programs and to this end encourages applications from contemporary artists and curators identifying as members of GLBT (gay, lesbian, bisexual, transgender), Aboriginal (status, non-status, Inuit, Métis) and all other cultural communities.

aceartinc. follows CARFAC fee guidelines and provides accommodation, return travel (within Canada), and one-way shipment of artworks. aceartinc. produces invitations, media releases, and publishes the Critical Distance writing program.

Regular programming is created from submissions which seek the support of aceartinc.'s facilities and services for public presentation. aceartinc. encourages proposals from individuals, groups and collectives in all visual arts media. All regular programs are supported by our Critical Distance writing program.

Special programming is initiated by the programming coordinator and by the programming committee. Thematic calls or invitations are made at the discretion of the committee within the context of the programming season, our mandate, and goals.

Project rooms are a service to the community offered to members and other arts organizations to utilize the existing physical space and resources of the centre for artistic development. Requests for project rooms, in writing, are considered in consultation with programming staff and upon approval by the programming committee on an ongoing basis, and, space permitting, at short notice. Please visit our website for submission guidelines: www.aceart.org

aceartinc. gratefully acknowledges the generous support of associate members & donors, our volunteers, The Manitoba Arts Council, The Canada Council for the Arts, The Winnipeg Arts Council, The Winnipeg Foundation, WH and SE Loewen Foundation, and The Family of Wendy Wersh.

234 * 235

aceartinc.

2nd Floor 290 McDermot Avenue
Winnipeg (Manitoba) R3B 0T2
T 204 944 9763   F 204 944 9101
gallery@aceart.org
www.aceart.org

OPENING HOURS
TUESDAY » SATURDAY: 12pm-5pm
Closed public holidays
Free Admission

PROGRAMMING COORDINATOR
THEO SIMS
program@aceart.org

ADMINISTRATIVE COORDINATOR
GARTH HARDY
admin@aceart.org
GALLERY ASSISTANT
LIZ GARLICKI
gallery@aceart.org

SUBMISSION DEADLINE
August 1

aceartinc. est un centre d'artistes autogéré qui se consacre à la création, à l'exposition et à la diffusion de l'art contempo-rain. aceartinc. s'engage envers les artistes de la relève et assume pleinement son rôle, qui consiste à situer les artistes contemporains dans un contexte culturel plus large. aceartinc. veut refléter la diversité culturelle dans ses programmes et accueille ainsi favorablement les projets d'artistes et de commissaires qui se reconnaissent comme membres des communautés gay, lesbienne, bisexuelle et transsexuelle, comme autochtones (inscrits et non inscrits, Inuits, métis) et membres de toute autre communauté culturelle.

aceartinc. suit les directives de CARFAC en matière de cachets d'artistes et assume les frais de déplacement aller-retour des artistes (au Canada) et le transport aller des œuvres. aceartinc. envoie des invitations et des communiqués de presse et publie le programme d'écriture Critical Distance.

La programmation régulière est constituée d'après les projets qui nous sont soumis. aceartinc. encourage les projets d'individus, de groupes et de collectifs dans toutes les formes d'arts visuels. Les programmes réguliers sont financés par notre programme d'écriture Critical Distance.

La programmation spéciale est décidée par le coordonnateur de programmes et le comité de programmation. Le comité est libre de lancer des appels en vue de projets thématiques, en fonction de la programmation du centre et en respectant son mandat et ses objectifs.

Les salles de projets sont ouvertes à la communauté, en permettant aux membres et aux autres organisations artistiques d'utiliser l'espace physique du centre, ainsi que ses ressources, à des fins de développement artistique. Les demandes écrites à ce sujet sont évaluées tout au long de l'année par l'équipe de programmation et sont approuvées – rapidement si un espace est disponible – par le comité de programmation. Veuillez visiter notre site Web pour plus de détails concernant les demandes : www.aceart.org

aceartinc. reconnaît le soutien généreux de ses membres, donateurs et volontaires; du Manitoba Arts Council, du Canada Council for the Arts, du Winnipeg Arts Council; de la Winnipeg Foundation, de la WH and SE Loewen Foundation et de la famille de Wendy Wersh.

ACEARTINC. CATHERINE BÉCHARD AND SABIN HUDON, *BETWEEN SOUNDS AND ABSTRACTIONS*, 2005; PHOTO: CATHERINE BÉCHARD.

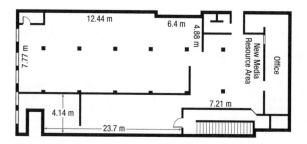

MARTHA STREET STUDIO

Martha Street Studio is a production space with a studio gallery, operated by the Manitoba Printmakers Association. It offers the artistic community equipment, facilities, and support in the production, exhibition, and dissemination of print-based works. The Studio serves to broaden the knowledge base of its membership, the artistic community, and the general public by presenting local, national and international work and through the creation of national and international presentation, exhibition, and residency opportunities.

Professional development workshops, artist talks, and evening and weekend classes are provided for artists and the general public in various print areas. Specialized classes and mentoring programs are delivered for Aboriginal artists and youth. The studio's community outreach activities include professional development workshops for teachers, artists in the schools programs, and studio access for school art classes.

Custom printing services include the printing of multiples for galleries, dealers and artists. Publishing activities are focused around the production of artists' folios for placement in public and private collections on the artists' behalf.

The studio mounts five curated exhibitions per year, provides exhibition space to studio artists for "special projects" or "studio" exhibitions to allow members to exhibit work in a timely fashion, and hosts a variety of special-invitation exhibition and sales events for collectors and studio members.

The studio works with artists and other organizations to develop selected residencies for artists from other areas of the country and other nations to realize their projects. The studio works to create exchange residency situations with other centres both in Canada and abroad. Proposals for residencies and/or exhibitions should include an artist's statement, outline of work, résumé and up to 20 slides or images on CD.

Martha Street Studio
Manitoba Printmakers Association

11 Martha Street
Winnipeg (Manitoba) R3B 1A2
T 204 779 6253 F 204 944 1804
printmakers@mts.net
www.printmakers.mb.ca

OPENING HOURS
MONDAY » FRIDAY: 10am-5pm
Studio renters have keyed access
24 hours 7 days a week.

EXECUTIVE DIRECTOR
SHEILA SPENCE
**DIRECTOR OF PROGRAMMING
& DEVELOPMENT**
CALVIN YARUSH

**CULTURAL BROKER/COMMUNITY
OUTREACH COORDINATOR**
LEAH FONTAINE
STUDIO MANAGER
PATRICK NEUFELD

SUBMISSION DEADLINE
Submissions are reviewed
on an ongoing basis

Le Martha Street Studio est un centre de production doublé d'un espace galerie géré par l'Association des graveurs du Manitoba. Le centre offre à la communauté artistique des équipements, des installations et un soutien technique pour la production, la présentation et la diffusion d'œuvres gravées. Le Studio est un lieu qui vise à élargir les horizons de ses membres, de la communauté artistique et du public en général en présentant des œuvres locales, nationales et internationales et en créant des occasions de les exposer et des résidences d'artistes à l'échelle nationale et internationale.

En plus de présenter des conférences d'artistes, le centre offre des ateliers de développement professionnel et des cours de gravure le soir et les week-ends. Ces activités s'adressent aussi bien aux artistes qu'au grand public. Le centre offre également aux jeunes et aux artistes aborigènes des cours spécialisés et des tutorats. Les activités du Studio dans la communauté comprennent des ateliers de perfectionnement pour les enseignants, de l'animation dans les écoles et un accès au studio pour les classes d'arts plastiques.

Le centre offre un service d'impression à la carte pour les éditions multiples à l'intention des galeries, des marchands d'art et des artistes. Les activités en matière de publication se concentrent sur la production de livres d'artistes qui sont ensuite placés dans les collections privées et publiques pour le compte de l'artiste.

Le Studio monte cinq grandes expositions par année et fournit des espaces d'exposition aux artistes du studio qui ont des « projets spéciaux » ou simplement pour qu'ils puissent montrer leur travail d'une manière ponctuelle; le Studio présente également, sur invitation, diverses expositions à l'intention des collectionneurs et des membres du studio.

Le Studio travaille avec des artistes et d'autres organisations à la mise sur pied de résidences spécifiques pour les artistes provenant d'autres régions du pays ou de l'étranger pour qu'ils puissent réaliser leurs projets. Le Studio cherche à créer des situations d'échanges de résidences avec d'autres centres au Canada et ailleurs. Les demandes de résidence ou d'exposition doivent comprendre un mot de l'artiste, une notice explicative de l'œuvre, un CV et jusqu'à 20 images présentées soit sous la forme de diapositives, soit sur un CD.

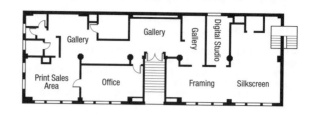

MARTHA STREET STUDIO. PHOTO: SHEILA SPENCE

PLATFORM:
CENTRE FOR PHOTOGRAPHIC AND DIGITAL ARTS

PLATFORM Centre for Photographic and Digital Arts is a non-profit artist-run centre committed to the advancement of contemporary photographic and new media arts.

With photography being constantly re-evaluated and expanded, PLATFORM serves as a laboratory, a place to examine what already exists while pushing boundaries of what could be.
As Western Canada's only centre devoted exclusively to the photographic and digital arts, PLATFORM operates as a venue for the exhibition and production of photo-based media.
We inspire interest in the medium through innovative programming, challenging popular ideas and current perceptions while providing excellence in facilities and services.

Founded in 1981, PLATFORM was first incorporated as the Winnipeg Photographer's Group, and later became The Floating Gallery. Since 2002 the centre has been known as PLATFORM: Centre for Photographic and Digital Arts, and has moved to a prominent main level gallery space located in Winnipeg's historic exchange district. The centre serves 150 members and the general public of the Winnipeg region. Each year PLATFORM mounts on average eight exhibitions. As well as gallery space, the centre offers resources for the production of photographic and digital art, including two black and white darkrooms, a digital media centre, a members' library, and educational programs.

Our primary interest in programming is to showcase those artists whose work not only demonstrates technical prowess, but also embodies the desire to re-evaluate the aesthetic and conceptual boundaries of photography. Myriad advances in the digitalization of photography have made it possible for lens-based artists to arrive at significant new interpretations of the medium. It is essential that PLATFORM reflect and encourage these changes by showcasing the scope of photographic and digital art practices, from innovations and re-discoveries arising from the traditional print, to advances stemming from digital photographic techniques, to the outer limits where photography dissolves into other media classifications.

121 - 100 Arthur Street
(Artspace building)
Winnipeg (Manitoba) R3B 1H3
T 204 942 8183 F 204 942
1555info@platformgallery.org
www.platformgallery.org

OPENING HOURS
TUESDAY » SATURDAY: 9am-5pm, with extended hours Thursdays until 7:30pm

DIRECTOR
LISA WOOD
ADMINISTRATIVE COORDINATOR
LARRY GLAWSON

SUBMISSION DEADLINE
Submissions are accepted on an ongoing basis, and are reviewed annually in late August.
August 15, 2006 will be the deadline for submissions to the 2007-08 programming year

PLATFORM Centre for Photographic and Digital Arts est un centre d'artistes autogéré et sans but lucratif qui se voue à la promotion de la photographie contemporaine et des arts faisant appel aux nouveaux médias.

Le domaine de la photographie est soumis à une réévaluation constante et ses limites sont sans cesse repoussées. Dans ce contexte, PLATFORM sert de laboratoire, de lieu permettant d'examiner ce qui existe déjà et de proposer ce qui pourrait être.

Unique centre de l'Ouest canadien à se consacrer aux pratiques photographique et numérique, PLATFORM est à la fois lieu d'exposition et de production. Sa programmation audacieuse remet en question les idées et perceptions populaires actuelles, tout en offrant à ses membres des installations et des services de haute qualité.

Fondé en 1981, PLATFORM fut d'abord incorporé sous le nom de Winnipeg Photographer's Group, pour ensuite devenir The Floating Gallery. En 2002, le centre a adopté le nom PLATFORM: Centre for Photographic and Digital Arts et a déménagé dans un vaste espace situé au niveau principal d'un bâtiment du quartier historique de la Bourse de Winnipeg. Le centre dessert cent cinquante membres ainsi que le grand public de la région de Winnipeg. Chaque année, PLATFORM présente en moyenne huit expositions. En plus de sa galerie, le centre possède des ressources de production photographique et numérique, notamment deux chambres noires, un espace réservé aux médias numériques, une bibliothèque, ainsi que plusieurs programmes éducatifs.

En matière de programmation, notre intérêt premier consiste à présenter le travail d'artistes qui non seulement maîtrisent très bien leur art sur le plan technique, mais qui incarnent le désir de réévaluer l'esthétique et les limites de la photo. Une pléthore d'innovations venues du numérique proposent de nouvelles pistes aux artistes qui travaillent dans ce domaine. PLATFORM doit refléter et encourager ces changements en montrant l'étendue des pratiques photographiques et numériques, qu'il s'agisse d'innovations ou de redécouvertes de la photo traditionnelle, de percées réalisées grâce aux nouvelles techniques photographiques, ou encore de l'exploration des limites de cette discipline, où la photographie se dissout dans les autres formes médiatiques.

PLATFORM CENTRE FOR PHOTOGRAPHIC AND DIGITAL ARTS. MEERA MARGARET SINGH, *YOU'RE ALL THAT I EVER THINK ABOUT*, 2006; PHOTO: LARRY GLAWSON.

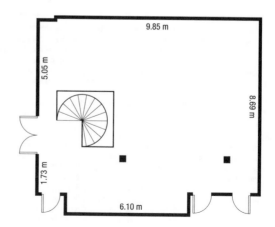

URBAN SHAMAN:
CONTEMPORARY ABORIGINAL ART

Urban Shaman has been a vital and dynamic centre for the exhibition and dissemination of contemporary Aboriginal art in Winnipeg, and indeed provincially and nationally, since 1996. Throughout this time, we have engaged in the discourse of a distinct Aboriginal aesthetic. For Native artists and communities, this provides a universal (not pan-Indian), referent that links contemporary art and artists with historical/traditional art and cultural production. For the larger communities regionally and nationally, we provide a point of access to contemporary Aboriginal contemporary art. Our mandate has, and continues to be, the promotion and presentation of Aboriginal contemporary artists in a culturally appropriate, professional environment in order to more fully integrate an Aboriginal aesthetic into the larger realm of the public dissemination of contemporary art.

Priorities constitute programming artists whose work hinges on experimentation in form and content. This includes artists at all levels of professional practice in all media whose work shows a high degree of professionalism, aesthetic maturity and rigour.

Our selection process is by ongoing submissions presented or solicited from artists, curators and collectives. Selection for all exhibitions except the youth initiatives is done by a programming committee made up of board members, artist members and the gallery director. Exhibitions are selected according to the strength of the artistic merit and its relevance to the broader understanding of contemporary Aboriginal art. We program a wide variety of contemporary artistic practice including two and three dimensional works, media/new media and performance based art. All artists are paid according to the CARFAC recommended fee schedule. We also engage in a wide variety of dissemination/discourse activities through artist talks, symposia, publications and digital/internet technologies. We also publish a quartely e-zine available at www.conundrumonline.ca or through our general website.

Main Gallery: 2300 sq. ft., 174.5 running ft., 12 ft. ceiling, 10 ft. walls. Media Art Gallery: 990 sq. ft, sound/light proof, includes video projector, 42" plasma display, integrated sound system and eMac G4 computer. (also available, Mac G5 and 21" LCD display).

Urban Shaman Gallery
Contemporary Aboriginal Art

203-290 McDermot Ave.
Winnipeg (Manitoba) R3B 0T2
T 204 942 2467   F 204 944 9577

OPENING HOURS
Gallery Hours
TUESDAY » FRIDAY: 11am-5pm
SATURDAY: 12pm-5pm
Sunday, Monday, Holidays closed

GALLERY DIRECTOR
STEVEN LOFT
director@urbanshaman.org
PROGRAM COORDINATOR
KC ADAMS
program@urbanshaman.org
ADMINISTRATOR
LEONA STARR
finance@urbanshaman.org

Depuis 1996, Urban Shaman est un centre dynamique et indispensable de présentation et de promotion de l'art contemporain autochtone, non seulement pour Winnipeg mais également pour le Manitoba et tout le Canada. Nous défendons une esthétique amérindienne distincte, qui n'est pas une approche exclusive mais un point de référence qui relie l'art contemporain et les artistes à l'art traditionnel/historique et à la production culturelle. Pour les publics régional et national, nous fournissons un point d'accès au courant autochtone de l'art contemporain. Notre action a pour but d'amener l'esthétique amérindienne à une plus large intégration à l'art contemporain tel qu'il est diffusé.

Dans notre programmation, nous privilégions les artistes qui mettent l'accent sur l'expérimentation de la forme et du contenu, quel que soit leur degré d'expérience et les disciplines qu'ils pratiquent, pour autant que leur travail fasse preuve d'un haut degré de professionnalisme, de maturité et de rigueur.

Nous sélectionnons les projets soumis ou sollicités par les conservateurs et les collectifs. À l'exception des initiatives jeunesse, la sélection de toutes les expositions est faite par un comité de programmation composé des membres du conseil d'administration, du directeur et des artistes de la galerie. Les expositions sont choisies en fonction de la valeur artistique de l'œuvre et de sa pertinence comme représentant de l'art autochtone contemporain. Nous mettons au programme un large éventail de pratiques artistiques, y compris les œuvres à deux ou à trois dimensions, les créations audiovisuelles et les performances. Tous les artistes sont payés suivant les tarifs de CARFAC. Nous offrons également une large gamme d'activités de réflexion sur l'art au moyen de causeries d'artistes, de colloques, de publications, de technologies numériques et de sites Web. Nous avons aussi une publication trimestrielle en ligne, que l'on peut lire à www.conundrumonline.ca ou sur notre site Internet.

Salle principale : 2300 pi²; 174,5 pi linéaires; plafond : 12 pi; murs : 10 pi. Salle audiovisuelle : 990 pi²; étanche au son et à la lumière; équipée d'un vidéoprojecteur de 42 pouces avec écran plasma, système de son intégré et ordinateur iMac G4 (également disponible : ordinateur iMac G5 avec écran à cristaux liquides de 21 pouces).

URBAN SHAMAN: CONTEMPORARY ABORIGINAL ART. ARTHUR RENWICK, *DELEGATES: CHIEFS OF THE EARTH AND SKY*, PHOTO: KC ADAMS, 2005.

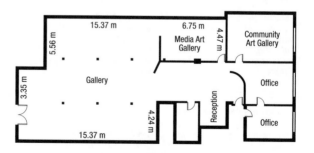

ASSOCIATIONS * ASSOCIATIONS

**MVAA - Manitoba Visual
Arts Association**
c/o 290 McDermot Avenue, 2nd Floor
Winnipeg MB R3B 0T2

ArtsSmarts Manitoba
525 - 93 Lombard Avenue
Winnipeg MB R3R 3B1
(204) 945-2670
ldesilets@artssmartsmanitoba.ca
www.artssmartsmanitoba.ca

**Association of Manitoba
Book Publishers**
404 - 100 Arthur Street
Winnipeg MB R3B 1H3
(204) 947-3335
www.bookpublishers.mb.ca

CARFAC Manitoba
407 - 100 Arthur Street
Winnipeg MB R3B 1H3
(204) 943-7211
manitoba@carfac.mb.ca
242 * 243 www.carfac.mb.ca

**Dauphin & District Allied Arts
Council Inc.**
104 - 1st Avenue NW
Dauphin MB R7N 1G9
(204) 638-6231
art6231@mb.sympatico.ca
www3.mb.sympatico.ca/%7Eart6231
/index.htm

**Maison des artistes
visuels francophones**
219, boul. Provencher
Winnipeg MB R2H 0G4
(204) 237-5964
maisondesartistes@hotmail.com

Manitoba Arts Network
203-100 Arthur Street
Winnipeg MB R3B 1H3
(204) 943-0036
info@communityarts.mb.ca
www.communityarts.mb.ca

Manitoba Crafts Council
214 McDermot Avenue
Winnipeg MB R3B 0S3
(204) 487-6114
info@manitobacrafts.ca
www.manitobacrafts.ca

Manitoba Film & Sound
410 - 93 Lombard Avenue
Winnipeg MB R3B 3B1
(204) 947-2040
explore@mbfilmsound.mb.ca
www.mbfilmsound.mb.ca

Manitoba Visual Arts Network
Winnipeg MB
(204) 489-4830
info@mbvan.org
www.mbvan.org

**The Alliance for Arts
Education in Manitoba**
c/o 525 - 93 Lombard Avenue
Winnipeg MB R3B 3B1
scottee_aaem@shaw.ca

Winnipeg Film Group
Suite 304, 100 Arthur Street
Winnipeg MB R3B 1H3
(204) 925-3456
info@winnipegfilmgroup.mb.ca
www.winnipegfilmgroup.mb.ca

CONSEILS DES ARTS ET MINISTÈRES * ART COUNCILS AND CULTURE DEPARTMENTS

**Canadian Heritage /
Patrimoine canadien**
275, avenue Portage,
2e étage, case postale 2160
Winnipeg MB R3C 3R5
(204) 983-3601
www.pch.gc.ca

Manitoba Arts Council
525 - 93, Lombard Avenue
Winnipeg MB R3B 3B1
(204) 945-2237
info@artscouncil.mb.ca
www.artscouncil.mb.ca

**Manitoba Culture, Heritage
and Tourism**
Main Floor – 213 Notre-Dame
Winnipeg MB R3B 1N3
(204) 945-3766
rrs@gov.mb.ca
www.gov.mb.ca

Winnipeg Arts Council
Suite 102 - 555 Main Street
Winnipeg MB R3B 1C3
(204) 943-7668
info@winnipegarts.ca
www.winnipegarts.ca

FONDATIONS * FOUNDATIONS

C.P. Loewen Family Foundation Inc.
77 Hwy 52 W.
Steinbach MB R5G 1B2
(204) 326-6808 #201
kenfriesen@loewen.com
www.loewenfoundation.com

The Winnipeg Foundation
1350 - One Lombard Place
Winnipeg MB R3B 0X3
(204) 944-9474
info@wpgfdn.org
www.wpgfdn.org

LIEUX DE DIFFUSION • EXHIBITION SPACES

A Label for Artists —
The Label Gallery
510 Portage Avenue
Winnipeg MB R3C 0G2
(204) 772-5165
info@labelgallery.ca
www.labelgallery.ca

Adelaide McDermot Gallery
318 McDermot Avenue
Winnipeg MB R3A 0A2
(204) 987-3517

Art Gallery of
Southwestern Manitoba
710 Rosser Avenue, Unit 2
Brandon MB R7A 0K9
(204) 727-1036
info@agsm.ca
www.agsm.ca

Centre culturel franco-manitobain
(CCFM)
340, boul. Provencher
Saint-Boniface MB R2H 0G7
(204) 233-8972
ccfm@ccfn.nb.ca
www.ccfm.mb.ca

Gallery One One One
Fort Garry Campus of the
University of Manitoba
Winnipeg MB R3T 2N2
(204) 474-9322
eppr@ms.umanitoba.ca
www.umanitoba.ca/schools/art/content/
galleryoneoneone/

Grafitti Gallery
109 Higgins Avenue
Winnipeg MB R3B 0B5
(204) 667-9960
graffart@mts.net

MAWA - Mentoring Artists
for Women's Art
611 Main Street
Winnipeg MB R3B 1E1
(204) 949-9490
info@mawa.ca
www.mawa.ca

Outworks Gallery
3 - 290 McDermot Avenue
Winnipeg (Manitoba)
(204) 949-0274
info@outworksgallery.com
www.outworksgallery.com

Pembina Hills Arts Council
352 Stephen Street
Morden MB R6M 1T5
(204) 822-6026
pembhill@mts.net
www.mordenmb.com/Visitors/Attractions
/ArtGallery

Plug In ICA
286 McDermot Avenue
Winnipeg MB R3B 0T2
(204) 942-1043
info@plugin.org
www.plugin.org

St. Norbert Arts Centre - SNAC
100 rue des Ruines du Monastère,
P.O. Box 175
Winnipeg MB R3V 1L6
(204) 269-0564
snacc@snac.mb.ca
www.snac.mb.ca

The othergallery
#405 - 33 Kennedy Street
Winnipeg MB R3C 1S5
(204) 947-3551
othergallery@gmail.com

Wah-Sa Gallery
302 Fort Street
Winnipeg MB R3C 1E5
(204) 942-5121
wahsa@escape.ca
www.wahsa.mb.ca

Winnipeg Art Gallery
300 Memorial Boulevard
Winnipeg MB R3V 1V1
(204) 786-6641
inquiries@wag.mb.ca
www.wag.mb.ca

Winnipeg International Art Gallery
264 McDermot Avenue
Winnipeg MB R3B 0S8
www.wygallery.ca

GALERIES PRIVÉES • COMMERCIAL GALLERIES

803 Gallery
803 Erin Street
Winnipeg MB R3G 2W2
(204) 489-0872
gallery@gallery-803.com
www.gallery-803.com

Ken Segal Gallery
4 - 433 River Avenue
Winnipeg MB R3L 2V1
(204) 477-4527
ksegal@kensegalgallery.com
www.kensegalgallery.com

Mayberry Fine Art
212 McDermot Avenue
Winnipeg MB R3B 0S3
(204) 255-5690
info#mayberryfineart.com
www.mayberryfineart.com

The Lion and the Rose Gallery
210 - 70 Albert Street
Winnipeg MB R3B 1E8
(204) 452-5350
info@thelionandtherosegallery.com
www.thelionandtherosegallery.com

FESTIVALS ET ÉVÉNEMENTS •
FESTIVALS AND EVENTS

Send + Receive
c/o Video Pool #300 -
100 Arthur Street
Winnipeg MB R3B 1H3
www.sendandreceive.org

REVUES • MAGAZINES

Border Crossings
500-70 Arthur Street
Winnipeg MB R3B 1G7
(204) 942-5778
bordercrossings@mts.net
www.bordercrossingsmag.com

PRODUCTION • PRODUCTION

Video Pool Inc
100 Arthur Street, Suite 300
Winnipeg MB R3B 1H3
(204) 949-9134
vpdirector@vedeopool.org
www.videopool.org

SASKATCHEWAN

AKA GALLERY

AKA's mandate is to support and encourage dissemination, development and experimentation in contemporary art.

As the sole venue in Saskatoon committed to the presentation of contemporary art in all media, AKA's mandate covers a wide range of disciplines, including visual, performance and media arts. AKA gives priority to work that is non-commercial in nature and strives to find a balance in its presentation between a number of contending interests including local and national artists, as well as emerging and more established artists. AKA is committed to paying CARFAC fees, one-way shipping costs (as agreed upon with artist), the artist's airfare, and a per diem.

On average, 50% of AKA programs are selected through juried submissions, with 50% developed by staff and board to best fulfill our mandate.

AKA is a non-profit, artist-run organization and a registered charity. Our board of directors, membership, staff and volunteers are artists, art historians, curators, and/or supporters of contemporary art practices. Membership is open to all interested persons, and members may participate directly in the decision-making process by running for the board of directors, sitting on committees, and voting at AGMs. Board and staff meet as a collective, under the Consensus Trust model, ensuring that everyone has equal voice.

AKA evolved from the Shoestring Gallery, one of Canada's earliest artist cooperatives, initiated in 1971 (and incorporated in 1973) and incorporated as AKA Gallery in 1982. AKA, in partnership with paved Art + New Media, recently moved from the third floor of a historic warehouse to our newly renovated, street level, street-front gallery at 424 - 20th Street West. AKA and *paved* are presently planning for phase II of renovations, which will include tenancy space, a shared multipurpose presentation/creation space, and *paved* production facilities.

AKA Gallery Inc.

424 - 20th Street West
Saskatoon (Saskatchewan) S7M 0X4
T 306 652 0044 F 306 652 0534
aka@sasktel.net
www.akagallery.org

OPENING HOURS
TUESDAY » SATURDAY: 12pm-5pm

PROGRAMMING COORDINATOR
CINDY BAKER
ADMINISTRATIVE COORDINATOR
CLARK FERGUSON
COMMUNITY LIAISONS COORDINATOR
CAROLE HANSON-EPP

SUBMISSION DEADLINE
March 1

AKA a pour mandat d'encourager la diffusion, le développement et l'expérimentation en art contemporain.

Seul lieu à Saskatoon voué à la présentation de l'art contemporain dans toutes ses formes, AKA s'est doté d'un objectif touchant plusieurs disciplines. Parmi celles-ci figurent notamment les arts visuels, la performance et les arts média-tiques. AKA privilégie les œuvres de nature non commerciale et aspire, par le choix des artistes qu'il soutient, à atteindre un juste équilibre entre les productions locales et nationales, entre les nouveaux artistes et les artistes mieux établis. En outre, AKA s'engage à verser aux artistes les cachets recommandés par CARFAC, une allocation journalière, à assumer les frais de leur déplacement et ceux liés au transport de leurs œuvres.

En moyenne, la moitié de la programmation annuelle d'AKA est réservée aux projets soumis au centre, lesquels font l'objet d'une sélection par jury. Afin de bien refléter le mandat d'AKA, l'autre moitié de sa programmation est mise au point par le personnel du centre et par les membres de son conseil.

AKA est une organisation sans but lucratif gérée par des artistes, et est enregistré comme OSBL. Son conseil d'adminis-tration, ses membres, son personnel et ses bénévoles sont artistes, historiens de l'art, commissaires, et/ou amateurs d'art contemporain. Toute personne intéressée peut devenir membre d'AKA et ainsi participer directement au processus de prise de décisions en soumettant sa candidature au conseil de direction, en siégeant à différents comités et en votant lors des assemblées annuelles. Le conseil et le personnel veillent à ce que chaque voix soit entendue.

AKA, née des cendres de Shoestring Gallery, est l'une des plus anciennes coopératives d'artistes du Canada. Fondée en 1971, incorporée en 1973, elle adopte le nom AKA Gallery en 1982. AKA, en partenariat avec *paved* Art + New Media, a récemment libéré ses locaux du troisième étage d'un entrepôt historique pour s'installer au rez-de-chaussée du 424 – 20th Street West. AKA et *paved* planifient actuellement la deuxième phase des rénovations, qui comprend l'aménagement d'un espace locatif, d'un espace polyvalent destiné à la création et aux expositions, ainsi que les locaux de production de *paved*.

AKA GALLERY. PHOTO: JESS FOREST

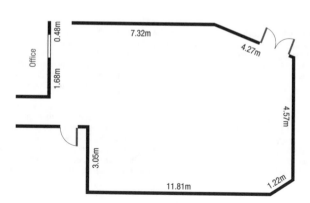

Neutral Ground is a Regina-based artist-run centre organized to support contemporary art practices through presentation and creation activities. The centre accomplishes its artistic goals through collaboration and presentation in visual, media and inter-disciplinary fields. Our mandate is to respond to the artistic concerns and currencies of contemporary professional artists with an emphasis on contributing to a regional context for new or experimental processes and media. Neutral Ground has been active as a presenter of contemporary art for 25 years and is committed to developing new artistic processes and supporting inclusion and diversity in its presentation and dissemination activities. The program offers a continuous schedule of activities for artists and audiences to interact and exchange.

Soil Digital Media Suite was initiated as a long-term project at Neutral Ground as a production lab for new and transformative art practices involving new media art. The objectives are carried out through presentation, research, education and production. Through a diversity of approaches, independent artists can apply to do research and investigate new technologies and discourses in a local and international context. Core programs include collaboration and research projects, access to lab facilities, workshops, production funding, commissioning programs, presentation, creative residencies and production user groups.

NEUTRAL
GROUND

203 - 1856 Scarth Street
Regina (Saskatchewan) S4P 2G3
T 306 522 7166 F 306 522 5075
neutralground@accesscomm.ca
www.neutralground.sk.ca

OPENING HOURS
TUESDAY » SATURDAY: 11am-5pm

DIRECTOR
BRENDA CLENIUK
GALLERY COORDINATOR
ANNA SCOTT

SUBMISSION DEADLINE
ongoing

Le centre d'artistes autogéré Neutral Ground de Regina a été mis sur pied afin de soutenir les pratiques en art contempo-rain par des activités de diffusion et de création de travaux qui s'inscrivent dans les domaines visuel, médiatique et inter-disciplinaire. Notre mandat est de soutenir les préoccupations actuelles des artistes professionnels et de mettre l'accent sur le contexte regional en lien avec les arts nouveaux ou expérimentaux. Le centre Neutral Ground présente de l'art contempo-rain depuis 25 ans et se consacre à la création de nouveaux processus artistiques en suscitant la participation du public et la diversité des activités de présentation et de diffusion. Notre programme propose un déroulement continu d'activités permettant aux artistes et au public d'interagir.

Neutral Ground a mis sur pied le projet à long terme Soil Digital Media Suite, laboratoire de production de nouvelles pratiques artistiques liées aux nouveaux médias. En plus de la présentation et de la production, il fait de la recherche et de l'éducation. Les artistes indépendants peuvent y poursuivre des recherches et explorer de nouvelles avenues technolo-giques et théoriques dans un contexte local et international. Nos principaux programmes incluent des projets de recherche et de collaboration, l'accès au laboratoire, aux ateliers, aux subventions de production, aux programmes de commande d'œuvres, aux activités de présentation, aux résidences de création et au partage d'équipement de production.

NEUTRAL GROUND ARTIST-RUN CENTRE. REONA BRASS, JEN HAMILTON, WENDY PEART, *WAKE INURE NATION*, 2005; PHOTO: ROB BOS.

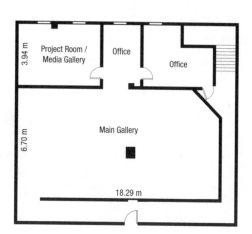

paved Art + New Media came into existence on March 31, 2003 with the amalgamation of The Photographers Gallery and Video Vérité. The word 'paved' stands for the convergent photographic, audio, video, electronic and digital arts. *paved*'s mandate is to assist artists and independent producers in the creation and presentation of innovative and ambitious work in these artforms. *paved* provides exhibitions, screenings, production facilities, production and residency programs, and off-site and on-line projects. Our goals are to help artists achieve their fullest potential and to present challenging and accomplished examples of their work for public appreciation and debate.

As a public gallery and exhibition space, we strive for excellence in presenting photographic, media and new media art to challenge and stimulate artists and public audiences through exposure to challenging ideas, practices and techniques. Through our correlation of production, presentation, research and dissemination activities, we foster connections between local, regional, national and international artists and facilitate the participation of audiences and artistic communities in a dialogue about the evolution of media art practice. By paying artists' fees in accordance with national standards, we contribute to the recognition of the value of creative work by artists. Our collection, documentation and publication activities help ensure that media art works are preserved in a critical context.

As an artist-run media production facility, we support independent production, skill acquisition and professional development. Up-to-date editing suites and mobile equipment are maintained for use in creative, non-commercial media productions such as videos, sound recordings, web sites, digital imaging and new media projects. *paved* provides public workshops on techniques and theories of production, a resource library, a video archive and access to information on opportunities for artists. To help artists offset the costs of media production, we subsidize and co-produce projects through low-cost access, grants, production support and artist-in-residence programmes.

424 - 20th Street West
Saskatoon (Saskatchewan) S7M 0X4
T 306 652 5502 F 306 652 0534
laura@pavedarts.ca (Executive Director)
tim@pavedarts.ca (Artistic Director)
www.pavedarts.ca

OPENING HOURS
WEDNESDAY » SATURDAY: 12pm-6pm
Closed on Statutory Holidays
Closed on Day With(out) Art (Dec. 1)

EXECUTIVE DIRECTOR
LAURA MARGITA
ARTISTIC DIRECTOR
TIMOTHY DALLETT

SUBMISSION DEADLINES
October 15 and February 15

paved Art + New Media est né le 31 mars 2003 de la fusion de The Photographers Gallery et de Video Vérité. Le nom « paved », un acronyme, est le fruit de la rencontre entre les arts photographiques, audio, vidéo, électroniques et numériques. Le mandat de *paved* consiste à aider les artistes et les réalisateurs indépendants à créer et à présenter des œuvres originales et ambitieuses dans ces différentes formes. paved propose des espaces d'exposition, de projection et de production, des programmes de résidences et de production, ainsi que des projets hors les murs et en ligne. Nous voulons aider les artistes à réaliser leur plein potentiel et leur offrir la possibilité de soumettre au regard du public des œuvres audacieuses et accomplies, susceptibles de donner lieu à des débats.

Dans notre espace d'exposition, nous présentons des œuvres photographiques, médiatiques et nouveaux médias qui stimulent tant les artistes que le public par la rencontre d'idées, de pratiques et de techniques inusitées. Par nos différentes activités de création, de présentation, de recherche et de diffusion, nous encourageons les liens entre artistes locaux, régionaux, nationaux et internationaux, et invitons le public et les communautés artistiques à entretenir un dialogue sur l'évolution des pratiques dans le champ des arts médiatiques. De plus, en versant aux artistes des cachets respectant les normes nationales, nous contribuons à la reconnaissance de leur création. Enfin, nos activités liées à la collection, à la documentation et aux publications visent à assurer que les œuvres se développent au sein d'un contexte favorisant l'approche critique.

En tant que centre de production d'œuvres médiatiques géré par des artistes, nous appuyons les réalisations individuelles, l'acquisition de compétences et le développement professionnel des créateurs. Nous mettons à la disposition de nos membres des postes de montage et des équipements mobiles des plus récents, afin de permettre la réalisation d'œuvres non commerciales – vidéos, enregistrements sonores, sites Web, images numériques et projets en nouveaux médias. *paved* organise des ateliers publics portant sur différentes théories et techniques de réalisation. Le centre dispose également d'une bibliothèque, d'archives vidéo et offre l'accès à des informations utiles. Afin d'aider les artistes à assumer les coûts de production de leurs œuvres, nous finançons et coproduisons des projets en offrant un accès abordable aux équipements, des subventions, un soutien à la production et des programmes de résidences.

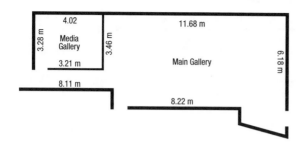

4.02

3.28 m

Media
Gallery

3.46 m

3.21 m

11.68 m

Main Gallery

6.18 m

8.11 m

8.22 m

SÂKÊWÊWAK ARTISTS' COLLECTIVE

Sâkêwêwak Artists' Collective is a Regina-based multi-disciplinary arts organization whose mandate is to ensure that contemporary Aboriginal artists are consistently provided with the space and environment that allows them to develop their self-determined artistic practices through critical exchange with peers and audiences. Programming at Sâkêwêwak includes: exhibitions and performances, a resource room, production support for video artists and the Sâkêwêwak Storytelling Festival, an annual multidisciplinary syposium and festival.

Our name, Sâkêwêwak, is a Cree word meaning "they are coming into view" and was chosen to reflect our community's vision for an organization that would facilitate the emergence of new artistic practices.

2 - 2054 Broad Street
Regina (Saskatchewan) S4P 1Y3
T 306 780 9485
sakewewak@sasktel.net
http://www.sakewewak.org/home.html

Le collectif d'artistes Sâkêwêwak est un organisme de Regina dédié aux arts multidisciplinaires, dont le mandat consiste à assurer aux artistes des Premières Nations l'accès régulier à un lieu propice au développement de leur pratique artistique, par le biais d'échanges critiques avec leurs pairs et le public. La programmation de Sâkêwêwak comprend des expositions et des performances. L'organisme dispose d'un centre de ressources, il fournit un soutien technique à la production d'œuvres vidéographiques et coordonne le festival Sâkêwêwak Storytelling, qui est à la fois un symposium multidisciplinaire annuel et un festival.

Notre nom, Sâkêwêwak, est un mot tiré de la langue crie qui signifie « ils deviennent visibles ». Ce nom a été choisi afin de représenter la vision qu'a notre communauté de cet organisme qui encourage l'émergence de nouvelles pratiques artistiques.

SÂKÊWÊWAK ARTISTS' COLLECTIVE. FLOYD FAVEL, *AS SNOW BEFORE THE SUN*, 2004, SAKEWEWAK STORYTELLERS FESTIVAL 2005; PHOTO: ALEXANDER KHANTAEV.

TRIBE

Tribe, A Centre for the Evolving Aboriginal Visual, Media and Performing Arts Inc., was formed in the spring of 1995 by a small dedicated group of Aboriginal artists who wanted to create a supportive environment in Saskatoon for their art practice and to provide a stimulating, challenging and creative forum for Aboriginal artists, curators and critics to develop as professionals in the contemporary art world.

In the last ten years, Tribe's quality programming has assisted in the development of a strong network of Aboriginal artists, locally, nationally and internationally. Through its partnerships and collaborations, Tribe has promoted cross-cultural exchange and dialogue between Native and non-Native communities.

Tribe is an artist-run centre without a permanent gallery space. Tribe partners and collaborates with Aboriginal and non-Aboriginal institutions to facilitate its programming (exhibitions, lecture series, film/video screenings, performances, symposia and installations). Not being tied to a specific space allows us to vary our programming and gives us the freedom to invite a variety of artists at any one time; being nomadic has given Tribe the flexibility to move out into the community and attract a diverse audience. Partnerships and collaborations have been developed with artist-run centres, galleries, community media sources, university art departments and independent venues.

Tribe's main objectives are: to offer responsive, critical and challenging programming focused on contemporary Aboriginal visual culture; to raise the profile of contemporary Aboriginal artists working nationally and internationally; to strengthen and enrich the Aboriginal arts community locally, nationally and internationally; to present the work of contemporary Aboriginal artists working in a range of creative media; to facilitate the creation of new work by Aboriginal artists; and to promote the development of a critical discourse on historical, theoretical and philosophical approaches to contemporary Aboriginal art.

TRIBE

805-605 Spadina Crescent East
Saskatoon (Saskatchewan) S7K 3G8

MAILING ADDRESS
P.O. Box 7861
Saskatoon (Saskatchewan) S7K 4R5

T 306 244 4814   F 306 975 0892
tribe.inc@sasktel.net
www.tribeinc.org

EXECUTIVE DIRECTOR
LORI BLONDEAU

SUBMISSION DEADLINE
Open call for submission

L'organisme Tribe, A Centre for the Evolving Aboriginal Visual, Media and Performing Arts Inc. a été fondé au printemps 1995 par un petit groupe d'artistes autochtones animés par le désir de créer, à Saskatoon, un environnement favorable à leur pratique artistique et de se donner un lieu de rencontre encourageant les artistes, les critiques et les commissaires autochtones à s'établir en tant que professionnels dans le monde de l'art contemporain.

Au cours des dix dernières années, Tribe a contribué au développement d'un important réseau d'artistes autochtones sur la scène locale, nationale et internationale. Il travaille à stimuler les échanges interculturels entre communautés autochtones et non autochtones.

Tribe n'a pas d'espace de diffusion permanent. Ses collaborations et partenariats avec des institutions autochtones et non autochtones lui permettent d'élaborer une programmation (expositions, conférences, projections de films et de vidéos, performances, symposiums et installations) sans être attaché à un lieu déterminé, et ainsi de diversifier ses activités, de se rapprocher de la communauté et d'attirer l'attention de publics variés. Tribe a notamment collaboré avec des centres d'artistes, des galeries, des médias communautaires, des départements universitaires et des lieux indépendants.

Les principaux objectifs du centre consistent à : offrir une programmation à la fois critique et sensible, portant sur la culture visuelle autochtone actuelle ; augmenter la renommée des artistes autochtones sur la scène nationale et interna-tionale ; dynamiser et renforcer la communauté artistique autochtone en général ; présenter le travail d'artistes autochtones utilisant les nouvelles technologies ; favoriser la création d'œuvres nouvelles par des artistes autochtones ; et encourager le discours critique sur les approches historique, théorique et philosophique de l'art autochtone contemporain.

{SASKATCHEWAN}

ASSOCIATIONS * ASSOCIATIONS

PARCA - Plains Artist-Run Centres Association
c/o 203 -1856 Scarth Street
Regina SK S4P 2G3

ArtsSmarts Saskatchewan
Saskatchewan Arts Board
2135 Broad Street
Regina SK S4P 3V7
(306) 787-4659
dianne@artsboard.sk.ca
www.artsboard.sk.ca

CARFAC Saskatchewan
#206 2314 - 11th Ave
Regina SK S4P 2N4
(306) 522-9788
info@carfac.sk.ca
www.carfac.sk.ca

CARFAC Saskatchewan
302 - 220, 3rd Avenue South
Saskatoon SK S7K 1M1
(306) 933-3206
info@carfac.sk.ca
www.carfac.sk.ca

Common Weal Community Arts Inc.
2431 — 8th Avenue
Regina SK S4R 5J7
(306) 780-9442
info@commonweal-arts.com

Conseil culturel fransaskois - CCF
3850, rue Hillsdale, bureau 210
Regina SK S4S 7J5
(306) 565-8916
ccf@culturel.sk.ca
www.culturel.sk.ca

Faculty of Fine arts — University of Regina
Room RC 247 - Riddel Centre -
University of Regina
Regina SK S4S 0A2
(306) 585-5572
visualarts@uregina.ca
www.uregina.ca/finearts

Multicultural Council of Saskatchewan
369 Park Street
Regina SK S4N 5B2
(306) 721-2767
wluzny@unibase.unibase.com
www.unibase.com/~mcos/mcos.html

Museums Association of Saskatchewan
422 McDonald Street
Regina SK S4N 6E1
(306) 780-9279
mas@saskmuseums.org
www.saskmuseums.org

Saskatchewan Arts Alliance
#205A 2314 - 11th Avenue
Regina SK S4P 0K1
(306) 780-9820
info@artsalliance.sk.ca
www.artsalliance.sk.ca

Saskatchewan Craft Council
813 Braodway Avenue
Saskatoon SK S7N 1B5
(306) 653-3616
saskcraftcouncil@shaw.ca
www.saskcraftcouncil.org

Saskatchewan Filmpool Cooperative
301-1822 Scarth Street
Regina SK S4P 2G3
(306) 757-8818
web@filmpool.ca
www.filmpool.ca

Saskatchewan Professional Art Galleries Association - SPAGA
Box 661
Regina SK S4P 3A3
(306) 569-9279
spaga@spaga.com
www.spaga.com

Saskatchewan Society for Education through Art
Box 9497
Saskatoon SK S7K 7E9
(306) 975-0222
ssea@sasktel.net
www.saskedthroughart.ca

SaskCulture Inc.
600 - 2220 12th Avenue
Regina SK S4P 0M8
(306) 780 9284
saskculture.info@saskculture.sk.ca
www.saskculture.sk.ca

CONSEILS DES ARTS ET MINISTÈRES * ART COUNCILS AND CULTURE DEPARTMENTS

Canadian Heritage / Patrimoine canadien – Regina
2201 11th Avenue, Suite 100
Regina SK S4P 0J8
(306) 780-7287
www.pch.gc.ca

Canadian Heritage / Patrimoine canadien – Saskatoon
101 22nd Street East, Suite 310
Saskatoon SK S7K 0E1
(306) 975-5505
www.pch.gc.ca

Government of Saskatchewan – Arts, Culture & Recreation
1919, promenade Saskatchewan,
4e étage
Regina SK S4P 3V7
(306) 787-5729
infoculrec@cyr.gov.sk.ca
www.cyr.gov.sk.ca

Organization of Saskatchewan Arts Councils
1102 8th Avenue
Regina SK S4R 1C9
(306) 586-1250
info@osac.sk.ca
www.osac.sk.ca

Saskatchewan Arts Board / Conseil des arts de la Saskatchewan
2135 Broad Street
Regina SK S4P 1Y6
(306) 787-4056
sab@artsboard.sk.ca
www.artsboard.sk.ca

LIEUX DE DIFFUSION • EXHIBITION SPACES

Allan Sapp Gallery
#1 Railway Avenue E., P.O. Box 460
North Battleford SK S9A 2Y6
sapp@accesscomm.ca
www.allensapp.com

Art Gallery of Regina
Box 1790
Regina SK S4T 3C8
(306) 522-5940
info@rosemontartgallery.ca
www.artgalleryofregina.ca

Art Gallery of Swift Current
411 Herbert Street East
Swift Current SK S9H 1M5
(306) 778-2736
k.houghtaling@swiftcurrent.ca
www.city.swift-current.sk.ca

Chapel Gallery
891 99th Street Box 460
North Battleford SK S9A 2Y6

Dunlop Art Gallery
Central Library Gallery 2311-12th
Avenue, P.O. Box 2311
Regina SK S4P 3Z5
(306) 777-6040
bantal@rpl.regina.sk.ca
www.dunlopartgallery.org

Dunlop Art Gallery
Sherwood Village Branch Gallery 6121
Rochdale Boulevard
Regina SK
(306) 777-6040
www.dunlopartgallery.org

Estevan Art Gallery & Museum
118 - 4th Street
Estevan SK S4A 0T4
(306) 634-7644
info@estevanartgallery.com
www.eagm.ca

Gordon Snelgrove Gallery
Room 191, Murray Building, University
of Saskatchewan, 3 Campus Drive
Saskatoon SK S7N 5A4
(306) 966-4208
gary.young@usask.ca
www.usask.ca/snelgrove

Kenderdine Art Gallery
2nd Level - Agriculture Building 51
Campus Drive
Saskatoon SK S7N 5A8
(306) 966-6816
www.usask.ca/kenderdine

Mackenzie Art Gallery
T.C. Douglas Building,
3475 Albert Street
Regina SK S4S 6X6
(306) 584-4250
mackenzie@uregina.ca
www.mackenzieartgallery.sk.ca

**Mendel Art Gallery
and Civic Conservatory**
950 Spadina Crescent East,
P.O. Box 569
Saskatoon SK S7K 3L6
(306) 975-7610
communications@mendel.ca
www.mendel.ca

Moose Jaw Museum & Art Gallery
Crescent Park
Moose Jaw SK S6H 0X6
(306) 692-4471
mjamchin@sasktel.net
www.mjmag.ca

Red Shift Gallery
118 - 20th Street West
Saskatoon SK S7M 0W6
redshiftgallery@hotmail.com
www.redshiftgallery.ca

Saskatchewan Indian Cultural Centre
#96 - 103B Packham Avenue
Saskatoon SK S7N 4K4
(306) 373-9901
info@sicc.sk.ca
www.sicc.sk.ca

St. James' and the Refinery
609 Dufferin Avenue
Saskatoon SK S7N 1C4
(306) 653-3531
office@refinersonline.org
www.refinersonline.org

The Godfrey Dean Art Gallery
49 Smith Street East
Yorkton SK S3N 0H4
(306) 786-2992
info@deangallery.ca
www.deangallery.ca

GALERIES PRIVÉES • COMMERCIAL GALLERIES

Darrell Bell Gallery
317 – 220 3rd Avenue S
Saskatoon SK S7K 1M1
(306) 955-5701
darrellbellgallery@sasktel.com
www.darrellbellgallery.com

McIntyre Gallery
2347 McIntyre St.
Regina SK S4P 2S3
(306) 757-4323
mcintyre.gallery@sasktel.net
www.mcintyregallery.com

FESTIVALS ET ÉVÉNEMENTS • FESTIVALS AND EVENTS

Yorkton Short Film & Video Festival
49 Smith Street East
Yorkton SK S3N 0H4
(306) 782-7077
director@yorktonshortfilm.org
www.yorktonshortfilm.org

Sâkêwêwak Storytelling Festival
2 – 2054 Broad Street
Regina SK S4P 1Y3
(306) 780-9485
sakewewak@sasktel.net
www.sakewewak.org

REVUES • MAGAZINES

BlackFlash
12 - 23rd Street East
Saskatoon SK S7K 0H5
(306) 374-5115
editor@blackflash.ca
www.blackflash.ca

ALBERTA

EMMEDIA GALLERY & PRODUCTION SOCIETY

Supporting media artists since 1980, EMMEDIA was honoured with the 2005 TELUS Innovation in the Arts Award. EMMEDIA's artists expand the boundaries of video and new media works presented and produced in Alberta and Canada. Professionally managed and directed by practising artists, our centre responds to a large and diverse community offering affordable access to media arts production tools and services, technical and critical education, and an array of public exhibition programs. An archive of over 1200 electronic recordings by artists is maintained on-site and is frequently accessed by professional curators. EMMEDIA has over 200 members who create over 80 new independent productions each year.

We provide access to professional quality production and post-production gear and a focus for media arts activity, as well as a gathering place for creative interaction and exchange. At EMMEDIA, we define the media arts as the process and product resulting from the use of video, audio, film, computer or integrated technologies, sometimes in conjunction with performance, environments, or other technologies. Critical analysis of and interaction with media culture is a strong aspect of media arts practice. Our media artists are independent practitioners who retain creative control through all stages of production.

EMMEDIA has an extensive history in outreach activities, including Digital Direct, launched in 1998, which takes digital video production to isolated communities. EMMEDIA engages in arts advocacy and is a founding member of the Alberta Media Arts Alliance Society (AMAAS) established in 1989. EMMEDIA is a member of and collaborates with numerous arts organizations and its members and staff serve on several arts boards and non-profit coalitions. Further, EMMEDIA publishes the bi-annual magazine Handheld Media plus its forthcoming publication, *Timeline Twenty-Five EMMEDIA 1980 to 2005.*

EMMEDIA

203, 351-11 Avenue SW
Calgary (Alberta) T2R 0C7
T 403 263 2833 F 403 232 8372
emmedia@emmedia.ca
http://www.emmedia.ca

OPENING HOURS
MONDAY » SATURDAY: 10am-5pm

EXECUTIVE DIRECTOR
DIANE DICKERT
PRODUCTION COORDINATOR
COLLIN WARD MACDONALD
PROGRAM COORDINATOR
KARI MCQUEEN
EXECUTIVE ASSISTANT
PETER CURTIS MORGAN

SUBMISSION DEADLINES
Programs
VISITING ARTISTS-IN-RESIDENCE:
anytime
LOCAL ARTISTS-IN-RESIDENCE:
end of February
FOCUS PROGRAM: end of February
BARS 'N TONES: end of February
FINISHING FUNDS: anytime
HOME GROWN SERIES (CURATORIAL
PROGRAM): anytime

EMMEDIA soutient les artistes en arts médiatiques depuis 1980; en 2005, le centre a obtenu le prix Telus pour l'innovation dans le domaine des arts. Les artistes membres d'EMMEDIA contribuent à la création d'œuvres en vidéo et nouveaux médias produites en Alberta et au Canada. Géré de façon professionnelle et dirigé par des artistes praticiens, le centre dessert une communauté importante et diversifiée. Il offre des services de production en arts médiatiques, une formation technique et critique ainsi qu'une variété de programmes d'exposition ouverts au public. Des archives de plus de 1200 enregistrements électroniques d'artistes sont conservées sur les lieux et fréquemment consultées par des commissaires d'exposition. EMMEDIA compte plus de 200 membres qui créent jusqu'à 80 nouvelles productions indépendantes chaque année.

Le centre donne accès à des équipements de production et de postproduction de qualité professionnelle, en plus d'être un carrefour pour la pratique des arts médiatiques et un lieu de rencontre permettant l'interaction et l'échange entre les artistes. EMMEDIA définit les arts médiatiques comme étant le processus et le résultat de l'utilisation des technologies vidéo, audio, cinématographiques, informatiques ou intégrées, parfois en conjonction avec la performance, les environnements ou d'autres technologies. L'analyse critique et l'interaction avec la culture médiatique constituent des aspects importants de la pratique en arts médiatiques. Nos membres sont des praticiens indépendants qui exercent un contrôle créatif sur toutes les étapes de leur production.

EMMEDIA possède une longue histoire quant aux activités desservant la communauté, dont Digital Direct, lancée en 1998, qui donne accès à la production vidéo numérique aux communautés isolées. EMMEDIA est engagé dans la promotion des arts et est l'un des membres fondateurs de l'Alberta Media Arts Alliance Society (AMAAS), établie en 1989. EMMEDIA fait partie de plusieurs organisations artistiques; ses membres et son personnel siègent à plusieurs conseils d'administration et sont membres de regroupements du domaine des arts. De plus, EMMEDIA publie deux fois par année le magazine *Handheld Media* et prépare la publication *Timeline Twenty-Five EMMEDIA 1980 to 2005.*

EMMEDIA GALLERY & PRODUCTION SOCIETY. PHOTO: DIANE DICKERT

TWENTY PRESENTATION EVENTS:
Annually
LIVE WEB STREAMING EVENTS: ongoing
HANDHELD MEDIA PUBLICATION:
bi-annually
MOUNTAIN STANDARD TIME
PERFORMATIVE ARTS FESTIVAL:
bi-annually

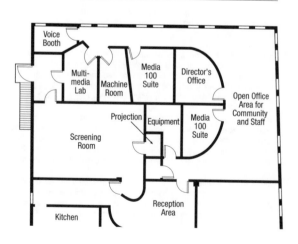

HARCOURT HOUSE ARTS CENTRE

Harcourt House Arts Centre is an artist-run, charitable organization that promotes contemporary visual art to interested individuals and organizations by providing education, exhibition and resources.

Harcourt House Arts Centre was founded in 1987 on the belief that the visual arts are a vital component of society. Today, we remain one of only five public galleries, and one of only three artist-run centres in Edmonton. Our facility has over 30,000 square feet, which includes two gallery spaces, two art education rooms—one dedicated to two-dimensional work and the other to 3-D—a studio space for our one year artist in residence program, and over 40 studio spaces for artists and other not-for-profit organizations.

Harcourt House delivers a host of services to both artists and the community and acts as an essential site for the professional presentation, distribution and promotion of contemporary art. We are a community-based organization built upon our collective strengths and responsiveness to new ideas. Harcourt House Gallery has grown as an exhibition and performance space and concomitant development into an artists' resource centre for research and information, facilitating new channels of communication between the local and national arts communities.

Our programming focus is the presentation of challenging contemporary visual art which engages discourse from various disciplines including: installation, photography, painting, film, video, audio, sculpture, print-making and drawing, featuring local, regional and international visual artists, collectives, performers, critics and curators. Our programming provides artists and curators an alternative to public galleries and commercial galleries to exhibit these types of works.

As a complement to our programming and to address issues concerning emerging artists, Harcourt House introduced the Artist in Residence Program in 2002, which helped to support emerging artists by providing them with a studio space to continue developing their practice.

10215 – 112 St.
Edmonotn (Alberta) T5K 1M7
T 780 426 4180 F 780 425 5523
harcourt@telusplanet.net
harcourthouse.ab.ca

OPENING HOURS
MONDAY » FRIDAY: 10am-5pm
SATURDAY: 12pm-4pm

EXECUTIVE DIRECTOR
CHRISTAL PSHYK
**EXHIBITION AND
EDUCATION MANAGER**
JEN RAE
ADMINISTRATIVE ASSISTANT
LINDA HAMILTON

SUBMISSION DEADLINES
November 30 and June 30 for main
gallery submissions / front room
accepted ongoing
May 30 Artist in Residence Program

Le centre d'artistes autogéré Harcourt House Arts Centre est une organisation à but non lucratif qui se consacre à la promotion de l'art contemporain par le biais d'expositions, d'activités éducatives et de ressources offertes au public et à des organismes divers.

Fondé en 1987 sur le principe suivant lequel l'art visuel est une composante essentielle de la société, le centre figure aujourd'hui parmi les cinq galeries publiques d'Edmonton. Il est aussi un de ses seuls trois centres d'artistes autogérés. Sa superficie de plus de 30 000 pi² comprend deux salles d'exposition, deux ateliers éducatifs – un pour le travail à deux dimensions et l'autre pour le travail à trois dimensions –, un studio pour le programme de résidence d'un an et plus de 40 ateliers mis à la disposition d'artistes et d'organismes sans but lucratif.

Harcourt House offre une multitude de services aux artistes comme à la communauté. Il constitue un lieu essentiel de promotion et de diffusion de l'art contemporain dans un contexte professionnel. Cette organisation communautaire repose sur notre richesse collective et notre ouverture aux idées nouvelles. Harcourt House Gallery s'est implanté comme lieu d'exposition et de performance, et simultanément comme centre de recherche et de documentation, favorisant de nouvelles voies de communication entre les communautés artistiques locale et nationale.

Notre programmation est orientée sur la présentation d'œuvres novatrices qui engagent une réflexion sur diverses approches, parmi lesquelles l'installation, la photographie, la peinture, le cinéma, la vidéo, l'art sonore, la sculpture, la gravure et le dessin. Nous accueillons des artistes locaux, régionaux et internationaux, des collectifs, des performeurs, des critiques et des commissaires et leur offrons la possibilité d'œuvrer dans un espace qui se distingue des galeries privées et commerciales.

En complément à sa programmation régulière, et afin d'aborder des questions entourant les pratiques émergentes, Harcourt House a créé en 2002 un programme de résidence offrant aux artistes de la relève un atelier leur permettant d'approfondir leur travail.

PHOTO: COURTESY OF **HARCOURT HOUSE ARTS CENTRE**

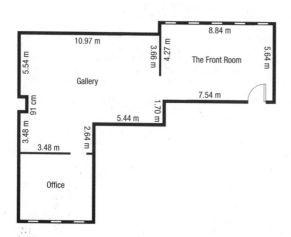

5.54 m

10.97 m

8.84 m

3.66 m

4.27 m

The Front Room

5.64 m

Gallery

91 cm

3.48 m

2.64 m

5.44 m

1.70 m

7.54 m

3.48 m

Office

LATITUDE 53
CONTEMPORARY VISUAL CULTURE

Founded in 1973, Latitude 53 Contemporary Visual Culture is a not-for-profit artist-run centre. Its purpose is to encourage contemporary artistic practices and to foster the development and exhibition of experimental art forms.

Latitude 53 provides a forum for dialogue about contemporary art practices that supports research and the development of new artistic practices and concepts and encourages artists' experimentation through diverse programming.

Individual artists, artists' collectives and curators are invited to submit proposals in any media. Latitude 53 pays CARFAC fees and practices a non-discriminatory exhibition policy. Latitude 53 has two primary exhibition spaces: the main gallery and the ProjEx Room. Latitude 53 programs approximately fifteen exhibitions each year. Projects such as site-specific exhibitions, performances, conferences, sound, music, spoken-word, video, artists' books or any work of an experimental, spontaneous nature are encouraged.

Selected artists exhibit work that engages with and furthers contemporary critical thought for the arts community and the general public.

The ProjEx Room is specifically for exhibiting works in progress: ideas that are in the later stages of development; projects exploring and expanding the parameters of new media; work that comments on current socio-polical issues; and for artists to receive critical discourse about their work.

Latitude 53 produces an active publishing program through exhibition monographs and the magazine, *fifty3*. Published four times a year, *fifty3* investigates issues of concern to cultural producers in the Prairies area. *Visualeyez* presents artists working in performance and is a forum for experimentation and development in performance art through curatorial themes.

Latitude 53 does not currently have a formal structure for artist residencies. However, artists are encouraged to submit special proposals for residencies up to one month in duration. The *Visualeyez* festival of performance and time-based art is another forum for which artists are encouraged to submit residency proposals (up to ten days).

LATITUDE53
CONTEMPORARY VISUAL CULTURE

10248 - 106 Street
Edmonton (Alberta) T5J 1H5
T 780 423 5353 F 780 424 9117
info@latitude53.org
www.latitude53.org

OPENING HOURS
TUESDAY » FRIDAY: 10am-6pm
SATURDAYS: 12pm-5pm
Closed: Sundays, Mondays and Holidays

EXECUTIVE DIRECTOR
TODD JANES
todd.janes@latitude53.org
DEVELOPMENT OFFICER
LISA TOUGAS
lisa.tougas@latitude53.org

PROGRAM OFFICER
LAURA KOZAK
laura.kozak@latitude53.org

SUBMISSION DEADLINES
September 30 and April 30

Fondé en 1973, Latitude 53 Contemporary Visual Culture est un centre d'artistes autogéré sans but lucratif qui travaille à la promotion des pratiques artistiques contemporaines ainsi qu'au développement et à la diffusion d'approches expérimentales.

Latitude 53 favorise les échanges sur les pratiques artistiques qui contribuent à la recherche et à l'émergence de concepts novateurs. Par sa programmation diversifiée, il encourage les approches exploratoires.

Les artistes, les collectifs et les commissaires sont invités à soumettre des propositions de projets, peu importe la discipline. Latitude 53 offre les cachets suggérés par CARFAC et applique une politique d'exposition sans discrimination. Le centre possède deux salles d'exposition, la salle principale et la salle ProjEx. Quelque 15 expositions par année y sont présentées. De plus, Latitude 53 encourage les projets de natures diverses : expositions, performances, conférences, art sonore, musique, *spoken word*, vidéos, livres d'artistes, de même que toute forme d'expression expérimentale ou spontanée.

Les projets sélectionnés et présentés à la communauté artistique et au public en général doivent susciter une réflexion critique sur l'art contemporain.

La salle ProjEx est réservée à l'exposition de *works in progress*, soit des concepts en cours d'élaboration, des projets d'exploration et de développement de paramètres d'application des nouveaux médias ou encore des œuvres portant sur des questions sociopolitiques actuelles. Les artistes y reçoivent une analyse critique de leur travail.

Latitude 53 est également actif sur le plan de l'édition. Le centre publie des monographies et *fifty3*, magazine trimestriel qui se penche sur des questions d'intérêt pour les travailleurs culturels des Prairies. *Visualeyez* présente le travail d'artistes de la performance et encourage l'exploration et la création de performances à partir de thématiques données.

Latitude 53 n'a pas de programme de résidence officiel. Cependant, les artistes sont invités à soumettre des propositions en vue d'une résidence d'une durée maximale d'un mois. Ceux-ci sont également encouragés à effectuer une demande de résidence (10 jours maximum) dans le cadre de la manifestation *Visualeyez festival of performance and time-based art*.

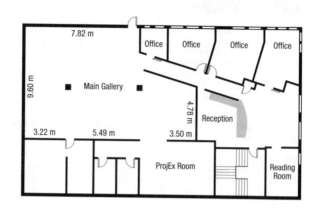

- 7.82 m
- 9.60 m
- Office
- Office
- Office
- Office
- Main Gallery
- 4.78 m
- Reception
- 3.22 m
- 5.49 m
- 3.50 m
- ProjEx Room
- Reading Room

LATITUDE 53 CONTEMPORARY VISUAL CULTURE. PHOTO: LAURA KOZAK

THE NEW GALLERY

The New Gallery (TNG), an artist-run centre, is a non-profit charitable society established in 1975. It is committed to providing a forum for a wide spectrum of critical discourse and multidisciplinary practices within the contemporary visual arts. TNG fosters the growth of the arts community and the community at large through the creation of local, national and international networks of understanding, collaboration and cooperation.

TNG presents and promotes locally, nationally and internationally produced contemporary art while cultivating diversity, advancing critical discourse and creating opportunities for networking in the art community. TNG instills within the broader community a greater understanding of and appreciation for current art practices through promotion, literary resources, and creative interaction.

We currently have two exhibition spaces, our Main Space and the +15 display window located in the Centre for the Performing Arts (225 - 8th Avenue SE).

The New Gallery Press was established to publish arts catalogues which increase familiarity with and appreciation of artistic activities in this region. The New Gallery Press publishes as regularly as special funding allows and has a list of titles that can be purchased from ABC Art Books Canada. Proceeds from the sales of the catalogues go to supporting future publication projects.

516 D - 9th Avenue SW
Calgary (Alberta) T2P 1L4
T 403 233 2399 F 403 290 1714
info@thenewgallery.org
www.thenewgallery.org

OPERATION HOURS
TUESDAY » SATURDAY: 11am-5pm
We are closed for the month of August.

PROGRAMMING DIRECTOR
SIGRID MAHR
OUTREACH
COURTNEY SCOTT
ADMINISTRATIVE DIRECTOR
DEREK BEAULIEU

SUBMISSION DEADLINE
ongoing

The New Gallery (TNG) est un centre d'artistes autogéré et une organisation sans but lucratif qui a vu le jour en 1975. Il aide à la diffusion d'un vaste éventail de discours critiques et de pratiques multidisciplinaires au sein des arts visuels contemporains. TNG veille à la croissance du milieu artistique et de la communauté en général, grâce à la création de réseaux locaux, nationaux et internationaux qui favorisent la bonne entente, la collaboration et la coopération.

TNG présente et promeut l'art contemporain local, national et international en encourageant la diversité, en contribuant au discours critique et en créant des occasions de réseautage dans la communauté artistique.

Nous disposons actuellement de deux espaces d'exposition, soit notre espace principal et la vitrine +15, située dans le Centre for the Performing Arts (225 – 8ᵉ Avenue SE).

La maison d'édition The New Gallery Press a été fondée pour permettre la publication de catalogues qui contribuent à la connaissance et à l'appréciation des activités artistiques de la région. The New Gallery Press publie autant d'ouvrages que le lui permet son financement et dispose d'un catalogue de plusieurs titres disponible chez ABC Art Books Canada. Le produit des ventes de catalogues sert à financer de futures publications.

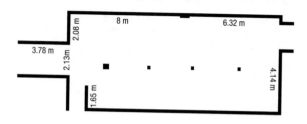

CHRISTINE SHAW, *FIND A HOLE AND BLOW THROUGH IT, AS PART OF THE MINOR URBANISMS EXHIBIT*, 2005; PHOTO CREDIT: **THE NEW GALLERY.**

SOCIETY OF NORTHERN ALBERTA PRINT-ARTISTS (SNAP)

The Society of Northern Alberta Print-artists (SNAP) has as its mandate the promotion, facilitation and communication of printmaking as an artistic medium. SNAP supports its mandate through the operation of a functioning print shop, gallery exhibition space, and community programming. SNAP Gallery is the only artist-run centre in Alberta strictly devoted to printmaking. The Society began in 1982, when artists Marc Siegner and Robin Peck saw a need in the visual arts community for an environment where printmakers could work utilizing specialized equipment. Donated presses and hours of volunteer labour helped to build an inviting and energetic working environment for printmakers in and around Edmonton.

SNAP's printshop provides printmakers with the ability to produce work in a professional and safe environment. SNAP's printshop features the only publicly accessible letterpress in northern Alberta, darkroom facilities and flatbed presses used in a variety of printing applications. Venting and special drainage systems allow artists to work safely throughout the creation process.

Averaging eight exhibitions per year, SNAP Gallery hosts local, national, and international artists. SNAP Gallery provides a valuable link between the public and the international arts community.

SNAP's community programs provide specialized printmaking programs for artists, adults and children of all ages. As an education facility, SNAP provides both artists and members of the public the opportunity to learn about the art of printmaking.

Members receive access to shop facilities, deals on programs, as well as discounts at local art supply stores. Purchasers of our Sponsor Membership receive four limited-edition hand-pulled prints per year. Each print is commissioned by SNAP and created by printmakers from around the world.

268 * 269

	OPENING HOURS	SUBMISSION DEADLINE
	TUESDAY » SATURDAY: 12pm-5pm	September 1

10309 - 97th Street
Edmonton (Alberta) T5J 0M1
T 780 423 1492 F 780 426 1177
snap@snapartists.com
www.snapartists.com

EXECUTIVE DIRECTOR
HEATHER MURRAY

Society of Northern Alberta Print-artists (SNAP) a comme mandat la promotion, l'aide à la production et à la diffusion de l'estampe. SNAP remplit son mandat en maintenant un atelier de gravure fonctionnel, une galerie et une programmation desservant la communauté. SNAP Gallery est le seul centre d'artistes autogéré qui se consacre à l'estampe en Alberta. Il a ouvert en 1982, lorsque les artistes Marc Siegner et Robin Peck ont reconnu la nécessité, pour la communauté des arts visuels, de mettre sur pied un espace qui permette aux graveurs l'utilisation d'équipements spécialisés. Des presses offertes en don et des heures de travail bénévole ont jeté les bases d'un environnement de travail invitant et stimulant pour les graveurs d'Edmonton et de l'extérieur.

L'atelier d'estampe de SNAP permet aux graveurs de produire des œuvres dans un environnement professionnel et sécuritaire. Il possède les seules presses typographiques accessibles au public dans le Nord de l'Alberta, une chambre noire et des presses aux nombreuses possibilités. Des systèmes spéciaux de ventilation et de canalisation permettent aux artistes de travailler en sécurité tout au long du processus de création.

SNAP Gallery présente en moyenne huit expositions par année d'artistes locaux, nationaux et internationaux. Elle assure un lien précieux entre le public et la communauté artistique internationale.

Les programmes de SNAP sont spécialisés en estampe et s'adressent aux artistes, aux adultes et aux enfants de tous âges. En tant que lieu éducatif, SNAP est utile aux artistes et au public, elle fait connaître l'art de l'estampe.

Les membres ont accès aux équipements de l'atelier, bénéficient de tarifs avantageux sur les programmes et de rabais dans les magasins locaux de fournitures d'art. Les membres qui parrainent nos activités reçoivent chaque année quatre estampes à tirage limité, imprimées à la main. Ces estampes sont commandées à des graveurs de partout.

SOCIETY OF NORTHERN ALBERTA PRINT-ARTISTS (SNAP). JULIE VOYCE, *PRINT LAB*, 2004; PHOTO: ELVIRA PLESE.

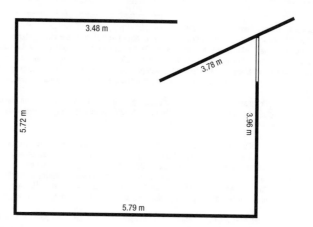

3.48 m

3.78 m

5.72 m

3.96 m

5.79 m

STRIDE GALLERY

The Stride Art Gallery Association supports artistic innovation, regardless of ideological attachments, in whatever media the artist happens to be working. Stride Gallery provides an arena for ongoing critical discourse and dialogue relating to contemporary art. Our association is committed to ongoing excellence in visual art exhibitions, site-specific, public and performative art, lectures, special events, festivals and publications. Our board of directors and staff are artists who collectively support the spirit of independent work. We are diverse in our practices, but united by a shared commitment to the value of contemporary artistic practice within our society.

Stride supports professional senior, mid-career and emerging contemporary artists and audiences from local, regional and national locales. The Gallery's programming structure includes 3 exhibition spaces, a publishing program, a website and online archive. The Main Space supports 8 exhibitions by professional mid-career contemporary artists each year. Exhibitions are accompanied by a comprehensive exhibition text and an artist talk or public lecture. The Project Room hosts research, exhibitions and projects by emerging artists and acts as a working space for professional artists, writers, and curators in the community. The +15 Window Project is an offsite space for local emerging artists and students. Stride's Publishing Program is an important part of our programming and support for professional artists, and provides opportunities for artists and writers to contribute to contemporary art discourse.

Stride accepts applications on an ongoing basis. Contact the gallery to discuss your submission or for more information. Please include: project proposal, artist's statement, curriculum vitae, up to 20 labelled slides with slide list/cued 5 minute video clip, selected press/printed matter, self-addressed stamped envelope. Do not send staples, binders, folders or original artworks. Send digital documentation only if it is a necessary component of your project.

the
Stride
Gallery

1004 MacLeod Trail S.E.
Calgary (Alberta) T2G 2M7
T 403 262 8507 F 403 269 5220
stride2@telusplanet.net
www.stride.ab.ca

OPENING HOURS
TUESDAY » SATURDAY: 11am-5pm

DIRECTOR
ANTHEA BLACK
ASSISTANT DIRECTOR
PAVITRA WICKRAMASINGHE

SUBMISSION DEADLINE
Ongoing

Stride Art Gallery Association encourage l'innovation artistique, sans égard pour l'orientation idéologique ou la forme d'art. Stride constitue un forum où ont lieu échanges critiques et dialogues sur l'art contemporain. Notre association présente des expositions d'arts visuels, des œuvres *in situ* et d'art public, ainsi que des performances, conférences, événements spéciaux, festivals et publications. Les membres de notre conseil d'administration et de notre personnel sont des artistes qui, collectivement, appuient les démarches indépendantes. Nos pratiques sont diverses, mais nous sommes unis par un engagement commun à promouvoir les pratiques artistiques contemporaines au sein de notre société.

Stride accueille les artistes professionnels locaux, régionaux et nationaux, qu'ils soient établis, à mi-carrière ou de la relève. La galerie dessert un public tout aussi diversifié. Stride dispose de trois espaces d'exposition ; elle a un programme d'édition, un site Web et des archives en ligne.

L'espace principal présente chaque année huit expositions d'œuvres d'artistes professionnels à mi-carrière. Un texte d'analyse complet, une rencontre avec l'artiste ou une conférence publique accompagnent chacune des expositions. La salle des projets sert à la recherche, aux expositions et aux projets d'artistes de la relève, et de lieu de travail pour les artistes, écrivains et commissaires professionnels de la communauté. La vitrine +15 est un espace hors les murs réservé aux jeunes artistes et étudiants des environs. Le programme d'édition de Stride, qui fournit aux artistes et écrivains l'occasion d'apporter leur contribution au discours actuel sur l'art, représente une partie importante de nos activités.

Stride accepte les dossiers toute l'année. Veuillez contacter la galerie pour discuter de votre demande ou pour tout renseignement. Veuillez joindre à votre demande : une description du projet, votre CV, diapositives identifiées (20 max.) avec liste/bande vidéo de 5 minutes, dossier de presse ou documents pertinents et une enveloppe de retour affranchie. N'envoyez pas d'agrafes, de classeurs, de chemises ou d'œuvres originales. N'envoyez que les documents numériques nécessaires.

STRIDE GALLERY. RITA MCKEOUGH, *SLIPPING BY*, 2005; PHOTO: M.N. HUTCHINSON.

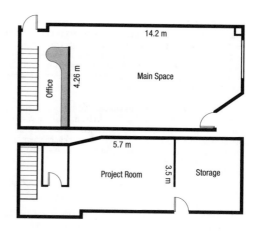

Trap\door is a non-profit artist-run centre founded in 2004. Dedicated to the promotion of contemporary visual art which is challenging and critical, the purpose of Trap\door is to encourage experimentation by artists whose work challenges and explores the peripheries of their discipline. With a focus on emerging artists, Trap\door offers a space for creative research, development, and exploration. Trap\door is committed to assessing and servicing the needs of our membership and, by acting as a forum for the exchange of ideas, contributing to the cultural richness and diversity of our community.

Trap\door is not constrained by a permanent exhibition space, but rather secures spaces appropriate to projects on an ongoing basis. As well as these projects, Trap\door has also hosted video screenings and, in the spring of 2005, co-hosted an Artist Run Centre Symposium with the University of Lethbridge. Trap\door does not receive operational funding, and is run by volunteers; projects are supported through various fundraising events and endeavours. Trap\door is committed to paying CARFAC fees to artists.

The centre does not have a regular programming schedule, but typically expects to mount 3-4 projects per year, depending on resources.

Trap\door members receive a bi-monthly newsletter, *The Crawlspace*, discounts at participating local businesses and invitations to events. In addition, they are eligible to sit on the board of directors and participate in members' exhibitions.

272 * 273

Trap\door
AN ARTIST-RUN CENTRE

c/o 811 5th Avenue South
Lethbridge (Alberta) T1J 0V2
T n/a
info@trapdoorarc.com
www.trapdoorarc.com

OPENING HOURS
n/a

STAFF
n/a

SUBMISSION DEADLINES
Submissions will be reviewed twice
yearly, in September and March; please
consult the website for details

Trap\door est un centre d'artistes autogéré et sans but lucratif fondé en 2004. Voué à la promotion d'un art visuel contemporain critique et exigeant, il désire encourager l'expérimentation chez des artistes dont le travail remet en question et explore les limites de leur discipline. Consacrant l'essentiel de son attention aux artistes de la relève, Trap\door offre un espace de recherche et de création, de développement et d'exploration. Il s'engage à évaluer les besoins de ses membres et à y répondre, en servant de forum d'échange d'idées, contribuant de ce fait à la richesse culturelle et à la diversité de notre communauté.

Trap\door n'est pas confiné dans un espace d'exposition permanent, mais choisit plutôt de réserver les espaces qui conviennent aux différents projets. Trap\door a organisé des visionnements de vidéos et, au printemps 2005, il a été l'hôte d'un symposium de centres d'artistes autogérés en collaboration avec l'université de Lethbridge. Trap\door, qui ne reçoit aucun financement pour couvrir ses coûts de fonctionnement, est géré par des bénévoles; les projets du centre sont financés grâce à divers événements et beaucoup d'efforts. Trap\door s'engage à verser des cachets d'artistes qui respectent les tarifs du CARFAC.

Le centre n'a pas de calendrier de programmation régulier, mais prévoit habituellement organiser trois ou quatre projets chaque année.

Les membres de Trap\door reçoivent un bulletin bimensuel *The Crawlspace* et peuvent profiter de rabais accordés par différents commerces locaux. Ils peuvent également siéger au conseil d'administration et participer aux expositions des membres.

TRAP\DOOR ARTIST-RUN CENTRE. MIKE PAGET, *VAN CLEEF'S DEAD END*, 2005, UNIVERSITY OF LETHBRIDGE ATRIUM, LETHBRIDGE, ALBERTA; PHOTO: M. MCTROWE.

TRUCK
CONTEMPORARY ART IN CALGARY

The Second Story Art Society (operating as TRUCK) is a non-profit artist-run centre dedicated to the development and public presentation of contemporary art. Since it was founded in 1983 the society has facilitated over 300 exhibitions and created countless activities and events in support of cultural development and contemporary art appreciation. Currently, TRUCK hosts 15 exhibitions annually in two exhibition venues, the main space and the offsite +15 window space, located in the EPCOR Centre for the Performing Arts. TRUCK participates in various collaborative events and activities with other arts groups and nonprofit organizations. TRUCK also programs CAMPER (Contemporary Art Mobile Public Exhibition Rig), the gallery's recently initiated mobile off-site project space. Please see our website for more details.

Although TRUCK supports a full spectrum of artistic practices, programming generally focuses on hybrid and emerging forms of contemporary art that situate the work of Calgary artists in a national context. Through the presentation of regional, national and international contemporary art, TRUCK contributes to the development and understanding of contemporary art within the Calgary community.

TRUCK presents a program diverse in subject, media and approach. The selection committee, comprised of the gallery director, programming coordinator, and the board of directors meets twice yearly (October and May) to review submissions. Project proposals should include an artist's statement, project proposal, CV, up to 20 slides with a corresponding slide list, a SASE including proper postage, and any other relevant support material. TRUCK pays artists' fees equivalent to or greater than those recommended by CARFAC.

Located on the lower level of the historic Grain Exchange building, TRUCK maintains a 675 sq. ft. exhibition venue with an adjacent open space that serves as a lobby, office space, and resource centre. Elevator access is available.

The Grain Exchange, lower level
815 First Street SW
Calgary (Alberta) T2P 1N3
T 403 261 7702 F 403 264 7737
info@truck.ca
www.truck.ca

OPENING HOURS
TUESDAY » SATURDAY: 11am-5pm

DIRECTOR
KATHERINE THOMPSON
PROGRAMMING COORDINATOR
KEITH MURRAY

SUBMISSION DEADLINES
May 1 and October 1
See website for thematic exhibition deadlines

The Second Story Art Society (connue sous le nom de TRUCK) est un centre d'artistes autogéré sans but lucratif voué à la mise en valeur et à la présentation de l'art contemporain. Depuis sa fondation en 1983, la société a organisé plus de trois cents expositions, en plus d'innombrables activités et événements, afin de favoriser l'essor culturel et l'appréciation de l'art contemporain. Actuellement, TRUCK accueille quinze expositions par année dans deux lieux d'exposition distincts, soit l'espace principal et la vitrine +15, située dans EPCOR Centre for the performing arts. TRUCK participe également à diverses activités avec d'autres groupes artistiques et organisations. Il s'est récemment doté de CAMPER (*Contemporary Art Mobile Public Exhibition Rig*), un nouvel espace mobile.

Même si TRUCK appuie des pratiques artistiques fort diverses, le centre axe généralement sa programmation sur les formes artistiques hybrides et innovatrices qui situent les œuvres des artistes de Calgary dans le contexte canadien. En diffusant l'art régional, national et international, TRUCK contribue au développement et à l'appréciation de l'art contemporain dans la communauté.

La variété de la programmation de TRUCK se manifeste dans les sujets, les formes d'art et les approches. Son comité de sélection, formé du directeur de la galerie, du coordonnateur de programmation et du conseil d'administration, se réunit deux fois par an (octobre et mai) pour étudier les propositions reçues. Celles-ci doivent comprendre une déclaration de l'artiste, un CV, au maximum vingt diapositives avec liste, une enveloppe de retour préaffranchie, ainsi que tout autre document pertinent. TRUCK verse des cachets équivalents ou supérieurs à ceux que recommande CARFAC.

Situé au niveau inférieur du bâtiment historique de la Bourse des grains, TRUCK dispose d'une salle d'exposition de 675 pi², ainsi que d'un espace adjacent qui sert de hall d'entrée, de bureau et de centre de ressources. Un monte-charge est disponible.

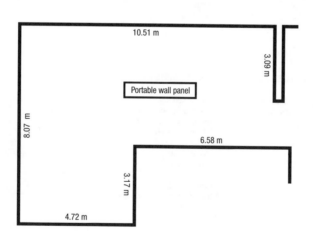

10.51 m

3.09 m

Portable wall panel

8.07 m

6.58 m

3.17 m

4.72 m

ASSOCIATIONS * ASSOCIATIONS

**AAARC - Alberta Association
of Artist-Run Centres**
c/o 1004 MacLeod Trail SE
Calgary AB T2G 2M7

**Alberta Craft Council
Gallery and Shop**
10186 - 106 Street
Edmonton AB T5J 1H4
(780) 488-6611
acc@albertacraft.ab.ca
www.albertacraft.ab.ca

Alberta Museums Association
9829 - 103rd Street
Edmonton AB T5K 0X9
(403) 424-2626
info@museumsalberta.ab.ca
www.museumsalberta.ab.ca

Alberta Society of Artists - ASA
P.O. Box 11334, Main Post Office
Edmonton AB T5J 3K6
(780) 426-0072
north@artists-society.ab.ca
www.artists-society.ab.ca

**Calgary Aboriginal Arts
Awareness Society**
202B, 351 - 11 Avenue SW
Calgary AB T2R 0C7
(403) 296-2227
caaas@telus.net

**Calgary Arts Partners
in Education Society - CAPES**
Willow Green Business Park #8
Manning Close (3rd Floor)
Calgary AB T2E 7N5
(403) 294-6347
capesgm@nucleus.com
www.nucleus.com/capes

Calgary Professional Arts Alliance
P.O. Box 22009, Bankers Hall RPO
Calgary AB T2P 4J1
(403) 294-7419
communications@cpaa.ca
www.cpaa.ca

**Calgary Society of Independent
Filmmakers - CSIFM**
J2, 2711 Battleford Avenue South West
Calgary AB T3E 7L4
(403) 205-4747
info@csif.org
www.csif.org

**Film and Video Arts Society
of Alberta - FAVA**
9722 - 102 Street
Edmonton AB T5K 0X4
(780) 429-1671
info@fava.ca
www.fava.ca

**Professional Arts Coalition
of Edmonton**
Box 11933
Edmonton AB T5J 3L1
(780) 485-3085
admin@pacedmonton.com
www.pacedmonton.com

Quickdraw Animation Society
201 - 351, 11 Ave SW
Calgary AB T2R 0C7
(403) 261-5767
qas@shaw.ca
www.qas.awn.com/

**Société francophone des arts
visuels de l'Alberta**
9103 - 95 Avenue
Edmonton AB T6C 1Z4
(780) 461-3427
info@savacava.com
www.savacava.com

Untitled Art Society
4th floor (Box 16), 319 - 10 Ave SW
Calgary AB T2R 0A5
(403) 262-7911
mail@untitledart.org
www.untitledart.org

CONSEILS DES ARTS ET MINISTÈRES * ART COUNCILS AND CULTURE DEPARTMENTS

**Alberta Foundation for the Arts /
Conseil des arts de l'Alberta**
901 Standard Life Centre,
10405 Jasper Avenue
Edmonton AB T5J 4R7
(780) 427-6315
elizabeth.rae@gov.ab.ca
www.cd.gov.ab.ca/affta

Calgary Arts Development Authority
#6029, 205 8th Ave SE
Calgary AB T2G 0K9
(403) 264-5330
info@calgaryartsdevelopment.com
www.calgaryartsdevelopment.com

**Canadian Heritage /
Patrimoine canadien – Edmonton**
Room 1630, Canada Place
9700 Jasper Avenue
Edmonton AB T5J 4C3
(780) 495-3350
www.pch.gc.ca

**Canadian Heritage /
Patrimoine canadien – Calgary**
Frist Street Plaza Suite 310,
138 - 4th Avenue SE
Calgary AB T2G 4Z6
(403) 292-5541
www.pch.gc.ca

City of Calgary Public Art Program
P.O. Box 2100, Stn. M, #63
Calgary AB T2P 2M5
(403) 268-5213

FONDATIONS · FOUNDATIONS

Calgary Foundation
700, 999 8th Street SW
Calgary AB T2R 1J5
(403) 802-7700
info@thecalgaryfoundation.org
www.thecalgaryfoundation.org

Calgary Region Arts Foundation
6th floor, Calgary Public Building
#6029, 205 - 8th Ave SE
Calgary AB T2G 0K9
(403) 265-0450
info@craf.org
www.craf.org

LIEUX DE DIFFUSION · EXHIBITION SPACES

Art Gallery of Calgary
117 - 8th Avenue Street West
Calgary AB T2P 1B4
(403) 770-1350
artinfo@artgallerycalgary.org
www.artgallerycalgary.org

ArtPoint Gallery & Studios
1139 - 11th Street SE
Calgary AB T2G 3G1
(403) 265-6867
info@artpoint.ca
www.artpoint.ca

Banff Centre for the Arts
107 Tunnel Mountain Drive, Box 1020
Banff AB T1L 1H5
(403) 762-6100
arts_info@banffcentre.ab.ca
www.banffcentre.ca/arts

Fine Arts Building Gallery
1-1 Fine Arts Building,
112th Street and 89th Avenue
Edmonton AB T6G 2C9
(403) 492-2081
bbrennan@gpu.srv.ualberta.ca
www.ualberta.ca/~artdesin/fabgal.htm

Glenbow Museum
130 - 9th Avenue South East
Calgary AB T2G 0P3
(403) 268-4100
glenbow@glenbow.org
www.glenbow.org

Illingworth Kerr Gallery
Alberta College of Art and Design, 1407
14th Avenue North West
Calgary AB T2N 4R3
(403) 284-7600
www.acad.ab.ca

Marion Nicoll Gallery
Alberta College of Art and Design, 1407
14th Avenue North West
Calgary AB T2N 4R3
(403) 284-7655
mng@acadsa.ca
www.acad.ab.ca

Nickle Arts Museum
2500 University Dr. N. W.
Calgary AB T2N 1N4
(403) 220-7234
nickle@ucalgary.ca
www.ucalgary.ca/~nickle/

Southern Alberta Art Gallery
601 - 3rd Avenue South
Lethbridge AB T1J 0H4
(403) 327-8770
info@saag.ca
www.saag.ca

Syntax Arts Society
1225 Gladstone Road North West
Calgary AB T2N 3G2
(403) 270-0928
contactus@scartissue.org
www.scartissue.org

The Art Gallery of Alberta
2 Sir Winston Churchill Square
Edmonton AB T5J 2C1
(780) 422-6223
info@edmontonartgallery.com
www.edmontonartgallery.com

The Centre for Creative Arts
9904 - 101 Avenue
Grande Prairie AB T8V 0X8
(780) 814-6080
info@gparts.org
www.gparts.org

Triangle Gallery of Visual Arts
#104, 800 Macleod Trail South East
Calgary AB T2G 2M3
(403) 262-1737
info@trianglegallery.com
www.trianglegallery.com

University of Lethbridge Art Gallery
W600, Centre for the Arts, 4401
University Drive
Lethbridge AB T1K 3M4
(403) 329-2666
www.uleth.ca/artgallery

VASA – Visual Arts Studio Association of St. Albert
St. Albert AB
(780) 459-6298
vasa@interbaun.com

Walter Phillips Gallery
107 Tunnel Mountain Road,
PO Box 1020, Station 14
Banff AB T1L 1H5
(403) 762-6281
walter_phillipsgallery@banffcentre.ca
www.banffcentre.ca/wpg

Whyte Museum of Canadian Rockies
111 Bear Street, Box 160
Banff AB T1L 1A3
(403) 762-2291
info@whyte.org
www.whyte.org

GALERIES PRIVÉES • COMMERCIAL GALLERIES

Douglas Udell Gallery
10332 - 124 Street
Edmonton AB T5N 1R2
(780) 488-4445
dug@fouglasudellgallery.com
www.douglasudellgallery.com

Newzones
730 Eleventh Avenue Southwest
Calgary AB T2R 0E4
(403) 266-1972
info@newzones.com
www.newzones.com

Paul Kuhn Gallery
724 - 11th Avenue SW
Calgary AB T2R 0E4
(403) 263-1162
paul@paulkuhngallery.com
www.paulkuhngallery.com

Scott Gallery
10411 - 124 Street
Edmonton AB T5N 3Z5
(780) 488-3619
info@scottgallery.com
www.scottgallery.com

SKEW Gallery
1615 - 10th Avenue SW
Calgary AB T3C 0J7
(403) 244-4445
www.skewgallery.com

**The Gallery Walk Association
of Edmonton**
10718 - 124 Street
Edmonton AB T5M 0H1
(780) 452-9664
apaterson@tugallery.ca
www.gallery-walk.com

TrépanierBaer Gallery
#105 999 - 8 Street SW
Calgary AB T2R 1J5
(403) 244-2066
info@tbg1.com
www.trepanierbaer.com

FESTIVALS ET ÉVÉNEMENTS • FESTIVALS AND EVENTS

Artcity
P.O. Box 2294, STN M
Calgary AB T2P 2M6
(403) 870-2787
info@art-city.ca
www.art-city.ca

**Herland Feminist Film
and Video Festival**
#208, 223 - 12 Ave SW
Calgary AB T2R 0G9
(403) 245-3441
herlandfestival@telus.net
www.herlandfestival.com

**Mountain Standard Time
Performative Art Festival**
c/o 516D - 9th Avenue SW
Calgary AB T2P 1L4
(403) 263-5001
info@mstfestival.org
www.mstfestival.org

The Works Visual Arts Festival
#200, 10225 - 100 Avenue
Edmonton AB T5J 0A1
(780) 426-2122
theworks@telusplanet.net
www.theworks.ab.ca

VisualEyes
c/o 10248 - 106 Street
Edmonton AB T5J 1H5
(780) 423-5353
info@latitude53.org
www.latitude53.org

COLOMBIE-BRITANNIQUE

BRITISH COLUMBIA

ACCESS ARTIST-RUN CENTRE

Access Artist-Run Centre presents new work in the contemporary visual arts through an annual program that supports a series of exhibitions and accompanying publications, artist talks, special events, and public discussions. The exhibition program presents critically engaging work by Canadian and international visual artists who are in the formative years of their careers. Our exhibitions represent a diverse range of media current with international artistic activity and reflect a broad range of cultural and socio-political concerns relevant to contemporary issues within the visual arts. Access supports work that is experimental, cross-disciplinary, and which engages with themes and currents in the contemporary arts that have relevance both regionally and internationally. The gallery and its programs encourage collaboration between creative partners, other arts organizations, artists, writers and designers.

Access was founded in 1991 by a group of local artists who desired involvement in a larger community of visual artists. Our organization is comprised of established and emerging artists. The operation of Access is governed by the elected volunteer board of directors consisting of artists working in various visual art disciplines. The Access board is a hands-on collective responsible for all curatorial activities and programming decisions. The Gallery Coordinator runs the operation of the gallery and, in conjunction with the board of directors, coordinates the programs.

Our centre occupies a storefront property on Carrall Street in the heart of Vancouver's Downtown Eastside/ Gastown district and is located near several other arts organizations and galleries. Our audiences include emerging and established artists, art students, and individuals from all facets of the public, including neighborhood residents, visitors to Vancouver and touring educational and cultural organizations.

206 Carrall Street
Vancouver (British Columbia) V6B 2J1
T 604 689 2907
vaarc@telus.net
www.vaarc.ca

OPENING HOURS
TUESDAY » SATURDAY: 12pm-5pm

SUBMISSION DEADLINES
April 15 and October 15

Le centre d'artistes autogéré Access présente de nouvelles œuvres d'arts visuels contemporains et élabore une program-mation qui propose chaque année une série d'expositions et de publications connexes, des conférences d'artistes, évé-nements spéciaux et discussions publiques. Privilégiant les œuvres qui stimulent la réflexion critique, le programme d'exposition d'Access montre le travail d'artistes canadiens et étrangers en début de carrière. Nos expositions présen-tent une gamme de médias reflétant l'étendue des courants artistiques internationaux. Elles visent à mettre en relief les différentes préoccupations culturelles et sociopolitiques qui traduisent les enjeux actuels liés aux arts visuels. Access encourage les œuvres expérimentales et interdisciplinaires dont les thèmes et les filiations à divers courants artistiques s'avèrent pertinents tant sur le plan régional qu'international. Notre organisme favorise la collaboration entre créateurs, organisations artistiques, artistes, écrivains et designers.

Access fut fondé en 1991 par un groupe d'artistes locaux désireux de s'impliquer au sein d'une plus vaste communauté d'artistes visuels. Il est composé d'artistes de la relève et d'artistes établis. Les membres du conseil de direction sont tous des artistes œuvrant dans différents secteurs des arts visuels, ils sont élus et bénévoles. Ce conseil décide des activités de programmation et de conservation. Le coordonnateur de la galerie, pour sa part, gère le fonctionnement et coordonne les programmes du centre, avec l'appui du conseil de direction.

Notre centre occupe un local commercial situé en bordure de Carrall Street, au cœur du quartier Downtown Eastside/ Gastown, où se trouvent également plusieurs autres galeries et organisations artistiques. Notre public compte de nombreux artistes de la relève et établis, des étudiants en arts visuels et des individus issus de tous les milieux, y compris des rési-dants du quartier, des touristes, ainsi que les membres de différentes organisations éducatives et culturelles.

ACCESS ARTIST-RUN CENTRE. *CYCLOPS' DREAMS: ARTISTS' BOOKS, COMIX AND 'ZINES*, CURATED BY JO COOK AND OWEN PLUMMER, 2005; PHOTO: JO COOK.

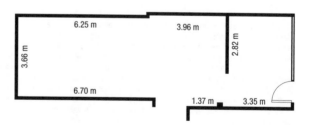

ALTERNATOR GALLERY FOR CONTEMPORARY ART

The Alternator Gallery for Contemporary Art, the oldest artist-run centre in the B.C. Interior, is operated by the Okanagan Artists Alternative, a registered non-profit society. The gallery exhibits contemporary artwork in all media by emerging and established artists from Canada and beyond. Its mandate includes encouraging innovative and experimental artwork, providing a venue for unorthodox or controversial art, supporting promising new artists, collaborating with artists on special projects, providing a forum for the exchange of ideas within the artistic community and with the general public, and enriching the visual arts and culture of the Okanagan region. Submissions by artists and curators, including members of aboriginal communities and under-represented minorities, are encouraged. The annual deadline for submissions is April 15. The gallery pays CARFAC fees.

The Alternator is an anchor tenant in the Rotary Centre for the Arts, a community arts complex that opened in 2002 in Kelowna's downtown cultural district. The gallery is composed of two spaces, a main gallery and a project gallery. In addition, the Alternator programs a 24-foot floor-to-ceiling window case outside the gallery.

The Alternator Media Arts Centre, established in 2002, is based in Studio 111. The centre offers access to a video camera and editing suite for independent artistic projects and also organizes screenings, workshops, residencies and other activities.

The Alternator began providing residencies to national and international artists in 2003. Calls for themed residency projects with site-specific components are issued periodically. These projects give artists an opportunity to research, produce, exhibit and disseminate critically engaged work and to interact with the local community through lectures, screenings, workshops and studio tours.

The gallery's publications program includes occasional catalogues as well as regular exhibition brochures with critical essays. A newsletter is published four times per year.

284 * 285

ALTERNATOR
gallery for contemporary art

421 Cawston Ave.
P.O. Box 5090 Stn. A
Kelowna (Brithsh Columbia) V1Y 8T9
T 250 868 2298 F 250 868 2896
alternator@telus.net
www.alternatorgallery.com

OPENING HOURS
TUESDAY » SATURDAY: 12pm-5pm

DIRECTOR
PORTIA PRIEGERT
EXHIBITION COORDINATOR
DAVID ROSS

SUBMISSION DEADLINE
April 15

The Alternator Gallery for Contemporary Art est le plus ancien centre d'artistes de la Colombie-Britannique. Okanagan Artists Alternative, organisation sans but lucratif reconnue, veille à la gestion du centre. La galerie présente des œuvres contemporaines de toute sorte, réalisées tant par des artistes canadiens et étrangers de la relève que par des artistes établis. Alternator a pour mandat de promouvoir les œuvres novatrices et expérimentales, de présenter le fruit de démarches non traditionnelles ou controversées, d'appuyer les nouveaux artistes prometteurs et de collaborer avec des artistes à la réalisation de projets spéciaux. Le centre assume également le rôle de forum, en permettant l'échange d'idées entre la communauté artistique et le grand public. Il enrichit ainsi, par son apport singulier, les arts visuels et la culture dans la région de l'Okanagan. Alternator encourage les artistes et les commissaires, notamment celles et ceux issus des communautés autochtones et des autres minorités sous-représentées, à proposer des projets. La galerie respecte les recommandations de CARFAC en matière de paiement de droits.

Alternator est l'un des principaux locataires du Rotary Centre for the Arts, complexe artistique communautaire inauguré en 2002 et voué aux arts, qui se situe dans le quartier culturel du centre-ville de Kelowna. La galerie est divisée en deux espaces distincts – une galerie principale et un espace réservé aux projets spéciaux. De plus, Alternator assure la programmation d'une haute vitrine extérieure, qui mesure 24 pieds de longueur.

The Alternator Media Arts Centre, inauguré en 2002, occupe le Studio 111. Il met à la disposition des artistes une caméra vidéo et un poste de montage, en plus d'organiser des visionnements, ateliers, résidences et autres activités.

Depuis 2003, Alternator propose des résidences aux artistes canadiens et étrangers. Il lance périodiquement des appels de candidatures pour accueillir des artistes dans le cadre de résidences thématiques, lesquelles sont caractérisées par l'utilisation d'éléments spécifiques au lieu. Ces séjours offrent aux artistes la possibilité d'effectuer des recherches et de produire, d'exposer et de diffuser un travail critique tout en interagissant avec les membres de la communauté locale par le biais de conférences, de visionnements, d'ateliers et de visites de studios.

La galerie publie des catalogues à l'occasion et régulièrement des brochures renfermant des essais critiques portant sur les expositions. Un bulletin paraît également quatre fois l'an.

ALTERNATOR GALLERY FOR CONTEMPORARY ART. PHOTO: FERN HELFAND

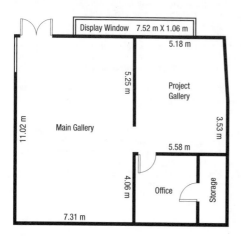

ARNICA OPEN STUDIO AND GALLERY

The Arnica Open Studio Society is a non-profit society incorporated in 2003. In May of 2005, the society established an artist-run centre and open studio in the heart of downtown Kamloops. Since opening the space, membership has more than tripled and within 8 months the centre has undertaken eight exhibitions, two workshops (cyanotype & pinhole) a fundraising auction and two performance art events.

Mandated to support artists in the early stages of their development, Arnica's aim is to maintain an open studio facility and gallery and to promote a supportive environment for the creation, presentation and dissemination of contemporary art. The society is in the process of forming a silkscreen studio and its future goals are to develop other printmaking facilities, book arts, photography and video editing studios.

Arnica has three exhibition spaces available: an entrance area for a work approximately 180 x 180 cm., the Arnica gallery and an open communal gallery. Proposals from artists working in all forms and disciplines are accepted for consideration.

Arnica will be applying for project funding but at this time cannot pay artists' fees. We welcome submissions from individual artists, collectives and curators. Please include the following with your proposal: project description proposal, current curriculum vitae, artist's statement and slides or CD (maximum 20 images) of work intended for exhibition. Include the title, date, size and medium of each work on a separate sheet. Please mail your complete package to the programming committee at the Arnica's mailing address.

232 Victoria Street
Kamloops (British Columbia)
Mailing Address
c/o #270-546 St. Paul St.
Kamloops BC V2C 5T1
T 250 372 2444

OPENING HOURS
Gallery
FRIDAY: 12pm-2pm
SATURDAY: 10am-4pm
Studios are accessible at all times

SUBMISSION DEADLINE
Submissions are reviewed by
committee on an ongoing basis

Arnica Open Studio Society est un organisme sans but lucratif incorporé en 2003. En mai 2005, la société fondait un centre d'artistes autogéré et un atelier libre au cœur du centre-ville de Kamloops. Depuis qu'il a été inauguré, le centre a plus que triplé le nombre de ses membres et, en huit mois, a organisé pas moins de huit expositions, deux ateliers, une vente aux enchères pour assurer son financement, ainsi que deux événements de performance.

Ayant pour mandat de soutenir les artistes en début de parcours, Arnica abrite dans ses locaux un espace d'atelier libre et une galerie, permettant ainsi d'offrir un environnement propice à la création, à la présentation et à la diffusion de l'art contemporain. De plus, la société est en voie de créer un atelier de sérigraphie. Arnica compte également mettre en place de nouvelles installations pour l'estampe, les livres d'artistes et la photographie, ainsi que des salles de montage vidéo.

Arnica propose trois espaces d'exposition : d'abord, un petit espace situé à l'entrée du centre, pouvant accueillir une œuvre d'environ 180 x 180 cm; ensuite, la galerie Arnica et enfin, un espace d'exposition commun. Les projets d'artistes travaillant dans toutes les formes d'art et disciplines artistiques sont pris en considération.

Arnica soumettra une demande de financement de projet, mais ne peut en ce moment verser de cachet aux artistes. Nous acceptons les propositions venant d'artistes, de collectifs et de commissaires indépendants. Veuillez joindre les éléments suivants à votre dossier : une description du projet et de la démarche artistique, un curriculum vitæ à jour, des diapositives ou un CD-ROM (maximum de 20 images) d'œuvres destinées à être exposées. Indiquez dans la liste des œuvres le titre, la date, les dimensions, les matériaux et techniques. Veuillez faire parvenir le tout au comité de programmation à l'adresse postale d'Arnica.

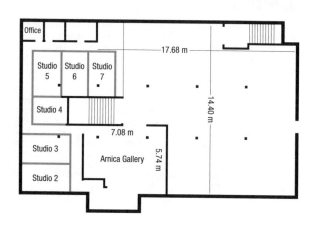

Office

Studio 5 | Studio 6 | Studio 7

17.68 m

Studio 4

14.40 m

7.08 m

Studio 3

Arnica Gallery

5.74 m

Studio 2

{COLOMBIE-BRITANNIQUE * BRITISH COLUMBIA}

ARTSPEAK

Artspeak is a non-profit artist-run centre established in 1986. Our early association with the Kootenay School of Writing situates Artspeak within a unique interdisciplinary community of writers and visual artists. Artspeak is operated by artists from the visual and language arts who share concerns in relation to the theory and practice of contemporary art. The gallery's mandate is to exhibit contemporary art and to encourage a dialogue between visual art and writing. Of particular interest is work that crosses the boundaries between the two disciplines.

Artspeak plays a significant role in addressing the historical, social and intellectual conditions of contemporary visual and language arts production from the West Coast and beyond. We support the practices of emerging and established artists and writers by providing opportunities to exhibit, publish and present new work to audiences receptive to contemporary art and ideas. The gallery accommodates exhibitions of five weeks in duration. Artspeak's publications program redefines the function of the "exhibition catalogue" by encouraging a collaborative relationship between the artist, designer and writer. A complete list of exhibitions and publications is available on our website. Artspeak hosts readings, talks, book launches and performances that broaden and extend our interdisciplinary mandate, often in conjunction with literary groups and publishers. Presentations for secondary and post-secondary fine arts programs are conducted on an appointment basis. Artspeak actively contributes to the cultural community through our commitment to artists and writers producing challenging, innovative work, our affiliation with like-minded organizations and the public interest we generate in contemporary art.

ARTSPEAK

233 Carrall Street
Vancouver (British Columbia) V6B 2J2
T 604 688 0051 F 604 685 1912
artspeak@artspeak.ca
www.artspeak.ca

OPENING HOURS
TUESDAY » SATURDAY: 12pm-5pm

DIRECTOR/CURATOR
MELANIE O'BRIAN
PROGRAMME COORDINATOR
COLLEEN BROWN

SUBMISSION DEADLINE
ongoing
Artspeak exhibits work in all media
with a focus on contemporary practices
Submissions should be directed to
Melanie O'Brian. Your submission will
be acknowledged by mail

Artspeak est un centre d'artistes autogéré et sans but lucratif qui a vu le jour en 1986. Son association précoce avec la Kootenay School of Writing l'insère au sein d'une communauté interdisciplinaire singulière, composée d'écrivains et d'artistes visuels. Artspeak est géré par des praticiens des arts visuels et des arts du langage, qui ont en commun un intérêt pour certains enjeux théoriques et pratiques de l'art contemporain. Le mandat de la galerie consiste à exposer des œuvres contemporaines et à susciter des échanges entre les arts visuels et l'écriture. Ainsi, Artspeak est continuellement à l'affût d'œuvres qui traversent les frontières entre les deux disciplines.

Artspeak s'applique à révéler les conditions historiques, sociales et intellectuelles qui sous-tendent les productions artistiques et littéraires de la côte ouest et d'ailleurs. Nous appuyons les pratiques des artistes de la relève, tout comme celles des artistes établis et des écrivains, en leur offrant la possibilité de présenter leurs nouvelles œuvres devant un public réceptif à l'art et aux idées actuels. La durée des expositions est de cinq semaines. Par ailleurs, Artspeak dispose d'un programme de publication qui redéfinit la fonction du catalogue d'exposition en encourageant la collaboration entre artistes, designers et écrivains. On trouvera la liste complète des expositions et publications sur le site Web du centre. Artspeak organise des lectures publiques, des discussions, des lancements de livres et des performances qui favorisent l'interdisciplinarité, le plus souvent de concert avec différents groupes littéraires et des éditeurs. Dans son programme d'arts plastiques de niveau secondaire et postsecondaire, le centre offre, sur rendez-vous, des présentations aux étudiants. Artspeak apporte une contribution active à la communauté culturelle par son engagement envers les artistes et les écrivains qui produisent des œuvres novatrices et stimulantes, par son affiliation à d'autres organisations partageant ses objectifs, ainsi que par l'intérêt pour l'art contemporain que suscite, chez le public, l'ensemble de ses initiatives.

ARTSPEAK. MARGARET LAWTHER, *DODGE*, 2002; PHOTO: JENN LAING, 2003.

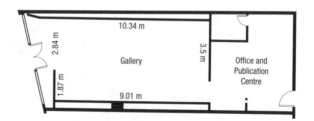

GALLERY GACHET

Gallery Gachet is a unique artist-run organization, founded in 1992, featuring two locations in Vancouver's Downtown Eastside totalling 7,500 square feet. The organization strives to provide a focal point for discourse amongst an outsider artist community often denied in many other exhibition settings. Cultural services include: three exhibition spaces, various arts production studios, 'The Ear: Journal of Art & Healing publication, training programs, artist in residence programs, health support, art shop, library, web café, public programming in all disciplines (including visual arts, dance, digital arts, performance art, etc), and community cultural development work in the neighbourhood.

Gallery Gachet is a membership-driven organization, with 'Collective' membership limited to emerging and professional artists with consumer/survivor health backgrounds.[1] Our volunteer program, 8 committees, and 'Friends of the Gallery' also include allies from Vancouver's arts community, mental health sector, and general public.

Gallery Gachet supports the efforts of outsider as well as contemporary artists by providing the following: three exhibition venues; production studios; professional development, health, social enterprise opportunities, and empowerment. Our second venue at 29 West Hastings, one block away in Vancouver, is managed by Gallery Gachet, and programmed in partnership with the Community Arts Council of Vancouver's 'Community Arts Network' and Desmedia. Check online for information on programs for artists who are low-income, homeless, addicted, and informed by mental health issues.

Gachet encourages a high standard of artistic integrity in all exhibitions and programming. It encourages multidisciplinary interaction and discourse within the arts community with special programming and collaborations, including artists in residence, for more sustained and dynamic mentoring and exhibitions. As many as 30 exhibitions are scheduled annually from Gachet members, as well as curators, artists and organizations from Vancouver, Canada, and internationally. In September, the Gallery takes part in "SWARM: An evening of artist-run culture," produced annually by the Pacific Association of Artist-Run Centres (PAARC.)

1. A consumer/survivor health background involves several combinations of the following: substance abuse, mental, emotional or sexual abuse, mental health issues, etc.

88 East Cordova Street
Vancouver (British Columbia) V6A 4K2
T 604 687 2468 F 604 687 2468
gallery@gachet.org
www.gachet.org

HOURS OF OPERATION
gallery
WEDNESDAY » SUNDAY: 12pm-6pm
administration
MONDAY » SUNDAY: 10am-6pm

EXECUTIVE DIRECTOR
IRWIN OOSTINDIE
OFFICE ADMINISTRATOR
JANE DOE

SUBMISSION DEADLINES
Please contact Gallery Gachet

La galerie Gachet est un centre d'artistes autogéré unique en son genre; fondé en 1992, il compte deux emplacements dans le quartier Eastside de Vancouver et ses locaux font 7 500 pieds carrés au total. L'organisation cherche à fournir un point de rencontre et d'échanges pour les artistes marginaux, lesquels sont bien souvent exclus des autres lieux d'exposition. Le centre offre les services suivants : trois salles d'exposition, des studios de production, une publication, The Ear: Journal of Art & Healing, des programmes de formation, des programmes d'artistes en résidence, du soutien en matière de santé, du matériel d'artiste, une bibliothèque, un café Internet et un programme d'expositions et de présentations publiques couvrant toutes les disciplines (arts visuels, danse, arts médiatiques, performance, etc.). Gachet travaille aussi, au sein de la communauté, au développement culturel du quartier.

La galerie Gachet est un organisme qui fonctionne sur la base d'une adhésion au Collectif limitée aux artistes émergents et professionnels qui ont des antécédents de consommateur/survivant[1]. Notre programme de bénévoles, huit comités et Les Amis de la galerie comptent dans leurs rangs des alliés de la communauté artistique de Vancouver, du secteur des maladies mentales et du public en général.

La galerie Gachet soutient les marginaux qui sont aussi des artistes contemporains en leur fournissant en plus de ce qui est énoncé plus haut, un lieu de croissance professionnelle, un service de santé, des occasions de travail social et l'autonomisation. Notre deuxième emplacement au 29, West Hastings, à proximité de notre emplacement principal, est géré par la galerie Gachet et la programmation se fait en partenariat avec le Réseau communautaire du Conseil des arts de Vancouver et le collectif Desmedia. Voir en ligne l'information concernant les programmes destinés aux artistes économiquement défavorisés, sans domicile fixe, souffrant de toxicomanie et de problèmes mentaux.

Gachet encourage un haut niveau d'intégrité artistique dans toutes ses expositions et sa programmation. La galerie favorise les interactions et les échanges multidisciplinaires à l'intérieur de la communauté artistique au moyen de collaborations et de programmes spéciaux – les résidences d'artistes, notamment – afin de soutenir et de dynamiser le mentorat et les expositions. La galerie Gachet présente chaque année jusqu'à 30 expositions provenant de ses membres, de conservateurs, d'artistes et d'organisations de Vancouver, du Canada et de l'étranger. En septembre, la galerie prendra part à « SWARM : Une soirée de culture autogérée », événement organisé annuellement par l'Association des centres d'artistes autogérés du Pacifique (PAARC).

1. Des antécédents de consommateur/survivant impliquent l'un ou l'autre des problèmes suivants : toxicomanie, abus sexuels, problèmes mentaux ou émotionnels, etc.

GALLERY GACHET. PHOTO: (METAL WINDOW BARS) IRWIN OOSTINDIE, *INTERVENTION*, 2004; (MUSICIANS) SIOBHAN MCCARTHY, *EASTSIDE MUSICIANS*, 2005.

Exhibition Space — 7.14 m — 10.24 m

Studio — Office — 4.57 m

Workshops — 7.32 m — 11.89 m

GRUNT GALLERY

grunt was formed in 1984 by a heterogeneous group of eight artists working outside institutional contexts. Over our 22-year history we have produced an annual exhibition and performance series, in addition to countless publications, artist talks, panels, conferences, concerts and readings, special community events, etc. We have evolved into a strong visual arts based institution with a reputation for collaboration and innovation in both programming and administration.

grunt's history and programming can be interpreted as a variety of initiatives based on evolving concepts of community. Our role has been as an intersection for various cultural groups concerned with aesthetics, medium or identity. grunt's exhibition program features nine exhibitions annually and strives to attain a mix of emerging and established artists as well as a combination of artists working inside and outside the artist-run network. The backbone of this program consists of solo exhibitions by artists working in new directions, although two-person and group shows are sometimes included,

Publications are produced in the form of brochures containing curatorial essays and reproductions as well as larger catalogues and just recently a magazine publication, entitled *Brunt Magazine.*

grunt programs exhibitions and performances by contemporary artists. We pay $1500 in artists' fees per solo exhibition and a fluctuating fee for performance that takes into account an artist's working style and complexity. We offer expenses for installation or production for the work as well as shipping. grunt pays an artist's travel, accommodations and per diem. We provide the artist with documentation of the work including original slides and digital photography for exhibitions, black-and-white photography and video for performance. grunt also provides special projects and publications often connected to our regular program. Our gallery and online archives show some of the special projects we have produced. Please visit our website at www.grunt.bc.ca.

116 - 350 East 2nd Avenue,
Vancouver (British Columbia) V5T 4R8
T 604 875 9516 F 604 877 0073
grunt@telus.net
www.grunt.bc.ca

OPENING HOURS
WEDNESDAY » SATURDAY: 12pm-6pm

DIRECTOR
GLENN ALTEEN
ADMINISTRATOR
DAINA WARREN

SUBMISSION DEADLINE
July 15

grunt gallery a été fondée en 1984 par un groupe hétérogène de huit artistes œuvrant en marge des circuits institutionnels. Au cours de ces 22 années, nous avons présenté une programmation annuelle d'expositions et de performances, en plus d'avoir produit de nombreuses publications et organisé des conférences d'artistes, des tables rondes, des colloques, des concerts et des lectures publiques, des événements spéciaux destinés à la communauté, etc. Aujourd'hui, grunt est devenue une institution solide axée sur les arts visuels, réputée pour son caractère de collaboration et d'innovation sur les plans de la programmation et de l'administration.

L'historique et la programmation de grunt sont faits d'une multitude d'initiatives fondées sur des concepts en transformation, liés à la notion de communauté. Notre rôle a été d'assurer la rencontre de divers groupes culturels aux préoccupations esthétiques, disciplinaires ou identitaires. Le programme d'expositions annuel de grunt comprend neuf expositions; il fait place tant aux artistes établis qu'à ceux de la relève, et tant aux habitués du circuit des centres d'artistes autogérés qu'à ceux qui évoluent dans des réseaux différents. La programmation repose sur des expositions individuelles d'artistes œuvrant dans des directions nouvelles, bien qu'elle comprenne parfois des expositions en duo et des expositions collectives.

Nous publions des brochures contenant des textes de commissaires d'exposition et des illustrations, des catalogues plus importants, et depuis peu, un périodique intitulé *Brunt Magazine.*

grunt présente des expositions et des performances. Nous offrons un cachet d'artiste de 1 500 $ pour les expositions individuelles et un cachet variable pour les performances, selon le type de travail et sa complexité. Nous contribuons aux dépenses d'installation ou de production et de transport des œuvres. grunt paie les déplacements des artistes, leur hébergement et leur accorde une indemnité quotidienne. Nous remettons aux artistes la documentation visuelle de leur travail sous forme de diapositives originales et d'images numériques dans le cas d'expositions, de photographies en noir et blanc et de vidéos dans celui de performances. grunt propose également des publications et des projets spéciaux souvent liés à sa programmation régulière. Certains de ces projets spéciaux sont documentés dans notre galerie et nos archives en ligne. Veuillez consulter notre site Web, www.grunt.bc.ca.

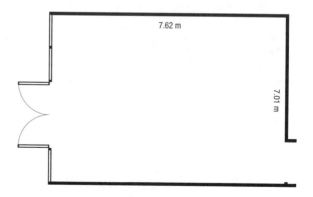

7.62 m

7.01 m

THE HELEN PITT GALLERY ARTIST-RUN CENTRE

The Helen Pitt Gallery is a non-profit artist-run centre dedicated to the promotion of contemporary art that addresses social, political, and critical issues beyond those often found in mainstream commercial art practices. We work to promote artists, projects and diverse art practices that extend our culture's ideas of itself; we seek inspiration from art and ideas that simultaneously engage the public imagination and work to challenge perceptions of what art can be and what role it can play in society. As stated in the Gallery Society's constitution, the Helen Pitt Gallery is devoted to encouraging a free flow of discussion through a creative program of exhibitions, publications, artist talks, discussion groups, symposiums and participation in local and national art festivals. We promote an inclusive, community-based site of art contemplation, exchange and conversation and strive to be an exciting, indispensable bridge between artists of varied cultural backgrounds, practices, and regions of Canada.

Within the Vancouver community, the Helen Pitt Gallery also functions to provide professional experience and opportunities for emerging and established artists, students and cultural workers. The Gallery is a key launching pad for many regional artists beginning their career and an important venue and point of return for many practising professional artists. We take pride in our history of programming art students and recent graduates alongside artists who have much experience; the results of this curatorial dialogue are unexpected and thought-provoking. The gallery dedicates half of its programming to students and recent graduates. In acknowledgement of our history with the Emily Carr Institute, we remain active within the school by participating in the Co-op Student Program. This program provides direct work experience to a number of students each year by involving them in the Gallery's daily administrative and curatorial activities.

294 * 295

Helen Pitt Gallery

102-148 Alexander Street
Vancouver (British Columbia) V6A 1B5
T 604 681 6740
pittg@telus.net
www.helenpittgallery.org/

OPENING HOURS
TUESDAY » SATURDAY: 12pm-5pm

CO-DIRECTORS/CURATORS
LANCE BLOMGREN
CAREY ANN SCHAEFER

SUBMISSION DEADLINE
Ongoing

Le centre d'artistes autogéré sans but lucratif The Helen Pitt Gallery se consacre à la promotion d'un art contemporain qui aborde les questions sociales, politiques et critiques autres que celles souvent soutenues par le marché. Nous nous employons à promouvoir les artistes, les projets et les pratiques artistiques qui approfondissent la réflexion sur notre culture; nous puisons notre inspiration dans l'art et les idées qui stimulent l'imagination tout en interrogeant les définitions de l'art et son rôle dans la société. Tel que mentionné dans ses statuts, The Helen Pitt Gallery travaille à favoriser les échanges grâce à un programme créatif d'expositions, de publications, de conférences d'artistes, de groupes de discussion, de symposiums et par une participation à des festivals artistiques locaux et nationaux. Nous soutenons un lieu ouvert d'échange et de dialogue fondé sur la communauté; nous nous efforçons d'offrir un lieu de rapprochement fécond et indispensable à des artistes de diverses origines culturelles, en provenance de plusieurs régions du Canada et ayant des pratiques variées.

The Helen Pitt Gallery agit également au sein de la communauté vancouvéroise de manière à apporter une expertise professionnelle et des moyens de travailler et de se faire connaître à de jeunes artistes, artistes établis, étudiant(e)s, travailleurs et travailleuses culturels. La galerie représente un tremplin de choix pour plusieurs artistes de la région en début de carrière, tout en étant un cadre privilégié et un lieu fréquenté par des artistes professionnels actifs. Nous sommes très fiers d'avoir inclus à notre programmation des étudiant(e)s en art, des diplômé(e)s récents aux côtés d'artistes chevronnés; ce dialogue sur le plan du commissariat donne des résultats inattendus et stimulants. La galerie consacre la moitié de sa programmation aux étudiant(e)s et diplômé(e)s récents. Reconnaissant nos liens avec l'Emily Carr Institute, nous nous engageons vis-à-vis de cette institution en participant au programme d'enseignement coopératif (Co-op Student Program) qui, chaque année, offre une véritable expérience de travail à plusieurs étudiant(e)s engagés dans les activités quotidiennes d'administration et de commissariat de la galerie.

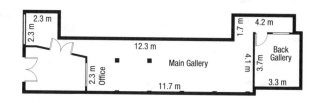

2.3 m		12.3 m		1.7 m	4.2 m
2.3 m					
	2.3 m Office	Main Gallery	4.1 m	3.7 m	Back Gallery
		11.7 m			3.3 m

THE HELEN PITT GALLERY ARTIST-RUN CENTRE. PHOTO: CAREY ANN SCHAEFER

MINISTRY OF CASUAL LIVING

The Ministry of Casual Living is a non-profit artist-run centre that has been exhibiting the works of contemporary emerging and mid-career artists since March 2002. Formed to provide artists from all disciplines with an accessible venue for experimentation, the MOCL is committed to promoting critical, self-reflective discourse and to integrating the artistic process into all aspects of everyday life.

The MOCL operates independent of any government funding and is run entirely through the support of the artists who exhibit in the space and its board of directors. The modest gallery is curated and managed by the live-in Minister, who is elected by the board and holds an intensive artist-in-residence position that rotates annually.

In addition to programming short-term solo exhibitions for its prominent window gallery, the MOCL intends to launch several satellites over the next few years, many of which will occupy more immediately public locations in and beyond Victoria. Therefore, the MOCL encourages proposals for any project or exhibition that operates outside of a conventional gallery format but still requires the support of a central organizational structure.

1442 Haultain St.
Victoria (British Columbia) V8R 2J9
T 250 519 0113
ministerofcasualliving@hotmail.com
www.ministryofcasualliving.ca

OPENING HOURS
24/7 WINDOW GALLERY
Office hours are sporadic

SUBMISSION DEADLINE
ongoing

Le centre d'artistes autogéré sans but lucratif The Ministry of Casual Living présente le travail de jeunes artistes et d'artistes en mi-carrière depuis mars 2002. Établi pour offrir aux artistes de toutes disciplines un lieu accessible qui se prête à l'expérimentation, le MOCL s'engage à promouvoir un discours critique et autocritique, de même qu'à intégrer le processus artistique à tous les aspects de la vie quotidienne.

Le MOCL fonctionne sans subvention gouvernementale, grâce au seul appui des artistes exposants et de son conseil d'administration. Le commissariat et la gestion de la petite galerie sont assumés par le « ministre » qui est élu par le conseil d'administration et occupe un poste d'artiste en résidence prééminent, attribué chaque année à une personne différente.

En plus de la programmation d'expositions individuelles à court terme dans sa galerie en vitrine, le MOCL a l'intention de lancer plusieurs projets et expositions au cours des prochaines années, dont certains occuperont des emplacements davantage publics à Victoria et au-delà de la ville. Le MOCL souhaite favoriser les initiatives qui peuvent avoir cours en dehors de la structure traditionnelle d'une galerie, mais qui nécessitent néanmoins le soutien professionnel d'une structure centrale.

MINISTRY OF CASUAL LIVING. PHOTO: ISAAC FLAGG

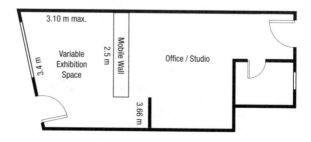

OPEN SPACE

OPEN SPACE is a working laboratory for innovative art practices, opening new territories for contemporary art, artists and society in a global context.

OPEN SPACE (incorporated in 1972) is a home for visual arts, new media, performance and theatre, spoken word and literature, new music and digital and time-based media. Ever susceptible to unexpected opportunities, and alert to the potential of serious silliness, OPEN SPACE hosts a lively schedule of installations, symposia, performances, partnerships, lectures, readings, and off-site projects. Artists, whether mid-career or emerging, are at the core of OPEN SPACE endeavours.

OPEN SPACE is an arena where artistic meanings are not fixed or absolute; where exhibitions, performances and individual works of art encourage reflection, dialogue and debate.

The advisory programming committee accommodates artists' ideas and strategies, providing opportunities for artists who are exploring new territories and relationships with colleagues and the general public.

To disseminate its critical and investigative activities, OPEN SPACE publishes brochures, catalogues, artists' books and, occasionally, books. It maintains its website as a publishing, programming and archival site. The Resource Centre@Open Space includes a small magazine library (visual art, new music, literary journals), a current sampling of publications from other art organizations, and a catalogued archive for OPEN SPACE projects. A public computer is available for Internet research.

OPEN SPACE is an exhibition and performance centre equipped for the presentation of large-scale exhibitions, performances and concerts.

Exhibition Space: gallery, foyer and performance space 310m²; resource centre is approximately 20m² and is variable; website. Performance and Concert Space (configured within the gallery space): 160 chairs; black curtains; theatre lighting grid controlled by a two-scene manual lighting board; sound system with four speakers and a sixteen-channel mixing board.

510 Fort Street, 2nd floor
Victoria (British Columbia) V8W 1E6
T 250 383 8833
openspace@openspace.ca
www.openspace.ca

OPENING HOURS
TUESDAY » SATURDAY: 12pm-5pm

DIRECTOR
HELEN MARZOLF
GALLERY ADMINISTRATOR
ANDREA HARTY
PREPARATOR/TECHNICIAN
ASTON COLES

SUBMISSION DEADLINES
Visual, Media, Inter-Arts: October 1
New Music concerts: January 1

OPEN SPACE est un laboratoire pour les pratiques innovatrices en art. Il a pour but d'ouvrir de nouveaux territoires pour l'art contemporain, les artistes et la société dans un contexte mondial.

OPEN SPACE (incorporé en 1972) accueille les arts visuels, les nouveaux médias, la performance et le théâtre, la parole et la littérature, la nouvelle musique, ainsi que les médias numériques et axés sur le temps. Ouvert aux possibilités insoupçonnées et sensible à la richesse de la folie prise au sérieux, OPEN SPACE présente une programmation remplie de vitalité comprenant installations, symposiums, performances, événements multidisciplinaires, conférences, lectures publiques et projets hors les murs. Les jeunes artistes et les artistes à mi-carrière sont au cœur des activités d'OPEN SPACE.

OPEN SPACE est un lieu où les significations artistiques ne sont pas fixes ou absolues; où les expositions, les performances et les œuvres d'art individuelles stimulent la réflexion et la discussion.

Le comité consultatif de programmation accueille les idées et les activités des artistes et il assiste ceux qui explorent de nouveaux territoires, ainsi que leurs rapports avec des collègues et le grand public.

Dans le but de diffuser ses activités critiques et de recherche, OPEN SPACE publie des brochures, des catalogues d'exposition, des livres d'artistes et d'autres publications. Le centre propose également un site Web comme lieu de publication, de programmation et dépôt d'archives. Le centre de ressources d'OPEN SPACE comprend une petite bibliothèque de périodiques (sur les arts visuels, la nouvelle musique et la littérature), un éventail des publications courantes d'autres organisations artistiques et les archives des projets réalisés à OPEN SPACE. Un ordinateur est mis à la disposition du public pour la recherche sur Internet.

Open Space est dédié aux expositions et à la performance. Ses installations lui permettent d'accueillir des expositions, des performances et des concerts de grande envergure.

La galerie, le foyer et l'espace de performance totalisent 310 m². Le centre de documentation peut être réaménagé au besoin. L'espace de performance et de concert, aménagé à l'intérieur de la galerie, compte 160 places. Il dispose de rideaux noirs; d'une grille d'éclairage contrôlée par deux consoles; d'un équipement de sonorisation à quatre haut-parleurs et d'une console de mixage à 16 pistes.

OPEN SPACE (EMPTY): ROBERT PRESTON; OPEN SPACE (EXHIBITION): MITCHELL WIEBE, *DIGITAL DRAGON MEETS ANALOGUE UNICORN*, 2004: ASTON COLES.

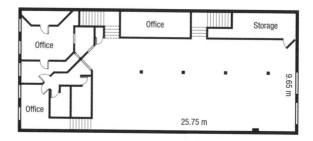

OR GALLERY

The Or Gallery is a registered non-profit society and is operated by a volunteer board of directors and a paid director/curator. The Or Gallery is unique in that its director/curator is hired on a limited basis and is solely responsible for the programming. This lends a dynamic, ever changing character to the gallery while providing curators with an invaluable opportunity to organize and promote the work of their contemporaries. It also means that each new director must engage with the legacies of past directorships while responding to the specific demands of the present cultural climate.

The Or Gallery was created in 1983. The gallery and living space was used by a succession of curators who shared the rent and advertising costs with the exhibiting artists. Active involvement by community artists enabled the gallery to receive financial support from government arts funds by 1987. The gallery was destroyed by fire that summer. Operations resumed in a number of other locations and is at present located in downtown Vancouver.

The mandate of the Or Gallery is to provide a non-profit gallery that benefits the community as a whole, providing exhibition space to local, national, and international contemporary artists, particularly those who make experimental art their practice. The gallery seeks to make contemporary art accessible to a wide and varied audience through the organization of artistic projects at the Or, at sites other than the gallery proper, through publications, and through the touring of exhibits to national and international venues.

The Society receives funding from three levels of government, various foundations, the board's fundraising activities and donations, including many hours of donated time by artists. In addition, the Society maintains an archive and a website, does community outreach, and produces exhibition publications.

OR

103 - 480 Smithe Street
Vancouver (British Columbia) V6B 5E4
T 604 683 7395 F 604 683 7302
or@orgallery.org
www.orgallery.org

OPENING HOURS
TUESDAY » SATURDAY: 12pm-5pm

DIRECTOR/CURATOR
MICHÈLE FAGUET
EXHIBITIONS COORDINATOR
ELI BORNOWSKY
BOOKKEEPER
MARIANNE BOS

SUBMISSION DEADLINE
Check website for details

La galerie Or est une société à but non lucratif gérée par un conseil d'administration bénévole et un directeur/conservateur salarié. La galerie Or est unique en son genre en ce sens que son directeur est engagé pour une période de temps limitée et qu'il est l'unique responsable de la programmation. Cette stratégie procure un caractère dynamique et toujours changeant à la galerie tout en fournissant au conservateur une occasion extraordinaire d'organiser et de promouvoir le travail des artistes. Cette manière de fonctionner veut aussi dire que chaque nouveau directeur doit assumer l'héritage des directions précédentes tout en répondant aux demandes spécifiques du climat culturel du moment.

La galerie Or a été fondée en 1983. La galerie et les quartiers habitables furent utilisés par une succession de conservateurs qui partageaient le loyer et les coûts de la publicité avec les artistes qui exposaient. L'implication des artistes de la communauté a permis à la galerie d'obtenir dès 1987 le soutien financier des organismes subventionnaires. Un incendie a toutefois rasé la galerie ce même été. Les activités de la galerie ont repris par la suite dans une variété de lieux; à l'heure actuelle, la galerie se trouve au centre-ville de Vancouver.

Or a pour mandat de gérer une galerie à but non lucratif qui profite à la communauté tout entière, de fournir un lieu d'exposition aux artistes contemporains de la scène locale, nationale et internationale, et plus particulièrement à ceux qui font de l'art expérimental leur pratique. La galerie cherche à rendre l'art contemporain accessible à un public vaste et varié en organisant des projets artistiques dans ses locaux ou ailleurs, en publiant divers documents et en faisant circuler des expositions au pays et à l'étranger.

La société se finance grâce à des subventions de trois organismes gouvernementaux, par le soutien de fondations diverses, par des campagnes de souscription et par des dons, notamment sous la forme d'heures travaillées bénévolement par les artistes. En plus de ces activités, la société gère un fonds d'archives et un site Internet, elle fait de l'animation dans la communauté et publie des catalogues d'exposition.

OR GALLERY. JUAN CÉSPEDES, *SELF PORTRAIT*, 2006; PHOTO: JUAN CÉSPEDES.

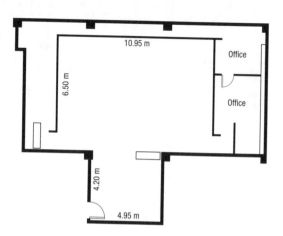

VIDEO IN STUDIOS

Video In is a not-for-profit video production, exhibition and distribution centre. We are an evolving organization operated by and for artists and media/community activists. Since 1973, with the founding of the Satellite Video Exchange Society (SVES), Video In has grown into a vibrant artist-run centre with state-of-the-art facilities and educational workshops. We have production equipment, studio space, audio, video and new media post-production facilities, and during regular hours of operation, minor technical support is available to producers as they work. Other exciting facets of the centre include ongoing public exhibitions of video and media-based artworks, our artist in residence program and Video Out's international distribution network.

302 * 303

1965 Main Street
Vancouver (British Columbia) V5T 3C1
T 604 872 8337 F 604 876 1185
info@videoinstudios.com
http://www.videoinstudios.com

OPERATION HOURS
MONDAY » FRIDAY: 11am-6pm

OPERATIONS
DINKA PIGNON
info@videoinstudios.com
DISTRIBUTION COORDINATOR
LAUREN HOWES
videoout@telus.net

PROGRAMMING AND OUTREACH COORDINATOR
JULIE GENDRON
event@videoinstudios.com

SUBMISSION DEADLINE
Proposals are accepted throughout the year. Proposed dates require six months to one year advanced notice. See http://videoinstudios.com/proposals.php for more information

Video In est un centre de production, d'exposition et de distribution vidéo sans but lucratif. Nous sommes une organisation en évolution, gérée par et pour les artistes, par et pour les militants des arts médiatiques et de la communauté. Avec la création, en 1973, de Satellite Video Exchange Society (SVES), Video In s'est développé pour devenir un remarquable centre d'artistes doté d'installations de pointe et offrant des ateliers éducatifs. Nous avons du matériel de production, de l'espace studio, des installations de postproduction pour la sonorisation, la vidéo et les nouveaux médias ; durant les heures d'ouverture, un soutien technique de base est offert aux réalisateurs à l'œuvre. Les expositions permanentes présentent des œuvres qui font appel à la vidéo et aux autres médias, ainsi que les programmes d'artistes en résidence et le réseau de distribution mondiale de Video Out constituent d'autres aspects passionnants du centre.

Les propositions de projets sont acceptées tout au long de l'année. Les dates prévues doivent être communiquées de six à douze mois à l'avance. Pour plus de renseignements, voir le site http://videoinstudios.com/proposals.php.

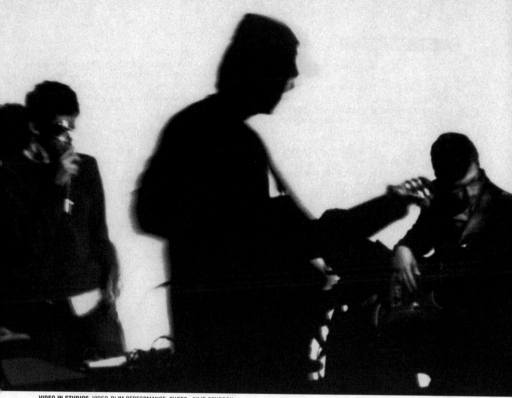

VIDEO IN STUDIOS. VIDEO-BLIM PERFORMANCE; PHOTO: JULIE GENDRON.

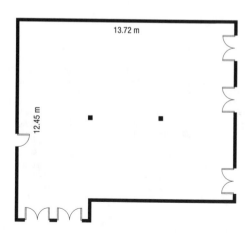

THE WESTERN FRONT

Founded in 1973, The Western Front Society promotes and encourages the role of the artist in determining cultural ecology. Its primary focus is the presentation and production of exhibitions, performance art, new music, new media (including video) and publications–including a bi-monthly magazine. The organization's programs are administered by a curatorial collective of five programme director/curators: performance art, new media, exhibitions, new music and FRONT magazine. The curators define the direction of their respective disciplines. The Western Front maintains technical production facilities and personnel to encourage artists to explore interdisciplinary work and experiment with new technologies. The unique structure of the Western Front Society, and the building in which it is housed, provides a convergence point for a number of communities and audiences.

The main objectives are to promote critical investigations into and surrounding interdisciplinary, media-based, anti-object and ephemeral practices in contemporary art; to promote, through the production of exhibitions and publications, new works in contemporary art and new discourses which stem from, and contribute to, contemporary art practice; to provide a critical context for the exhibition of young and emerging artists with the aim of promoting new members of the cultural community; to promote diversity by presenting a diverse range of artists, approaches and styles in all disciplines; and to develop and maintain partnerships with other arts organizations to further these objectives and to provide increased opportunities to artists.

Proposals are accepted for all five programs on an ongoing basis. Proposals should include a detailed project description and a brief synopsis of the artist's previous work and general interests. Please ensure that you put the name of the program you are applying to on your submission.

The residency program offers artists the opportunity to produce new work, collaborate with like-minded individuals, and to promote their work and ideology within the Vancouver arts community. The program is aimed at artists who work in media/electronic genres, including interdisciplinary fields relating to performance and installation/exhibition. Please see the aforementioned details regarding proposals if you wish to apply.

304 * 305

303 East 8th Avenue
Vancouver (British Columbia) V5T 1S1
T 604 876 9343 F 604 876 4099
info@front.bc.ca
www.front.bc.ca

OPENING HOURS
Office
TUESDAY » FRIDAY: 12pm-5pm
Gallery
TUESDAY » SATURDAY: 12pm-5pm

CURATORS
CANDICE HOPKINS, Exhibitions
DB BOYKO, New music

ANDREAS KAHRE & LEANNE JOHNSON,
FRONT magazine
VICTORIA SINGH, Performance
PETER COURTEMANCHE, Media
OPERATIONS MANAGER
LAURA MACDONALD

SUBMISSION DEADLINE
Submission deadlines are ongoing

Fondée en 1973, la Western Front Society reconnaît le rôle déterminant de l'artiste au sein de l'écologie culturelle. Son objectif principal est la production et la présentation d'expositions, de performances, de musique actuelle, d'œuvres médiatiques (incluant la vidéo) et de publications, dont un magazine bimestriel. Les programmes sont administrés par un collectif composé de cinq commissaires directeurs de programmes qui se consacrent respectivement à la performance, aux nouveaux médias, aux expositions, à la musique actuelle et à la publication du magazine FRONT. Chaque commissaire est responsable de l'orientation de sa discipline. Le Western Front assure l'accès à des équipements de production et à la présence d'une équipe permettant aux artistes de travailler dans un contexte interdisciplinaire et d'expérimenter les nouvelles technologies. La structure unique de la Western Front Society et l'édifice qui l'abrite offrent un point de convergence pour un grand nombre de communautés et de publics.

Ses principaux objectifs sont de promouvoir la recherche critique en pratiques interdisciplinaires, médiatiques, anti-objet et éphémères; de diffuser, par des expositions et des publications, de nouvelles œuvres et de nouveaux discours susceptibles de contribuer au rayonnement de l'art contemporain; d'offrir un contexte critique aux artistes de la relève; de favoriser la diversité par la présentation d'une vaste gamme d'artistes, d'approches et de styles dans toutes les disciplines; d'établir des partenariats avec d'autres organismes artistiques afin d'atteindre ces objectifs, et ainsi offrir de nouvelles possibilités aux artistes.

Les propositions sont acceptées pour les cinq programmes tout au long de l'année. Elles doivent comprendre une description détaillée du projet, ainsi qu'un bref résumé du travail antérieur et des intérêts généraux de l'artiste. Prière d'indiquer dans votre soumission le nom du programme faisant l'objet de votre demande.

Le programme de résidence offre aux artistes la possibilité de produire de nouvelles œuvres, de collaborer avec des personnes dont ils partagent les affinités et de faire connaître leur travail et leurs idées à la communauté artistique de Vancouver. Le programme s'adresse aux artistes qui se consacrent aux arts médiatiques et interdisciplinaires tels la performance et l'installation.

PHOTO: COURTESY OF **THE WESTERN FRONT**

XCHANGES ARTISTS' GALLERY AND STUDIOS

Xchanges is a member-driven, registered non-profit artists' cooperative. Located in Vic West, Victoria, we have over 70 associate members, 17 individual studios, a Gallery, workshop and a multi-purpose room. Our studios are filled with artists producing high calibre work in a variety of media, including drawing, painting, photography, sculpture, ceramics, printmaking and multi-media. As well as providing affordable studios and a creative artistic atmosphere for practising artists, Xchanges houses group studios specializing in printmaking and photography.

Our Gallery is volunteer run and promotes local and national artists, both emerging and established. Exhibitions run for approximately three weeks and rotate monthly. Openings are the first week of each month. For details, please visit our website at www.xchanges gallery.org

We have a newly renovated multi-purpose room, known as The Vault, in which life drawing, painting and sculpture sessions are run. These are open to the public for a drop-in fee. The Vault is also available for rental for public or private events.

Originally called Signal Hill Artists' Centre, Xchanges was founded in 1967 and is Canada's oldest artist cooperative. We are actively involved in the local community and our current and former members are represented in galleries around the world.

For more information about Xchanges, or to enquire about membership, please visit our website at www.xchangesgallery.org or contact us via email at info@xchangesgallery.org or by phone at 250-382-0442.

420 William Street
Victoria (British Columbia) V9A 3Y9
T 250 382 0442
info@xchangesgallery.org
www.xchangesgallery.org

OPENING HOURS
SATURDAY + SUNDAY: 1pm-4pm
OPENINGS: 7pm-9pm, usually
the first Friday of the month
check website or Monday magazine
for details

SUBMISSIONS DEADLINE
October 15th
OPEN HOUSE MEMBERS' SHOW
First weekend in December

Xchanges est une coopérative d'artistes sans but lucratif gérée par ses membres. Située à Vic West (Victoria), elle compte plus de soixante-dix membres associés et possède dix-sept studios individuels, une galerie, un atelier et une salle polyvalente. Nos studios sont occupés par des artistes produisant un travail de haute qualité dans plusieurs disciplines dont le dessin, la peinture, la photographie, la sculpture, la céramique, la gravure et le multimédia. En plus de fournir aux artistes des studios abordables dans un milieu favorable à la création artistique, Xchanges abrite des ateliers de gravure et de photographie.

Notre galerie fait la promotion des œuvres des artistes de la région et du Canada; elle s'occupe aussi bien des nouveaux talents que des talents reconnus. Les expositions, en règle générale, durent trois semaines et changent tous les mois. Les vernissages ont lieu la première semaine de chaque mois.

Notre salle polyvalente The Vault a été récemment remise à neuf. On y donne des sessions de dessin, de peinture et de sculpture, ouvertes au public moyennant contribution financière. Cet espace est également offert en location.

Fondé en 1967, Xchanges s'appelait à l'origine Signal Hill Artists' Centre. C'est la plus ancienne coopérative d'artistes au Canada. Nous sommes très impliqués auprès des collectivités locales; cela n'empêche pas nos artistes (anciens et actuels) d'être exposés partout dans le monde.

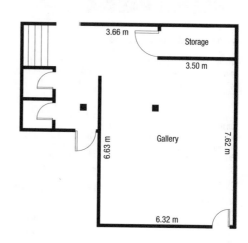

Storage

3.66 m

3.50 m

6.63 m

Gallery

7.62 m

6.32 m

PHOTO: COURTESY OF **XCHANGES ARTISTS' GALLERY AND STUDIOS**

ASSOCIATIONS * ASSOCIATIONS

**PAARC - Pacific Association
of Artist-Run Centres**
c/o 303 E. 8th Avenue
Vancouver BC V5T 1S1
www.paarc.ca

Alliance for Arts and Culture
938 Howe Street, Suite 100
Vancouver BC V6Z 1N9
(604) 681-3535
info@allianceforarts.com
www.allianceforarts.com/

ArtStarts in Schools
#301 - 873 Beatty Street
Vancouver BC V6B 2M6
(604) 878-7144
artstarts@telus.net
www.artstarts.com

Assembly of BC Arts Councils
P.O. Box 931
Parksville BC V9P 2G9
(250) 754-3388
info@assemblybcartscouncils.ca
www.assemblybcartscouncils.ca

British Columbia Film
2225, West Broadway
Vancouver BC V6K 2E4
(604) 736-7997
bcf@bcfilm.bc.ca
www.bcfilm.bc.ca

**British Columbia Museums
Association**
204 - 26 Bastion Square
Victoria BC V8W 1H9
(250) 356-5700
bcma@MuseumsAssn.bc.ca
www.museumsassn.bc.ca

**Canadian Association
for Photographic Art**
c/o Leona Isaak #76 - 46000 Thomas
Road
Chilliwack BC V2T 5W6
(604) 824-9490
capa@capacanada.ca
www.capacanada.ca

CARFAC BC
P.O. Box 2359
Vancouver BC V6B 3W5
(604) 519-4669
bc@carfac.ca
www..vcn.bc.ca/carfac

**Fédération des francophones
de la Colombie-Britannique**
1555, 7e Avenue Ouest
Vancouver BC V6J 1S1
(604) 732-1420
ffcb@ffcb.bc.ca
www.ffcb.bc.ca

Federation of Canadian Artists
1241 Cartwright Street
Vancouver BC V6H 4B7
(604) 681-2744
fcaoffice@artists.ca
www.artists.ca

**First People's Heritage,
Language & Cultural Council**
Lower Main 31 Bastion Square
Victoria BC V8W 1J1
(250) 361-3556
info@fphlcc.ca
www.fpcf.ca

CONSEILS DES ARTS ET MINISTÈRES * ART COUNCILS AND CULTURE DEPARTMENTS

**Arts & Culture Commission
of North Vancouver**
335 Lonsdale Avenue
North Vancouver BC V7M 2G3
(604) 980-3559
nsarts@telus.net
www.northvanarts.com

**ArtsPOD c/o The Centre
for Sustainability**
1200 - 555 W. Hastings Street Box
12132, Harbour Centre
Vancouver BC V6B 4N6
www.artspod.ca

British Columbia Arts Council
PO Box 9819, Stn Prov Govt
Victoria BC V8W 9W3
(250) 356-1718
bcartscouncil@gov.bc.ca
www.bcartscouncil.ca

**Canadian Heritage / Patrimoine
canadien – Vancouver**
400 - 300 West Georgia Street
Vancouver BC V6B 6C6
(604) 666-0176
www.pch.gc.ca

**Canadian Heritage / Patrimoine
canadien – Victoria**
2nd Floor - 711 Broughton
Victoria BC V8W 1E2
(250) 363-3511
www.pch.gc.ca

**Canadian Heritage / Patrimoine
canadien – Kelowna**
Suite 320, 471 Queensway Ave
Kelowna BC V1Y 6S5
(250) 470-4833
www.pch.gc.ca

CDR Arts Development Office
PO Box 1000
Victoria BC V8W 2S6
(250) 360-3215
artsdevelopment@crd.bc.ca
www.crd.bc.ca

FONDATIONS * FOUNDATIONS

First Peoples' Cultural Foundation
Lower Main 31 Bastion Square
Victoria BC V8W 1J1
(250) 361-3456
info@fpcf.ca
www.fpcf.bc.ca

Antisocial Gallery
2425 Main Street
Vancouver BC V6A 1A4
gallery@antisocialshop.com
www.antisocialshop.com

**Architectural Institute
of British Columbia**
100 - 440 Cambie Street
Vancouver BC V6B 2N5
(604) 683-8588
www.aibc.ca

Art Gallery of Greater Victoria
1040 Moss Street
Victoria BC V8V 4P1
(250) 384-4101
lbaldissera@aggv.bc.ca
www.aggv.bc.ca

Art Gallery of the South Okanagan
199 Marina Way
Penticton BC V2A 1H3
(250) 493-2928
agso@vip.net
www.galleries.bc.ca/agso/index.html

Belkin Satellite
555 Hamilton Street
Vancouver BC V6B 2R1
(604) 687-3174
belkin2@interchange.ubc.ca
www.belkin-gallery.ubc.ca

Blim Arts Society
#197 - East 17th Avenue
Vancouver BC V5V 1A5
(604) 872-8180
info@blim.ca
www.blim.ca

CAG - Contemporary Art Gallery
555 Nelson Street
Vancouver BC V6B 6R5
(604) 681-2700
info@contemporaryartgallery.ca
www.contemporaryartgallery.ca

**Centre A, Vancouver Centre
for Contemporary Asian Art**
2 West Hastings Street
Vancouver BC V6B 1G6
(604) 683-8326
centrea@centrea.org
www.centrea.org

Charles H. Scott Gallery
1399 Johnson Street
Vancouver BC V6H 3R9
(604) 844-3809
scottgal@eciad.ca
www.eciad.ca/chscott

Dynamo Arts Association
142 Hastings Street
Vancouver BC V6B 1G8
(604) 602-9005

Gallery Vertigo
Suite #1 - 3001 - 31st Street
Vernon BC V1T 5H8
(250) 503-2297
info@galleryvertigo.com
www.galleryvertigo.com

Grand Forks Art Gallery
P.O. Box 2140, 7340 - 5th Street
Grand Forks BC V0H 1H0
(250) 442-2211
gfagchin@direct.ca
www.galleries.bc.ca/grandforks/

Intermission Artists' Society
1009 E. Cordova St.
Vancouver BC V6A 1M8
(604) 254-3766
info@inter-mission.org
www.inter-mission.org

Kamloops Art Gallery
101 - 465 Victoria Street
Kamloops BC V2C 2A9
(250) 377-2400
kamloopsartgallery@kag.bc.ca
www.kag.bc.ca

Kamloops Arts and Crafts Club
P.O. Box 1431
Kamloops BC V2C 6L7
(250) 579-8765
dkesstrocen@telus.net
www.home.uleth.ca/sfa-gal/index.html

Kelowna Art Gallery
1315 Water Street
Kelowna BC V1Y 9R3
(250) 762-2226
kelowna.artgallery@shaw.ca
www.kelownaartgallery.com

Kootenay School of Writing
112 W Hastings
Vancouver BC V6B 1G8
(604) 688-6001
editor@kswnet.org
www.kswnet.org

Malaspina Printmakers' Society
1555 Duranleau Street
Vancouver BC V6H 3S3
(604) 688-1827
mpsprint@telus.net
www.malaspinaprintmakers.com

Maltwood Art Museum and Gallery
Box 3025 STN CSC
Victoria BC V8W 3P2
(250) 721-8298
maltwood@uvic.ca
www.maltwood.uvic.ca/~maltwood/

Morris and Helen Belkin Art Gallery
1825 Main Mall
Vancouver BC V6T 1Z2
(604) 822-2759
belkin@interchange.ubc.ca
www.belkin-gallery.ubc.ca

Presentation House Gallery
333 Chesterfield Avenue
North Vancouver BC V7M 3G9
(604) 986-1351
membership@presentationhousegall.com
www.presentationhousegall.com

Richmond Art Gallery
7700 Minoru Gate
Richmond BC V6Y 1R9
(604) 231-6457
gallery@richmond.ca
www.richmondartgallery.org

Seam Rippers
436 W. Pender
Vancouver BC V6B 1T5
(604) 689-7326
seamrippers@gmail.com
www.seamrippers.ca

Simon Fraser University
8888 University Drive
Burnaby BC V5A 1S6
(604) 291-3363
ca@sfu.ca
www.sfu.ca/sca

Vancouver Art Gallery
750 Hornby Street
Vancouver BC V6Z 2H7
(604) 662-4700
webmaster@vanartgallery.bc.ca
www.vanartgallery.bc.ca

WRKS DVSN
269 Powell Street
Vancouver BC V6A 1G3
(604) 780-0452

GALERIES PRIVÉES • COMMERCIAL GALLERIES

Catriona Jeffries Gallery
3149 Granville Street
Vancouver BC V6H 3K1
(604) 736-1554
cat_jeffries_gallery@telus.net
www.catrionajeffries.com

Diane Farris Gallery
1590 West 7th Avenue
Vancouver BC V6J 1S2
(604) 737-2629
art@dianefarrisgallery.com
www.dianefarrisgallery.com

Douglas Udell Gallery
1558 West 6th Avenue
Vancouver BC V6J 1R2
(604) 736-8900
www.douglasudellgallery.com

Lobby Gallery / Dominion Hotel
210 Abbott Street
Vancouver BC V6B 2K8
(604) 681-6666
info@dominionhotel.ca
www.dominionhotel.ca

Monte Clark Gallery
2339 Granville Street
Vancouver BC V6H 3G4
(604) 730-5000
info@monteclarkgallery.com
www.monteclarkgallery.com

Tracey Lawrence Gallery
1531 West 4th Avenue
Vancouver BC V6J 1L6
(604) 730-2875
info@traceylawrencegallery.com
www.traceylawrencegallery.com

FESTIVALS ET ÉVÉNEMENTS • FESTIVALS AND EVENTS

Antimatter Underground Film Festival
636 Yates Street
Victoria BC V8W 1L3
(250) 385-3327
info@antimatter.ws
www.antimatter.ws

SWARM
c/o 303 E. 8th Avenue
Vancouver BC V5T 1S1

REVUES • MAGAZINES

Front Magazine
303 East 8th Avenue
Vancouver BC V5T 1S1
(604) 876-9343
frontmagazine@front.bc.ca
www.front.bc.ca

Projectile Publishing Society
703 E. 11th Avenue
Vancouver BC V5T 2E4
www.projectilepublishing.ca

The Fillip Review
2854 St. George Street
Vancouver BC V5T 3R7
fillip@fillip.ca
www.fillip.ca

DISTRIBUTION • DISTRIBUTION

Arsenal Pulp Press
341 Water Street, Suite 200
Vancouver BC V6B 1B8
(604) 687-4233 / 1 888 600 PULP
contact@arsenalpulp.com
www.arsenalpulp.com

YUKON, TERRITOIRES DU NORD-OUEST ET NUNAVUT

YUKON, NORTHWEST TERRITORIES AND NUNAVUT

ODD GALLERY
KLONDIKE INSTITUTE OF ART AND CULTURE

The ODD Gallery is an artist-run centre housed in the Klondike Institute of Art and Culture (KIAC). The Gallery's year-round programming features solo and group exhibitions—juried by committee—by regional, national and international visual artists, our annual thematic project *The Natural & The Manufactured*, and a wide array of outreach programming. Set against the dramatic backdrop of Yukon wilderness and its rich First Nations traditions, the ODD Gallery is unique as it is the only non-commercial artist-run centre north of 60 and is located in the colourful community of Dawson City.

The KIAC Artist in Residence Program provides regional, national and international visual and media artists with living accommodations and studio facilities for the research, development and production of ongoing and new bodies of work and projects. The program operates year-round and accommodates two artists concurrently for residencies of four to twelve weeks duration. Located in the Parks Canada-owned Macaulay Residence, exposure and interest in the program continues to grow exponentially.

Both programs encourage community interaction through artists' and curators' talks, open studios workshops and youth programs and facilitate the exchange of ideas between regional and national/international artists. The programming aims to foster professionalism and appreciation of regional visual arts practice and provides the community with exposure and access to a diverse range of contemporary visual arts practices and theories.

The ODD Gallery and Residency Program are run by an artists' collective in partnership with KIAC, whose operating philosophy is to focus on programs of, by and for artists. Although the venue remains constant, each exhibition and residency involves a distinctly new project with a unique vision, expressed through an evolving and diverse range of media and materials, which provides insights to the human condition and enriches the diversity and social fabric of our community.

Bag 8000
Dawson City (Yukon) Y0B 1G0
T 867 993 5005   F 867 993 5838
dawsonarts@yknet.yk.ca
www.kiac.org

OPENING HOURS
MONDAY » FRIDAY: 1pm-5pm
Weekends as posted

KIAC EXECUTIVE DIRECTOR
GARY PARKER
ODD GALLERY AND
RESIDENCY COORDINATOR
MARY BRADSHAW

SUBMISSION DEADLINE
April 1.
For more information, complete application guidelines and an application form, visit our website

Le centre d'artistes autogéré The ODD Gallery est situé au Klondike Institute of Art and Culture (KIAC). La programmation de la galerie, échelonnée sur toute l'année, comprend des expositions individuelles et collectives par des artistes de la scène régionale, nationale et internationale. Ces expositions sont choisies par un comité de sélection. La galerie propose également un projet thématique annuel, *The Natural & The Manufactured*, ainsi qu'une vaste gamme d'activités destinées à la communauté. Ayant pour toile de fond la nature spectaculaire du Yukon et les riches traditions de ses Premières Nations, ODD Gallery est unique en ce sens qu'il s'agit du seul centre d'artistes autogéré sans but lucratif au nord du 60e parallèle, situé au cœur de la communauté animée de Dawson City.

Le programme de résidences d'artistes du KIAC offre le logement et un atelier aux artistes visuels et médiatiques de la scène régionale, nationale et internationale pour la recherche, l'élaboration et la production d'œuvres et de projets. Le programme est en vigueur toute l'année et permet à deux artistes d'être simultanément en résidence pour une période de 4 à 12 semaines. Le fait qu'il loge dans la maison Macaulay, propriété de Parcs Canada, contribue à augmenter son intérêt et sa visibilité.

Les deux programmes favorisent l'interaction avec la communauté au moyen de conférences des artistes et des commissaires d'exposition, d'ateliers ouverts, d'ateliers pratiques et de programmes pour les jeunes et contribuent à l'échange d'idées entre les artistes de la scène régionale, nationale et internationale. La programmation vise le développement du professionnalisme et l'appréciation des pratiques régionales en arts visuels; elle permet à la communauté d'avoir accès à une vaste gamme de pratiques et de théories en arts visuels contemporains.

ODD Gallery et le programme de résidences sont gérés par un collectif d'artistes en association avec le KIAC, dont la philosophie est de mettre l'accent sur des programmes conçus par et pour les artistes. Bien que les activités se déroulent dans un seul et même lieu, chaque exposition et chaque résidence sont traitées comme de nouveaux projets dotés d'une vision unique, exprimée grâce à une variété de techniques et de matériaux en évolution, qui suscite une réflexion sur la condition humaine tout en enrichissant la diversité et la trame sociale de la communauté.

KLONDIKE INSTITUTE OF ART AND CULTURE (IN WHICH THE **ODD GALLERY** IS HOUSED) LIES IN THE HEART OF HISTORIC DAWSON CITY; PHOTO: PAUL GOWDIE, 2000.

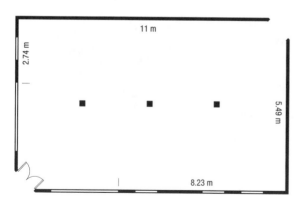

11 m

2.74 m

5.49 m

8.23 m

ASSOCIATIONS * ASSOCIATIONS

Association des francophones du Nunavut
C.P. 880
Iqaluit NU X0A 0H0
(867) 979-4606
cuerrier@nunafranc.ca
www.franco-nunavut.ca

Association franco-yukonnaise
302, rue Strickland
Whitehorse YT Y1A 2K1
(867) 668-2663
afy@afy.yk.ca
www.afy.yk.ca/culturel

Aurora Arts Society
P.O. Box 1042
Yellowknife NT X1A 2P5
(867) 920-7079
auroraas@internorth.com
www.aurora-arts.nt.ca/

Dawson City Arts Society
Bag 8000
Dawson City YT Y0B 1G0
(867) 993-5005
info@dawsonarts.com
www.dawsonarts.com/

Fédération Franco-Ténoise
C.P. 1325
Yellowknife NT X1A 2N9
(867) 920-2919
fft@franco-nord.com
www.franco-nord.com/

Inuit Heritage Trust Inc.
C.P. 2080
Iqaluit NU X0A 0H0
(867) 979-0731
heritage@nunanet.com
www.ihti.ca

Nunavut Arts and Crafts Association
P.O. Box 1539
Iqaluit NU X0A 0H0
(867) 979-7808
arts@nunanet.com
www.nacaarts.org

Society of Yukon Artists of Native Ancestry - SYANA
205- 302 Steele Street
Whitehorse YT Y1A 3C5
(867) 668-2695

Yukon Arts Society
305 Main Street, Suite 15
Whitehorse YT Y1A 2B4
(867) 667-4080
yukonart@polarcom.com
www.piwoweb.com/yas

CONSEILS DES ARTS ET MINISTÈRES * ART COUNCILS AND CULTURE DEPARTMENTS

Canadian Heritage / Patrimoine canadien - Yellowknife
5120 49th Street, 2nd Floor
P.O. Box 460
Yellowknife NT X1A 2N4
(867) 669-2805
www.pch.gc.ca

Canadian Heritage / Patrimoine canadien – Whitehorse
Room 205, 300 Main Street
Whitehorse YT Y1A 2B5
(867) 667-3910
www.pch.gc.ca

Nunavut Department of Culture, Language, Elders and Youth
Box 1000, Stn 800
Iqaluit NU X0A 0H0
(867) 975-5500
cley@gov.nu.ca
www.gov.nu.ca

Northwest Territories Department of Education, Culture and Employment
P.O. Box 1320
Yellowknife NT X1A 2L9
(867) 873-7739
juliet_lim@gov.nt.ca
www.gov.nt.ca

Yukon Department of Tourism and Culture, Cultural Services
100 Hanson Street Box 2703
Whitehorse YT Y1A 2C6
(867) 667-8589
arts@gov.yk.ca
www.tc.gov.yk.ca

Northwest Territories Arts Council
C.P. 1320
Yellowknife NT X1A 2L9
(867) 920-6370
boris_atamanenko@gov.nt.ca
www.pwnhc.learnnet.nt.ca/artscouncil

Nunavut Arts Council
Box 1000, Stn 800
Iqaluit NU X0A 0H0
(867) 980-4218
cley@gov.nu.ca
www.gov.nu.ca

LIEUX DE DIFFUSION * EXHIBITION SPACES

ArtsUnderground
Suite 15 - Lower Level Hougen Centre
305 Main Street
Whitehorse YT Y1A 2B4
(867) 668-6058

Dänojà Zho Cultural Centre
P.O. Box 599
Dawson City YT Y0B 1G0
(867) 993-6768
info@gov.trondek.com
www.trondek.com/centre

**Inuit Heritage Centre /
Itsarnittakarvik**
C.P. 149
Baker Lake NU X0C 0A0
(867) 793-2598
blheritage@qiniq.com
www.bakerlake.org

**Klondike Institute of Art and Culture
- KIAC**
Bag 8000
Dawson City YT Y0B 1G0
(867) 993-5005
info@dawsonarts@yknet.yk.ca
www.kiac.org

**Prince of Wales Northern
Heritage Centre**
4750 - 48 Street P.O. Box 1320
Yellowknife NT X1A 2L9
(867) 873-7551
richard_valpy@ece.learnnet.nt.ca
www.pwnhc.ca

studio two-o-four
204 A Main Street
Whitehorse YT
(867) 456-2913

Ted Harrison Artist Retreat Society
P.O. Box 31544
Whitehorse YT Y1A 6L2
(867) 393-2787
www.thars.ca

Teslin Tlingit Heritage Centre
Box 133
Teslin YT Y0A 1B0
(867) 390-2532
marian.horne@ttc-teslin.com
www.tlingit.ca

Yukon Artists @ Work
#3B Glacier Road
Whitehorse YT Y1A 5S7
(867) 393-4848
yaaw05@internorth.com
www.yaaw.com

Yukon Arts Centre Public Art Gallery
P.O. Box 16
Whitehorse YT Y1A 5X9
(867) 667-8475
info@yac.ca
www.yukonartscentre.org

FESTIVALS ET ÉVÉNEMENTS * FESTIVALS AND EVENTS

Arts in the Park
c/o Yukon Arts Society 305 Main Street,
Suite 15
Whitehorse YT Y1A 2B4
(867) 667-4080
yukonart@polarcom.com
www.piwoweb.com/yas/

**The Great Northern Arts
Society Festival**
P.O. Box 2921
Inuvik NT X0E 0T0
(867) 777-8638
gnaf@town.inuvik.nt.ca
www.gnaf.ca

Yukon Riverside Arts Fest
c/o KIAC Bag 8000
Dawson City YT Y0B 1G0
(867) 993-5005
info@dawsonarts@yknet.yk.ca
www.kiac.org

318 * 319

ASSOCIATIONS • ASSOCIATIONS

ARCCC-CCCAA
Artist-Run Centres and Collectives
Conference / La Conférence des collectifs
et des centres d'artistes autogérés
C.P. 125, Succ. C
Montréal QC H2L 4J7
info@arccc-cccaa.org
www.arccc-cccaa.org

**Access Copyright - The Canadian
Copyright Licensing Agency**
1 Yonge Street, Suite 1900
Toronto ON M5E 1E5
(416) 868-1620
info@accesscopyright.ca
www.accesscopyright.ca

**ALAI Canada - Association littéraire
et artistique canadienne**
1981, avenue McGill College,
bureau 1100
Montréal QC H3A 3C1
(514) 658-5993
alaican@aei.ca
www.alai.ca

**Art Dealers Association of Canada /
Association des marchands d'art
du Canada**
111 Peter Street, suite 501
Toronto ON M5V 2H1
(416) 934-1583
info@ad-ac.ca
www.ad-ac.ca

ArtsSmarts - GénieArts
Canadian Conference of the Arts
804 - 130 Albert Street
Ottawa ON K1P 5G4
(819) 827-9275
aadait@sympatico.ca
www.artssmarts.ca

**Association des groupes en arts
visuels francophones - AGAVF**
55, rue Mill, Bld 58, Studio 317
Toronto ON M5A 3C4
(416) 861-1853
lfitz@interlog.com
http://francoculture.ca/

**Association des musées canadiens /
Canadian Museums Association**
280, rue Metcalfe, bureau 400
Ottawa ON K2P 1R7
(613) 567-0099
info@musees.ca
www.museums.ca

**Association for Native Development
in the Performing and Visual Arts**
360 Bloor Street West, Suite 402
Toronto ON M5S 1X1
(416) 972-0871
ahneen@andpva
www.andpva.com

CARFAC
Canadian Artists' Representation /
Le Front des artistes canadiens
2 Daly Av. Suite 250
Ottawa ON K1N 6E2
(613) 233-6161
carfac@carfac.ca
www.carfac.ca

Canadian Arts Summit
165 University Avenue, Suite 903
Toronto ON M5H 3B8
(416) 869-3016
info@businessforarts.org
www.businessforarts.org

Canadian Copyright Institute
192 Spadina Avenue, Suite 107
Toronto ON M5T 2C2
(416) 975-1756
bkper@interlog.com
www.zvaios.com/cci

**Coalition canadienne des arts /
Canadian Arts Coalition**
canadianartscoalition@magma.ca
www.votezpourlesarts2006.ca
www.votearts2006.ca

**Coalition pour la diversité culturelle /
Coalition for Cultural Diversity**
154, avenue Laurier Ouest, bureau 240
Montréal QC H2T 2N7
(514) 277-2666
coalition@cdc-ccd.org
www.cdc-ccd.org

**Commission du droit d'auteur du
Canada / Copyright Board of Canada**
56, rue Sparks, bureau 800
Ottawa ON K1A 0C9
(613) 952-8621
secretariat@cb-cda.gc.ca
www.cb-cda.gc.ca

**Conférence canadienne des arts /
Canadian Conference of the Arts**
804 - 130, rue Albert
Ottawa ON K1P 5G4
(613) 238-3561
info@ccarts.ca
www.ccarts.ca

**Conseil des ressources humaines
du secteur culturel / Cultural Human
Resources Council**
17, rue York, bureau 201
Ottawa ON K1N 9J6
(613) 562-1535
info@culturalhrc.ca
www.culturalhrc.ca

**Council for Business and the Arts
in Canada**
165 University Avenue, Suite 903
Toronto ON M5H 3B8
(416) 869-3016
info@businessforarts.org
www.businessforarts.org

**Fédération culturelle
canadienne-française**
450, rue Rideau, bureau 405
Ottawa ON K1N 5Z4
(613) 241-8770
fccf@zof.ca
www.fccf.ca

IMAA-AAMI
Independent Media Arts Alliance /
Alliance des arts médiatiques
indépendants
3995, rue Berri
Montréal QC H2L 4H2
(514) 522-8240
info@imaa.ca
www.imaa.ca

**International Network for Cultural
Diversity / Réseau international
pour la diversité culturelle**
804 - 130 Albert Street
Ottawa ON K1P 5G4
(613) 238-3561
incd@ccarts.ca
www.incd.net

Society for Disability Arts and Culture
Suite B - 1380 Napier Street
Vancouver BC V5L 2M4
604-685-3368
info@s4dac.org
www.s4dac.org

www.terminus1525.ca
suite 301 - 487 Adelaide St. West
Toronto ON M5V 1T4
onya@terminus1525.ca
www.terminus1525.ca

**Zof.ca Zone francophone -
Fédération culturelle
canadienne-française**
450, rue Rideau, bureau 405
Ottawa ON K1N 5Z4
(613) 241-8770
fccf@zof.ca
www.zof.ca

CONSEILS DES ARTS ET MINISTÈRES * ART COUNCILS AND CULTURE DEPARTMENTS

Affaires étrangères Canada /
Foreign Affairs Canada
125, promenade Sussex
Ottawa ON K1A 0G2
(613) 992-6283
culture.aca@international.gc.ca
www.dfait-maeci.gc.ca

Conseil des Arts du Canada /
Canada Council for the Arts
350, rue Albert, C.P. 1047
Ottawa ON K1P 5V8
1 800 263-5588
www.conseildesarts.ca

Office de la propriété intellectuelle
du Canada – OPIC / Canadian
Intellectual Property Office - CIPO
Place du Portage I, 50, rue Victoria,
bureau C-114
Gatineau QC K1A 0C9
(819) 997-1936
opic.contact@ic.gc.ca
www.cipo.gc.ca

Patrimoine canadien / Canadian
Heritage – Siège social / Head Office
25, rue Eddy, 3e étage / Hull
Gatineau QC K1A 0M5
1 866 811-0055
www.pch.gc.ca

FONDATIONS * FOUNDATIONS

Imagine Canada - Ottawa
1705 - 130 Albert Street
Ottawa ON K1P 5G4
(613) 238-7555
www.imaginecanada.ca

Inuit Art Foundation
2081 Merivale Road
Ottawa ON K2G 1G9
(613) 224-8189
iaf@inuitart.org
www.inuitart.org

National Aboriginal
Achievement Foundation
70, avenue Yorkville, bureau 33A
Toronto ON M5R 1B9
(416) 926-0775
naaf@istar.ca
www.naaf.ca

320 * 321

INTERNATIONAL * INTERNATIONAL

British Council – Canada
80, rue Elgin
Ottawa ON K1P 5K7
(613) 364-6236
education.enquiries@ca.britishcouncil.org
www.britishcouncil.org/canada

Japan Foundation – Canada
131 Bloor Street West, Suite 213
Toronto ON M5S 1R1
(416) 966-1600
info@gftor.org
www.japanfoundationcanada.org

LIEUX DE DIFFUSION * EXHIBITION SPACES

Musée canadien de la photographie
contemporaine / Canadian Museum
of Contemporary Photography
1, Canal Rideau, C.P. 465, succursale A
Ottawa ON K1N 9N6
(613) 990-8257
mcpc@beaux-arts.ca
www.mcpc.beaux-arts.ca

Musée canadien des civilisations /
Canadian Museum of Civilization
100, rue Laurier, case postale 3100
succursale B - Hull
Gatineau QC J8X 4H2
(819) 776-7000
web@civilisations.ca
www.civilisations.ca

Musée des beaux-arts du Canada /
National Gallery of Canada
380, Promenade Sussex C.P. 427,
Succursale A
Ottawa ON K1N 9N4
(613) 990-1985
info@beaux-arts.ca
national.gallery.ca

RECHERCHE ET DOCUMENTATION • RESEARCH AND DOCUMENTATION

**Bibliothèque et archives Canada /
LIbrary and Archives Canada**
395, rue Wellington
Ottawa ON K1A 0N4
(613) 996-5115
www.collectionscanada.ca

Culture.ca
15, rue Eddy, 8ᵉ étage, 15-8-G
Gatineau QC K1A 0M5
info@culture.ca
www.culture.ca

CultureCanada.gc.ca
Public Works and Government Services
Canada ATTN: Culture Canada Cluster
Ottawa ON K1A 0S5
culturecanada@canada.gc.ca
www.culturecanada.gc.ca

**Observatoire culturel canadien /
Canadian Cultural Observatory**
15, rue Eddy, 8ᵉ étage, Gatineau QC
info@culturescope.ca
www.culturescope.ca

**The Canadian Art Database / La base
de données sur l'art canadien**
18 Gore Street
Toronto ON M6J 2C6
(416) 533-4810
info@ccca.ca
www.ccca.ca

RAAV LE REGROUPEMENT DES ARTISTES EN ARTS VISUELS DU QUÉBEC

Seule association légalement mandatée pour regrouper et représenter l'ensemble des artistes québécois du domaine des arts visuels, le RAAV a pour mission de promouvoir et de défendre les droits des artistes, ainsi que d'œuvrer à l'amélioration de leurs conditions socio-économiques. Le RAAV remplit ses mandats en partenariat avec CARFAC (association des artistes canadiens).

Si vous êtes un artiste professionnel en arts visuels, le RAAV est **votre** association professionnelle.

Le RAAV vous représente et parle en votre nom.
Y adhérer, c'est décider d'être partie prenante dans des décisions et des actions qui vous concernent.

www.raav.org

460, rue Ste-Catherine Ouest, Bureau 913
Montréal (Québec) H3B 1A7
Tél. : (514) 866-7101

LENS SITE SCENE

BlackFlash

Subscribe
for $15*
and get a
free issue

MichelDeBroin   MarionGalut
MarcDulude   MatthieuHusser

2004

ChristineBrault   RamonaPoenaru
ClaudeFerland   TillRoeskens

2005

JeanPhilippeRoy   PierreBelouin
MathildeMartelCoutu   MyriamMechita

2006

Résidences croisées Lac-Saint-Jean, Québec / Alsace, France
LANGAGE PLUS LAC-SAINT-JEAN AGENCE CULTURELLE / FRAC ALSACE

Les Résidences croisées sont réalisées en collaboration avec Sagamie, centre national de recherche en arts contemporains numériques et le Centre Européen d'Actions Artistiques Contemporaines. Ce programme est soutenu par le Conseil des arts et des lettres du Québec, la Ville d'Alma, le Ministère de la Culture et de la Communication (DRAC Alsace), de la Région Alsace et l'Office franco-québécois pour la jeunesse.

2007

2008

2009

Langage Plus est subventionné par le Conseil des arts et des lettres du Québec, Ville d'Alma et le Conseil des Arts du Canada. L'Agence culturelle / FRAC Alsace bénéficie du soutien des Ministères de la Culture et de la Communication (DRAC Alsace) et de l'Éducation Nationale, de la Région Alsace, des Conseils généraux du Bas-Rhin et du Haut-Rhin, de l'Office de la Culture de Sélestat et de sa région.

www.langageplus.com
www.culture-alsace.org
www.ceaac.org

ATELIER CLARK

Atelier de production spécialisé dans le travail du bois ouvert à tous ceux et celles qui ont la main habile et des idées plein la tête : artistes, artisans, concepteurs et autres patenteux-patenteuses.

Toute la liberté, l'espace et l'outillage nécessaires pour réaliser vos projets d'ébénisterie à peu de frais, dans une atmosphère agréable et détendue. Notre technicien est présent en tout temps pour vous apporter un soutien de qualité. Nous offrons également le service de fabrication, réalisé par des artisans chevronnés.

Tarif spécial pour les projets d'artistes

A specialized woodworking shop open to anyone with a good hand and a head filled with ideas: artists, craftspeople, creators, and other handymen/handywomen.

All the freedom, space and tools you need to realize your projects at a very reasonable cost and in a relaxed and pleasant atmosphere. Our technician is present at all times to provide you with top-notch support. We also offer a manufacturing service by experienced craftspeople.

Special rates for artists' projects

5455, Avenue de Gaspé, local 604, Montréal (QC)
www.clarkplaza.org
(514) 276-2679

MIX

MUSÉE RÉGIONAL DE RIMOUSKI

Lieu d'exposition en art contemporain

35, rue Saint-Germain Ouest, Rimouski (Québec) G5L 4B4
tél. : (418) 724-2272   www.museerimouski.qc.ca

En 2006, **Graff** célèbre **40 ans**
de créativité, d'ingéniosité, de savoir-faire, de continuité, de courage,
de plaisir, d'énergie, d'entêtement, d'idées, d'opiniâtreté,
de patience, de ténacité et de volonté dont ont fait preuve artistes,
partenaires, amis et amies depuis 1966.

Graff tient également à témoigner sa reconnaissance aux
généreux donateurs et organismes subventionnaires qui contribuent à
sa vitalité et à sa longévité.

Patrimoine Canadian
canadien Heritage

CONSEIL DES ARTS
DE MONTRÉAL

Conseil des Arts Canada Council
du Canada for the Arts

Conseil des arts
et des lettres
Québec

Avec la participation de:
-Emploi-Québec
-Secrétariat aux affaires intergouvernementales canadiennes

Montréal

TOUT AUTOUR
encadrements

service professionnel
aux artistes
et aux galeries

montage de photos	5500, rue Fullum
encadrements boîtiers	Bureau 108
grands formats	Montréal (Québec)
boîtes de transport	H2G 2H3
faux-cadres de qualité	Tél. : (514) 277-4959
cueillette et livraison	Fax : (514) 277-4731
moulures sur mesure	

---

mfp — MARIE-FRANCE PAQUET
comptable agréée

CA

1100, boul. Crémazie Est, bureau 707
Montréal (Québec) H2P 2X2
Tél. : 514 376-2000 Téléc. : 514 374-8304
mfpaquet@bellnet.ca

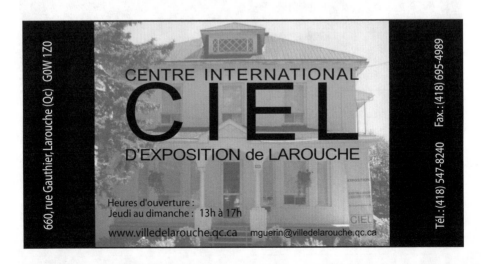

660, rue Gauthier, Larouche (Qc) G0W 1Z0

Tél.:(418) 547-8240 Fax.:(418) 695-4989

CENTRE INTERNATIONAL
C I E L
D'EXPOSITION de LAROUCHE

Heures d'ouverture :
Jeudi au dimanche : 13h à 17h

www.villedelarouche.qc.ca mguerin@villedelarouche.qc.ca

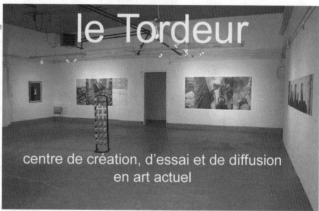

PLACE PUBLIQUE

ZOCALO

Zocalo offre un espace de recherche, production, promotion, diffusion
ainsi que des résidences et des ateliers de perfectionnement aux artistes
ayant une pratique en art imprimé.

Les artistes sont invités à réaliser des œuvres en utilisant les techniques
d'impression traditionnelle ou numérique. De plus, Zocalo met à la
disposition des vidéastes une station de montage sur la suite Final Cut Pro.

Un programme destiné exclusivement aux artistes de la relève
a été rendu possible grâce au soutien financier
du ministère de la Culture et des Communications du Québec.

Zocalo offers research, production and promotion spaces as well as residence
and advanced workshops to established printmakers.

Artists are invited to use traditional or numerical printing techniques
to produce their works. Zocalo also makes the editing suite of Final Cut Pro
available to video directors.

A program designed exclusively for emerging artists
that has been made possible with the financial support of the
ministère de la Culture et des Communications du Québec.

80, rue Saint-Jean
Longueuil, QC
J4H 2W9
450.679.5341
info@zocaloweb.org
www.zocaloweb.org

LA BIENNALE DE MONTRÉAL

Une production du Centre international d'art contemporain de Montréal = www.ciac.ca

CIAC

Québec

Canada

TOURISME Montréal

CONSEIL DES ARTS DE MONTRÉAL

DIALOGUE

ABONNEZ-VOUS À *PREFIX PHOTO* /
SUBSCRIBE TO *PREFIX PHOTO*

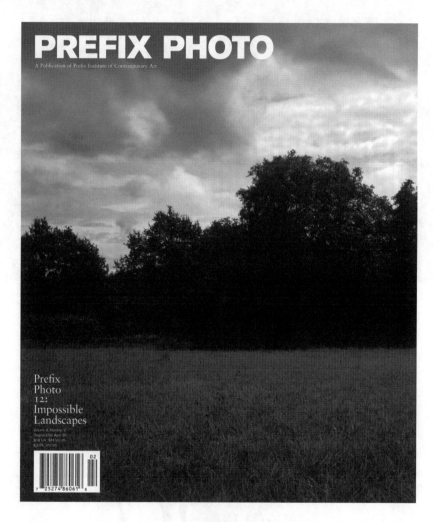

PREFIX PHOTO

A Publication of Prefix Institute of Contemporary Art

Prefix
Photo
12:
Impossible
Landscapes

Volume 6, Number 2
Display Until April 30
$18 CA, $14.95 US
€3.95, $12.95

PHOTO, MEDIA AND DIGITAL ART

Prefix Institute of Contemporary Art
Suite 124, Box 124
401 Richmond Street West
Toronto, Ontario, Canada M5V 3A8
T 416.591.0357 F 416.591.0358
info@prefix.ca www.prefix.ca
Photo Magazine. Visual, Audio and Surround Art Galleries.
Reference Library. Small Press. Travelling Shows.

PREFIX.

www.artexte.ca

25 ans

ARTEXTE centre d'information / information centre

**Centre de documentation
Documentation centre**

**Recherche
Research**

**Diffusion
Dissemination**

460, rue Sainte-Catherine Ouest,
espace 508
Montréal (Québec) CANADA H3B 1A7
info@artexte.ca
tél. : +1 514 874-0049

ART ACTUEL // ART VIVANT // PRATIQUES ÉMERGENTES // ENJEUX SOCIO-POLITIQUES // POSITIONNEMENT INTERNATIONAL //

Publiée trois fois l'an,
la revue *Inter* est disponible
en kiosque et en ligne,
via notre site Internet
www.inter-lelieu.org

INTER, ART ACTUEL
345, rue du Pont, Québec (Québec) Canada, G1K 6M4
T 418.529.9680 | F 418.529.6933 | infos@inter-lelieu.org | www.inter-lelieu.org
Inter, art actuel est soutenue financièrement par le Conseil des Arts du Canada, le Conseil des arts et des lettres du Québec et la Ville de Québec.

Au coeur d'une région magnifique

Centre de recherche et
d'expérimentation

Arts visuels et médiatiques

Diffusion / production

Création

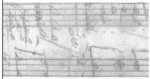

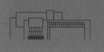

FUSE
magazine

VISUAL CULTURE AND CULTURAL POLITICS

WWW.FUSEMAGAZINE.ORG

fillip

BETWEEN THE THUMB AND FOREFINGER
OF CONTEMPORY ART AND CULTURE

WWW.FILLIP.CA

ATELIER CIRCULAIRE

5445, rue de Gaspé, Espace 503
Montréal (Québec) H2T 3B2
Tél. : 514-272-8874 | Fax : 514-272-4402
www.atelier-circulaire.qc.ca
info@atelier-circulaire.qc.ca

¹/₃   coleoptera II   ⁴⁄₁₁₀₅

RÉSIDENCE D'ARTISTE - ARTIST RESIDENCY
{ Date limite - Deadline : 15/10/2006 }

La résidence comprend :
- accès aux ateliers pour une durée consécutive d'un mois;
- cachet d'artiste de 250 $;
- un cachet de 100$ pour achats en matériel du magasin de l'atelier;
- aide technique d'un imprimeur et/ou encadrement professionnel d'une valeur de 400$.

Les candidats intéressés doivent soumettre un dossier comprenant : 15-20 diapositives; un curriculum vitae; un court texte de démarche artistique; une description du projet à réaliser; une enveloppe pré-affranchie pour le retour du dossier.

Residencies include:
- studio access for a full, consecutive month;
- an artist fee of $250;
- a $100 supply credit;
- technical assistance and/or printer services of a value of $400.

Interested applicants must submit a dossier including: 15-20 slides; a curriculum vitae; an artist statement; a description of the proposed project; a self-addressed, stamped envelope for the return of the dossier.

Conseil des arts et des lettres Québec ✚✚✚

CONSEIL DES ARTS DE MONTRÉAL

Emploi Québec ✚✚✚

esse

arts + opinions

20 ans d'engagement

© Alberto Sorbelli, Tentative de rapport avec un chef-d'oeuvre (détail)

ARTS VISUELS, PERFORMANCE, VIDÉO,
MUSIQUE ET DANSE ACTUELLES, THÉÂTRE EXPÉRIMENTAL,
CINÉMA D'AUTEUR, OEUVRES ENGAGÉES, MANIFESTATIONS HORS LES MURS

LIEUX ET NON-LIEUX DE L'ART ACTUEL /
PLACES AND NON-PLACES OF CONTEMPORARY ART
a bilingual publication / une publication bilingue des éditions esse

© SYN-, Hypothèses d'insertions,

PAUL ARDENNE
ALINE CAILLET
NATHALIE DE BLOIS
MARIE FRASER
LUC LÉVESQUE
EMMANUELLE LÉONARD
CHRISTOF MIGONE
ALAIN-MARTIN RICHARD
KATHLEEN RITTER
VÉRONIQUE RODRIGUEZ
STEPHEN WRIGHT
coordination : Sylvette Babin

(20 $ Can / US, 15 €)

Distribution :
www.esse.ca - www.difpop.com

C.P. 56 Succ. de Lorimier, Montréal (Qc) H2H 2N6
Tél. : 514-521-8597   www.esse.ca

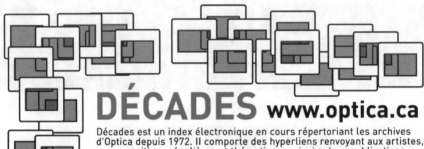

PRÉSENTANT DES ŒUVRES
NOVATRICES LIÉES AUX
PRATIQUES DE L'IMAGE
D'ARTISTES PROVENANT DU
QUÉBEC, DU CANADA ET
DE L'ÉTRANGER.

EXPOSITIONS

PUBLICATIONS

CONFÉRENCES

LECTURES

PERFORMANCES

RÉSIDENCES

SHOWING INNOVATIVE
WORK DEALING WITH
THE IMAGE BY ARTISTS
FROM QUEBEC, CANADA
AND ABROAD.

EXHIBITIONS

PUBLICATIONS

CONFERENCES

READINGS

PERFORMANCES

RESIDENCIES

DAZIBAO

centre de photographies actuelles

www.dazibao-photo.org

TRAVAILLEURS CULTURELS \ \ \ \ \ \ \
\ \ \ \ \ \ \ \ **CULTURAL WORKERS**

356 * 357

TRAVAILLEURS CULTURELS \ \ \ \ \ \
\ \ \ \ \ \ \ CULTURAL WORKERS

RÉDACTION, RECHERCHE \ WRITING, RESEARCH

ANTHEA BLACK
Visual artist, art-writer. Services in research,
grant writing, editing, consultations,
programming, collaborations. Calgary AB
403 802 1941 \ antpaperclip@hotmail.com

MYLÈNE BLANCHET
Historienne de l'art. Rédaction d'appel de dossiers et
demande de subvention; conception et mise à jour
de dossier d'artiste (C.V., démarche, etc.); critique
ou compte rendu d'exposition.
mybym@hotmail.com

SÉBASTIEN BOULANGER
Rédaction, recherche, synthèse et Web, notamment
au service du MCC.
418 523 0474 \ sebastien.boulanger@sympatico.ca

LUCIE CÔTÉ
Historienne d'art et critique d'exposition.
4150, Canadien-Pacifique app. 5, Montréal QC
514 598 8555 \ lu.cote@videotron.ca

CAROLE FORGET, M.A.
Rédactrice-recherchiste. Spécialités : arts visuels,
théâtre, agences de communication, événements
culturels. Maîtrise en études littéraires, auteure membre
de l'UNEQ (Union des écrivaines et écrivains du Québec).
5149, av. des Érables, Montréal QC H2H 2E6
514 890 6684 \ carole_etlesmots@yahoo.ca

SONIA PELLETIER
Commissaire, critique d'art, rédactrice, consultante
en édition, coordonnation de publication.
5421, rue Waverly, Montréal QC H2T 2X8
514 276 2173 \ soniapell@aei.ca

DIANA SHERLOCK
Contemporary Art Curator, Writer and Arts Consultant.
8823-48 Avenue, NW, Calgary AB T3B 2B4
403 288 8543 \ sherlock@telusplanet.net

GONZAGUE VERDENAL
Rédacteur-concepteur.
514 842 8859 \ no.7@laposte.net \
www.eugaznog.com

TRADUCTION, RÉVISION \ TRANSLATION, EDITING

TIMOTHY BARNARD
Traducteur français-anglais et espagnol-anglais.
514 766 1070 \ traducteur@sympatico.ca

MURIELLE CHAN-CHU - TEXTOLAB
Traduction, rédaction et révision en français, anglais,
chinois et allemand. Pour dossiers de presse, demandes
de subvention, communiqués, sites Web.
Montréal QC 514 652-7106 \ mchan@textolab.com \
www.textolab.com

MILUTIN GUBASH
Révision et correction de textes en langue anglaise. \\\
English language revision and correction.
milutin_gubash@yahoo.ca

JULIETTE HÉRIVAULT
Rédaction, révision et traduction (anglais - français).
Plusieurs années d'expérience dans le domaine culturel.
514 845 2674 \ julietteh@sympatico.ca

CLAUDINE HUBERT
Traduction + correction + rédaction. \\\
Translation + proofreading + writing
15, rue Paddock, n° 1, Saint John NB E2L 3A5
506 647 6929 \ claudinehubert@gmail.com

DENIS LESSARD
Artiste, auteur, traducteur.
4571, rue Boyer, Montréal (Québec) H2J 3E5
514 521 4020 \ 514 521 8106 (télécopieur) \
dlessard@videotron.ca

KATHERINE LIBEROVSKAYA
Traduction : tous textes du domaine culturel,
arts visuels, arts médiatiques, nouveaux médias.
Français/anglais - anglais/français
4253, av. de l'Esplanade, app. 4, Montréal QC H2W 1T1
liberovskaya@compuserve.com

DANIEL ROY
Traduction de l'anglais au français. Rédaction et gestion
de projets. \\\ English to French translation.
Grant writing and project management.
514 605 5187 \ danielroy2004@sympatico.ca

TRAVAILLEURS CULTURELS \ \ \ \ \ \
\ \ \ \ \ \ CULTURAL WORKERS

TRADUCTION, RÉVISION \ TRANSLATION, EDITING

COLETTE TOUGAS
Traductrice, auteur et coordonnatrice.
5425, rue Drolet, app. 202
Montréal QC H2T 2H5
514 270 3241 \ colettetougas@hotmail.com

MENTORAT \ MENTORING

JOCELYNE AIRD-BÉLANGER
Mentorat auprès des artistes en arts visuels : aide à
préciser une démarche, à définir un projet d'exposition,
à élaborer un budget de réalisation, à rédiger une
demande de bourse.
1577, rue Monette, Val-David QC J0T 2N0
819 322 2289 \ j.aird@sympatico.ca

LINDA VENNE
Coaching d'artiste (démarche et dossier),
coordonnatrice de projets culturels, professeure en
arts visuels, artiste professionnelle.
5482, 18e Avenue, Montréal QC H1X 2P4
514 374 2274 \ artneuf@bellnet.ca

GESTION \ MANAGEMENT

ANNE ARDOUIN
Productions Projetto. Conception et coordination de
projets de recherche et de création en arts médiatiques
et cinéma, en concertation avec le milieu de l'éducation
et le milieu culturel en Montérégie et autres régions.
Case postale 1076, Saint-Basile-le-Grand QC J3N 1M5
514 267 6400 \ ardouin@projetto.org \
www.projetto.org

PIERRE BEAUDOIN
Coordination en logistique d'événements et de projets
ponctuels ; coaching en développement organisationnel
et de gestion de ressources humaines; coaching et
formation en gestion et promotion de carrière artistique.
514 521 7647 \ p-beaudoin@videotron.ca

ANNIE GAUTHIER
Coaching en gestion d'organismes culturels; conception
et coordination de projets spéciaux. \\\ Coaching services
for management of cultural organizations; project
conception and coordination of colloquia, festivals,
special events...
ani_gauthier@hotmail.com

GESTION \ MANAGEMENT

CHRIS HAND
Consultation, coaching, gestion, promotion,
commissariat, graphiste, réviseur, rédacteur, critique.
3955, boul. Saint-Laurent, Montréal QC H2W 1Y4
514 288 2233 \ zeke@zeke.com \
http://zekesgallery.blogspot.com

MANON QUINTAL
Gestion et administration générale avec spécialisation
pour les OBNL. Administration appliquée, analyse
et restructuration administrative, élaboration d'outils
de contrôle budgétaire, mise en place de système
comp-table, demandes et rapports de subventions.
450 588 6898 \ manonquintal@hotmail.com

DESIGN GRAPHIQUE \ GRAPHIC DESIGN

TAMZYN BERMAN
Atelier pastille rose / design graphique et illustration.
55, av. du Mont-Royal Ouest, espace 602
Montréal QC H2T 2E3
514 288 6592 \ tamzyn@pastillerose.com \
http://www.pastillerose.com/

BENOIT BOURDEAU
Conception graphique, conception et réalisation de sites
Web. Portfolio d'artiste, publication, affiche, carton d'invitation et tout autre projet imprimé ou Web. \\\ Graphic
design, Web site design. Artist portfolio, publication,
poster, invitation card and other printed or web project.
514 723 6627 \ benoit.bourdeau@sympatico.ca

PATRICE CÔTÉ
Graphiq Illustration. Graphisme, image corporative,
outils communicationnels, site Internet et illustration.
66, rue Albert, studio 27, Sherbrooke QC J1H 1M9
819 563 8039 \ 819 563 0779 (télécopieur)
graphiq@abacom.com \ www.graphiq.ca

MARTINE MAKSUD
Conception graphique.
460, rue Sainte-Catherine Ouest, bureau 607
Montréal QC H3B 1A7
514 284 5036 \ 514 284 5352 (télécopieur) \
m@maksudgraphisme.com

TRAVAILLEURS CULTURELS \ \ \ \ \ \
\ \ \ \ \ \ \ CULTURAL WORKERS

DESIGN GRAPHIQUE \ GRAPHIC DESIGN

DOMINIQUE MOUSSEAU
Designer graphique. Conception graphique de publications, de design d'exposition et autres projets imprimés.
24, av. du Mont-Royal Ouest, espace 605
Montréal QC H2T 2S2
514 845 6444 \ 22 \ mousseau@bellnet.ca

MARIELLE PESANT
Atelier rouge. Identification corporative et institutionnelle. Mise en page en édition, logo, papeterie, dépliant, brochure, affiche, pochette, rapport annuel.
418 694 1477 \ atelier.rouge@videotron.ca \
www.mpesant.com

DESIGN DENIS RIOUX
Conception graphique.
1762, rue Saint-Christophe, Montréal QC H2L3W8
514 524 9480 \ denis.rioux@sympatico.ca

NOUVEAUX MÉDIAS \ NEW MEDIAS

ROGER GOYETTE
Inimagis - multimédia + vidéo. Services de conception et réalisation multimédia, vidéo; intégration, animation infographique, tournage et montage (Montérégie, Montréal et Québec).
Case postale 1076, Saint-Basile-le-Grand QC J3N 1M5
450-653-1763 \ 450-653-6401 (télécopieur) \
roggoy@inimagis.com \ www.inimagis.com

HUGO MIGUEL GUERREIRO
Numérisation et documentation numérisée de portefolios : format DVD, CDRom, MiniDV; cameraman; édition et post-production audio vidéo; design de DVD et Authoring; réparation d'ordinateur.
2, rue Querbes, app. 5, Outremont QC H2V 3V6
514 652 0569 \ hugomsg@hotmail.com
www.artic.edu/~hguerr

PHILIPPE RIVARD
Vidéaste et V. J. Productions vidéo de style performance ou documentaire. Toiles de fond en mouvement pour spectacle musical ou toutes présentations animées pour projets artistiques ou de compagnies.
514 490 0563 \ 450 435 3291 \
artsphil@hotmail.com \ artistedoe@hotmail.com

NOUVEAUX MÉDIAS \ NEW MEDIAS

HUGO VALCOURT
Webmestre offrant des services de création et mise à jour de sites Web, de publicité Web, d'hébergement Web et d'aide technique. \\\ Webmaster offering website design and updates, Web advertising, Web hosting and technical support.
hugovalcourt@bweebhosting.com

SON ET ÉCLAIRAGE \ SOUND AND LIGHTING

ROBERT LANTEIGNE
Éclairage : conception, design et développement artistique.
4706, rue des Érables, Montréal QC H2H 2C9
514 522 6992 \ 514 879 3474 (télécopieur)\
lightbob@lightbob.com \ Lightbob.com

NARF
Réalisation musicale et conception sonore.
218, Redfern nº 20, Montréal QC H3Z 2G3
514 937 2920 \ info@narf.ca \ www.narf.ca

TIRAGE PHOTO \ PHOTO PRINT

KATIA GOSSELIN
Artiste photographe. Portraitiste professionnelle; développement de négatifs n & b; tirages traditionnels n & b.
7706, av. de Gaspé, app. 2, Montréal QC H2R 2A4
514 278 9703 \ katiagosselin@hotmail.com

ILLUSTRATION

DOMINIQUE RICHARD
Artiste peintre, illustratrice, modèle.
514 490 0563 \ artistedoe@hotmail.com \
dominiquerichard.com

ÉBÉNISTERIE \ WOODWORK

FRANÇOIS MATHIEU
Services techniques pour travaux divers d'ébénisterie; maquettes de bois pour concours d'intégration des arts, planification et réalisation de projets d'intégration de bois, ou de plus petits projets.
411, rang Saint-Jean, Saint-Sylvestre QC G0S 3C0
418 596 2201 \ poulinmathieu@globetrotter.net

360 * 361

INDEX DES RESSOURCES * INDEX OF RESOURCES

accueil d'artistes en résidence /
artist in residence programs

activités d'édition /
publishing activities

équipements ou espaces de production disponibles /
equipment and production facilities

consultation d'archives et de documentation /
consultation of archives and documentation

INDEX PAR SECTEUR D'ACTIVITÉS * INDEX OF ACTIVITIES

364 * 365

Le Regroupement des centres d'artistes autogérés du Québec (RCAAQ) a été créé en 1986. Instrument de promotion et de ralliement, le RCAAQ œuvre à la reconnaissance nationale et internationale des centres d'artistes autogérés ainsi qu'à l'amélioration de leurs conditions professionnelles. De plus, il offre des séances de formation à ses membres et contribue à leur promotion. En collaborant avec les représentants d'autres communautés de la société québécoise et canadienne, le RCAAQ et ses membres participent au développement et à la définition des grands enjeux artistiques et culturels contemporains.

Le RCAAQ regroupe en 2006 cinquante-neuf centres d'artistes.

The Regroupement des centres d'artistes autogérés du Québec (RCAAQ) was founded in 1986. The RCAAQ is an instrument for promoting the work of artists and bringing them together and works to obtain national and international recognition for artist-run centres and for the improvement of their professional conditions. In addition, it offers its members training sessions and contributes to promoting them. By working with the representatives of other milieux in Canadian and Quebec society, the RCAAQ and its members contribute to the development and definition of the major artistic and cultural issues of the day.

In 2006, the RCAAQ was made up of fifty-nine artist-run centres.

rcaaq
REGROUPEMENT DES CENTRES
D'ARTISTES AUTOGÉRÉS DU QUÉBEC

RÉPERTOIRE DES CENTRES D'ARTISTES AUTOGÉRÉS DU QUÉBEC ET DU CANADA *
DIRECTORY OF ARTIST-RUN CENTRES IN QUEBEC AND CANADA \\ 6ᵉ ÉDITION * 6TH EDITION

Édition / Publishing
Regroupement des centres d'artistes autogérés du Québec (RCAAQ)

Direction générale / Executive Direction
Bastien Gilbert

Coordination de la publication / Publication Coordinator
Céline Lapointe

Recherchiste et relationniste / Research and Public Relations Officer
Daniel Roy

Traduction / Translation
Timothy Barnard, Nathalie de Blois, Stéphane Grégory, Denis Lessard, Katherine Liberovskaya, Alain Pratte

Révision / Revision
Micheline Dussault (français), Timothy Barnard (English)

Traitement numérique des plans et images / Digital processing of floorplans and images
Benoit Bourdeau

Publicité / Publicity
Daniel Roy

Conception graphique / Graphic design
Dominique Mousseau

Impression / Printing
Imprimerie HLN lithographes

© Regroupement des centres d'artistes autogérés du Québec

Dépôt légal, 2006
Bibliothèque et Archives nationales du Québec
Bibliothèque nationale du Canada
ISBN 2-9803946-4-5

Distribution
Canopée Diffusion - Distribution : 109, chemin du Sphinx, Saint-Armand QC J0J 1T0   450 248 9084   lacanopee@primus.ca

RCAAQ : 3995, rue Berri, Montréal QC H2L 4H2   Téléphone 514 842 3984 Télécopieur/Fax 514 987 1862
info@rcaaq.org www.rcaaq.org

*Conseil des arts
et des lettres*
Québec 🟦🟦   Conseil des Arts   Canada Council
                   du Canada   for the Arts

Cette publication a été rendue possible grâce au soutien financier du Conseil des arts et des lettres du Québec et du Conseil des Arts du Canada. Le RCAAQ tient à remercier ses membres, les centres d'artistes du Canada qui s'y sont inscrits, les auteurs, les commanditaires ainsi que les personnes qui ont formé le comité de la présente édition du *Répertoire*, soit Mathieu Beauséjour, France Choinière, Bastien Gilbert, Céline Lapointe, Gilles Prince et Daniel Roy. Les personnes suivantes doivent également être remerciées, tant pour les relations avec les centres d'artistes que pour leur collaboration aux sections Ressources : Michelle Bush, John Murchie, Annie Gauthier, Jewell Goodwyn, Theo Sims, Cindy Baker, Anna Scott, Lynn Acoose, Anthea Black, Todd Janes, Jonathan Middleton et Mary Bradshaw.

This publication was made possible thanks to the support of the Conseil des arts et des lettres du Québec and the Canada Council for the Arts. The RCAAQ would like to thank its members, the Canadian artist-run centres listed herein, the authors, the sponsors and the editorial committee of this new edition of the Directory: Mathieu Beauséjour, France Choinière, Bastien Gilbert, Céline Lapointe, Gilles Prince and Daniel Roy. We also thank the following people for their contribution to the Resources sections: Michelle Bush, John Murchie, Annie Gauthier, Jewell Goodwyn, Theo Sims, Cindy Baker, Anna Scott, Lynn Acoose, Anthea Black, Todd Janes, Jonathan Middleton and Mary Bradshaw.

PHOTO EN COUVERTURE/COVER PHOTO :
PHOTO : STUDIO HÉLÈNE. *CINÉMA AUDITO*, 1962. GROUPE DE FONDS CLÉMENT CLAVEAU. COLLECTION DU MUSÉE RÉGIONAL DE RIMOUSKI. N.A.C. : PH-17259. DEPUIS SEPTEMBRE 2005, COOPÉRATIVE DE SOLIDARITÉ PARADIS, RIMOUSKI.

DEUXIÈME DE COUVERTURE/INSIDE FRONT COVER : PHOTO : DOMINIQUE MOUSSEAU. TROISIÈME DE COUVERTURE/INSIDE BACK COVER : PHOTO : BASTIEN GILBERT.